D1488970

L'ARTISTE DES DAMES

Avec *L'Artiste des dames*, Eduardo Mendoza revient à ses premiers romans parodiques : *Le Mystère de la crypte ensorcelée* et *Le Labyrinthe aux olives*. On y retrouve en effet son personnage principal, Cañuto, un voyou qui avait été interné dans un asile de fous.

Mis à la porte de l'asile pour cause de faillite, Cañuto retourne à Barcelone, après plusieurs années d'absence, dans son quartier d'origine qui est aussi sale et misérable qu'autrefois. Il y retrouve sa sœur, mariée, et s'installe dans le salon de coiffure délabré de son beau-frère, où ne vient plus aucune cliente. Jusqu'au jour où apparaît Ivette Pardalot, qui l'engage pour s'introduire de nuit dans les locaux de l'entreprise de son père et y voler des dossiers. Mais le lendemain du vol, dans la presse, il apprend que le chef de l'entreprise en question a été assassiné dans son bureau. Évidemment, on tente de le faire passer pour le meurtrier. Les événements vont alors se précipiter, car le coiffeur est bien décidé à prouver son innocence. Autour de la victime, une foule de personnages se bouscule : une vraie fille et une fausse…, un avocat véreux, le maire de Barcelone, la maîtresse du défunt, des associés escrocs, un chauffeur de limousine… Reste à savoir qui, parmi ce petit monde, a tué Pardalot ?

Eduardo Mendoza nous donne à lire un savoureux roman à énigme, avec meurtre, chantages, suspense, et une atmosphère rocambolesque qui tient le lecteur en haleine de bout en bout.

Eduardo Mendoza, auteur du Mystère de la crypte ensorcelée, *de* La Vérité sur l'affaire Savolta, *de* La Ville des prodiges, *élu « Meilleur livre de l'année » en 1989 par le magazine* Lire, *est né à Barcelone en 1943. Il est l'un des auteurs espagnols les plus lus et les plus traduits de ces dernières années. Il a reçu en France le prix du Meilleur Livre étranger, en 1998, pour* Une comédie légère

Eduardo Mendoza

L'ARTISTE DES DAMES

ROMAN

*Traduit de l'espagnol
par François Maspero*

Éditions du Seuil

TITRE ORIGINAL
La Aventura del Tocador de señoras
ÉDITEUR ORIGINAL
Seix Barral. Barcelona

ISBN original : 84-322-1090-0
© Eduardo Mendoza, 2001

ISBN 2-02-058113-2
(ISBN 2-02-050040-X, 1re publication)

© Éditions du Seuil, février 2002, pour la traduction française.

www.seuil.com

1

Lorsque ses jambes (bien faites, et tout et tout) sont entrées dans le local où j'exerçais mon office, cela faisait déjà plusieurs années que je vivais dans le plus total abrutissement. Mais bien que l'aventure que je me propose de relater ici sans tarder commence avec cette soudaine apparition, le lecteur ne disposerait pas des éléments nécessaires pour la comprendre dans tous ses tenants et aboutissants si je ne les ramenais pas (le lecteur et le récit) à un épisode antérieur, voire à des événements plus anciens, et si je ne faisais pas précéder ma relation d'un préambule succinct.

L'épisode antérieur en question est celui où l'on est venu me dire que notre cher directeur, le compatissant, le miséricordieux docteur Sugrañes, me convoquait dans son bureau toutes affaires cessantes. Ce à quoi j'ai obéi avec plus d'étonnement que de crainte car, à l'époque, le docteur Sugrañes ne se montrait à personne, et encore moins à moi, à qui il n'avait pas adressé un mot, un geste ou un regard depuis trois ou quatre ans, c'est-à-dire depuis que mon cas avait été considéré comme classé ou, allez savoir, que mon dossier et tous les documents qu'il contenait avaient été d'abord égarés puis définitivement perdus, avec pour résultat de faire retomber sur ma personne physique et juridique un épais silence administratif où ni ma voix, ni mes écrits, ni mes actes n'avaient réussi à ouvrir la moindre brèche. La cause de mon internement était passée depuis longtemps aux oubliettes et, vu que j'étais le seul à pouvoir fournir des arguments susceptibles de le remettre en question et que ni mon lointain passé, ni mon aspect extérieur, ni certains incidents isolés de ma vie plus récente (à l'intérieur et à l'extérieur des murs de l'établissement) ne favorisaient ma crédibilité, bien au contraire, rien ne laissait prévoir que mon séjour dans cette honorable institution dût prendre fin, sauf de façon hautement macabre.

— Entrez, entrez, cher monsieur, et veuillez prendre un siège. A quoi dois-je l'honneur de votre visite ?

Telles sont les paroles qui ont accueilli ma silhouette sur le pas de la porte.

Le docteur Sugrañes, sur qui le Très-Haut a répandu ses dons à profusion, avait largement dépassé l'âge de la retraite et cela faisait belle lurette qu'il se laissait glisser en slalom sur le versant descendant de la vie. Perdant la mémoire, sourd, myope comme une taupe, l'esprit ramolli et le corps déglingué, mais sans renoncer à une once de son autorité ni perdre une parcelle de sa férocité, il continuait de se cramponner à son poste (ajoutant ainsi à sa pension un salaire complet, des primes, points, bonus, et autres gratifications) en attendant le moment où ses supérieurs, toujours empêtrés dans des affaires plus urgentes, consentiraient enfin à s'en apercevoir.

En réalité, la dernière fois que ce qu'on appelait jadis les autorités et qu'on nomme aujourd'hui les institutions s'étaient occupées de nous remontait à plus d'un lustre. Je crois me rappeler que ce fut par une chaude matinée d'été que la très-excellente et très-illustre municipalité, la très-glorieuse et deux fois fameuse assemblée provinciale, les très-intègres et très-dévoués organismes de santé et de bien-être social, le très-prudent et très-généreux archevêché, le très-judicieux et très-gracieux tribunal d'instance, la très-pimpante et très-comique direction générale des prisons, la très-impeccable et très-joyeuse préfecture de police, le très-prestigieux et très-supérieur département de réhabilitation des délinquants et dévoyés, ainsi que l'usine de produits diététiques El Miserere, qui finançait l'expédition, envoyèrent leurs représentants nous visiter. On nous dit ensuite que nous leur avions fait très bonne impression. Il faut préciser que, la veille de leur visite, les plus (si l'on peut dire) lunatiques d'entre nous avaient été bouclés dans les nouvelles cellules insonorisées et que, nous qui restions, nous ne pûmes faire usage des pancartes, manifestes, lettres et tracts que nous portions sous nos blouses parce que, durant le trajet, les membres de la commission d'inspection avaient été régalés par la société organisatrice de biscuits si riches en fibres et en germes, remarquables stimulants du transit intestinal, qu'à peine l'autocar arrêté dans la cour centrale et les portes automatiques ouvertes ses occupants s'étaient précipités pour demander en chœur et en hâte où se trouvaient les toilettes, ce à quoi nous autres, alignés depuis deux heures sur les marches du bâtiment principal et sous un soleil de plomb, nous avions répondu, comme on nous avait dit de le faire, en chantant à tue-tête :

Il court, il court,
le furet !

Une semaine plus tard, on nous lut au réfectoire, à l'heure du dessert et avec la solennité qui convenait, la lettre que la commission d'inspection avait rédigée à l'adresse de notre cher directeur, le docteur Sugrañes. Elle louait notre conduite, félicitait la direction et le personnel du centre, et faisait l'éloge de la pertinence des lieux d'aisance, en recommandant pour finir que le terrain vague dont nous nous servions pour jouer au football soit transformé en un centre sportif polyvalent plus en accord avec l'époque et pour lequel, concluait la lettre, nous seraient envoyés tous les équipements nécessaires dans les plus brefs délais. La première mesure, prise le soir même, fut de nous supprimer notre ballon. Comme il était fait en chiffons, fil de fer et terre cuite, nous nous sommes abstenus de protester en croyant que nous allions recevoir en échange un ballon réglementaire. Mais au bout de quelques jours nous reçûmes un paquet qui contenait deux balles de golf et une demi-douzaine de clubs de différentes formes et tailles. De ces derniers, nous fîmes bon usage, puisque en moins de vingt-quatre heures, juste le temps qu'on nous les retire, il ne resta plus un seul pensionnaire ni un seul infirmier sans lèvre fendue, membre fracturé ou dent cassée. Quant aux balles, nous continuâmes à nous en servir, mais à contrecœur et faute de mieux, car elles étaient dures et comme piquées de petite vérole, elles se perdaient deux fois sur trois dans les plis du terrain et sous les mauvaises herbes, et on avait beau y mettre tout le tempérament et toute la maestria dont on était capable, il était impossible avec elles de feinter, shooter ou faire une tête.

Je relate cet incident parce que ce fut la dernière fois que les dispensateurs des deniers publics daignèrent s'occuper de nous. Ensuite, au rythme de l'augmentation des prix, ils réduisirent le budget, et le centre, à l'étonnement de ceux d'entre nous qui croyaient qu'il ne pouvait tomber plus bas, entra dans un cycle accéléré de détérioration. La nourriture devint tellement mauvaise que l'on pouvait voir les streptocoques prendre leurs jambes à leur cou dès qu'on la posait sur la table ; les meubles tombèrent en morceaux et les vêtements en lambeaux, les canalisations se bouchèrent, les ampoules électriques rendirent l'âme et même le téléviseur, orgueil immémorial du centre, perdit couleurs, netteté et son, pour finir par ne plus émettre que des programmes antérieurs à 1966. Il était fréquent de rencontrer des pensionnaires prostrés, enveloppés de toiles d'araignée qui les faisaient ressembler à des chrysalides. La poussière et la crasse aveuglaient portes et fenêtres. Et sur la dynamique de cette involution rayonnait comme un astre-roi l'omniscience gâteuse du docteur Sugrañes, à la porte de qui je venais de frapper au moment où ce retour dans le passé a interrompu mon récit.

— Toujours à votre disposition, telle a été ma réponse.

— Ayez la bonté de vous asseoir, faites comme chez vous, a-t-il répliqué en m'indiquant un fauteuil au coussin répugnant d'où il me fallut déloger un chat mort.

De son amabilité, j'ai déduit qu'il ne savait ni qui j'étais ni le motif de ma présence dans son bureau. Mais je me trompais, comme à mon habitude. Le docteur Sugrañes a ouvert un classeur qui occupait une bonne partie de la table et en a extrait avec emphase ce qui m'a semblé être une feuille unique et blanche au recto comme au verso, pour la lire comme s'il s'agissait d'un rapport circonstancié.

— C'est votre dossier, a-t-il expliqué d'une voix suave. Il s'en dégage de toute évidence que votre conduite, depuis votre récente admission dans le centre jusqu'à ce jour, a été exemplaire. Obéissant aux consignes, poli avec vos camarades, aimable avec les visiteurs, zélé dans l'accomplissement des tâches quotidiennes, modèle dans l'observance des pratiques de la religion. Excellent, excellent. De quoi parlions-nous ? Ah, oui, de vous, mon cher ami. Je vous considérerais presque comme mon fils, si je ne vous considérais pas aussi presque comme mon père. Et ce papier-là, qu'est-ce que c'est ? Ah, oui, votre dossier, en effet…

Il s'est raclé la gorge, a toussé, modulé quelques variations pour glaires, et repris le fil de son discours.

— En considération de tout ce qui précède et en vertu des pouvoirs qui me sont conférés, j'ai décidé de vous rendre votre pleine et entière liberté, à l'instant même et y compris, s'il y a lieu, avec effet rétroactif. Vous pouvez disposer. Ne me dites pas merci. Et si un journaliste vous interroge sur les opérations de réhabilitation du terrain, dites-lui que vous ne savez rien mais qu'à votre avis, à partir du moment où les patients ont tous guéri le même jour et évacué les lieux, il n'y a aucune raison pour que la S.A. Immobilière Sugrañes ne construise pas un centre commercial et six immeubles d'habitation à l'endroit où se trouvait un asile de fous. Tu m'as compris, canaille ?

— Il me semble que oui.

Le docteur Sugrañes a recouvré son air affable, ouvert de nouveau le classeur pour en tirer un feuillet imprimé qu'il m'a tendu en même temps qu'un stylo.

— C'est le certificat qui atteste votre guérison. Remplissez vous-même les blancs : nom, âge, causes de la maladie, traitement reçu. La routine. Je pourrais le faire moi-même, mais vous savez ce que c'est : l'écriture des médecins… Et en bas, signez aussi à ma place. Un gribouillis suffira. Nous sommes en confiance.. Et maintenant, ces formalités réglées, si vous voulez bien m'accompagner, je vais vous montrer la sortie. Ne perdez pas de temps à prendre vos affaires personnelles, je vous les ferai parvenir moi-même par colis postal urgent.

Il m'a fait parcourir au pas de course les couloirs et le jardin. La grille était ouverte. Le docteur Sugrañes m'a aidé à la franchir, et, une fois de l'autre côté, en me relevant, je l'ai vue se refermer avec fracas.

— N'essayez pas de revenir : pour votre bien, nous avons électrifié les barreaux, m'a-t-il lancé, de l'intérieur. Tenez, voici un peu d'argent pour vos premiers frais. Vous me le rendrez quand vous aurez fait fortune. Vous avez toute la vie devant vous. Et aussi derrière. Hélas, si l'on pouvait revenir à sa jeunesse.

J'ai essayé d'improviser une phrase qui corresponde à ses aimables vœux, mais le bruit des rouleaux compresseurs, des excavatrices et des charges de dynamite a rendu mes efforts inutiles. D'ailleurs le docteur, m'ignorant déjà, m'avait tourné le dos et était reparti. Un peu étourdi, je suis resté à contempler l'enceinte derrière laquelle j'avais bousillé le meilleur de mon existence. Je ne pouvais guère la considérer comme un second foyer, vu que je n'en avais jamais eu de premier et que, au cours des longues années que j'avais passées là, je n'avais pas cessé une minute de grincer des dents. Pour rien au monde je ne serais revenu franchir de mon plein gré cette grille de malheur. Ce n'est pas l'âcre odeur de moineaux frits, preuve que l'avertissement du docteur Sugrañes n'était pas une plaisanterie, qui m'a fait m'éloigner d'un bon pas. Si je sentais quelque chose qui ressemblait à un nœud dans la gorge, un tremblement dans les genoux et un remue-ménage de quelques organes internes (et un externe), ce n'était pas par sentimentalisme. J'avais toujours rêvé de me voir libre. Mais maintenant que j'y parvenais enfin, et de la façon la plus brusque et la plus inattendue, l'angoisse m'assaillait à l'idée que le monde auquel j'aurais à faire face avait beaucoup changé durant ma longue absence, et moi aussi.

*

Ces réflexions achevées, et n'ayant plus rien d'autre à faire ni à quoi penser, j'ai pris la direction que mon sens limité de l'orientation me suggérait être celle de la ville de Barcelone. Dans la plus grande incertitude, j'essayais de situer au jugé les quatre points cardinaux, ou au moins trois d'entre eux, à partir de l'ombre de mon corps que le soleil projetait sur l'asphalte, quand je me suis retrouvé au bord d'une autoroute probablement récente, sur l'accotement de laquelle était assis Cañuto. En m'approchant pour savoir ce qu'il faisait là, je l'ai vu remuer les yeux, les lèvres et les doigts avec une grande agitation.

— Six mille cent neuf dans cette direction, huit mille six cent quatorze dans l'autre. C'est celle-là qui gagne.

Cañuto était un homme d'âge moyen, mais paraissant plus vieux. Dans les années 70 (de notre ère) il s'était illustré dans les vols bancaires. Je veux dire les vols de banques, pas de bancs publics. Il opérait seul, avec un bas sur la tête et un autre dans la poche (on ne sait jamais), un pistolet jouet et une vraie bombe. Il disait que c'était une bombe atomique. Il n'avait pas besoin d'en arriver à cette extrémité, on lui donnait l'argent sans résister. Une fois le vol perpétré, Cañuto ôtait son bas, prononçait quelques paroles appropriées à la situation et repartait à pied sur le trottoir. L'étonnant, c'est qu'on mit beaucoup de temps à le capturer. Dans son modeste logement, on retrouva la totalité de l'argent volé. Il n'avait pas dépensé un sou et vivait de la charité publique. Quand il comparut finalement devant le tribunal, l'inflation galopante de ces années convulsives avait réduit le montant de ses méfaits à un chiffre dérisoire. L'avocat de Cañuto brandit devant les juges un ticket de cinéma dont le prix dépassait ce qui, au temps de Cañuto, avait été une fortune. Cañuto aurait été acquitté et renvoyé à la rue s'il ne s'était acharné à expliquer que ses braquages faisaient partie d'un plan mondial pour semer le chaos, dont lui-même, Cañuto, était tout juste la pointe émergée de l'iceberg qu'il s'obstinait aussi, par ailleurs, à appeler la pointe du gland. Ne sachant quelle peine prononcer, ils l'en-

14

voyèrent à l'asile, où il jouissait d'une renommée justifiée d'homme méthodique, rigoureux, très versé dans les questions boursières, et où je me liai avec lui.

– Dis-moi, Cañuto, sais-tu où se trouve Barcelone ?

– Pardi, m'a répondu Cañuto, ça dépend de la direction du vent. Je vais te calculer ça.

Il s'est planté au milieu de l'autoroute et s'est fourré l'index dans la bouche dans l'intention de le mouiller et de s'en servir comme d'une girouette. J'ai récité une prière pour le repos éternel de Cañuto et suis parti pédestrement le long de l'autoroute en essayant de garder les deux pieds du bon côté du rail de sécurité. Quant à la direction, je l'ai choisie au pif, vu que, si mon intention était bien d'arriver à Barcelone, ça ne changeait pas finalement grand-chose d'arriver ailleurs (par exemple à Copenhague) pour quelqu'un qui était comme moi, pardonnez cette banalité, sans feu ni lieu.

Le terrain était plat et j'avais du temps à revendre – à défaut d'énergie car, avec tout ça, je n'avais rien avalé d'autre ce jour-là que l'eau sale et le demi-quignon de pain qu'on nous avait donnés pour petit déjeuner –, et le tracé particulier de l'autoroute m'obligeait à faire de larges détours pour contourner les boucles qu'elle formait régulièrement sur elle-même de façon fort gracieuse. C'est ainsi que, fourbu, et bien après minuit, j'ai été accueilli par la ville olympique avec une indifférence qui n'avait d'égale que la mienne.

*

Sans but précis et sans autre pécule que les cent pesetas en petite monnaie que m'avait données le docteur Sugrañes, je me suis dirigé vers le quartier où, aux temps heureux et depuis sa plus tendre enfance, ma sœur Cándida faisait le trottoir. C'était un secteur un peu à l'écart des bas-fonds, dont les concavités, un éclairage rare sinon nul, un air vicié et puant, et la présence de créatures telles que Cándida attiraient un public aussi peu fourni en nombre qu'en séductions personnelles, jeunesse, santé, éducation, délicatesse, argent et goût de l'hygiène, mais très régulier dans ses mauvaises habitudes, très direct dans ses manières et très facile à contenter, avec lequel Cándida entretenait une relation peu démonstrative mais jusqu'à un certain point affectueuse, car s'il faut bien admettre que la nature ne lui a guère accordé de charmes, de talent, ni de sens commun, que la vie ne lui a pas fait davantage de cadeaux, qu'elle a un caractère de chien et la tête près du bonnet, et qu'elle est à ce point faite pour souffrir qu'elle trouve le moyen d'avoir des engelures en plein juillet, il faut bien reconnaître aussi qu'à l'heure de travailler on ne pouvait trouver dans tout Barcelone de personne aussi bonne et aussi accommodante que la pauvre Cándida. Mais, en arrivant, j'ai constaté que le quartier avait changé, que ce n'étaient plus les mêmes habitants ni les mêmes visiteurs. Les rues étaient bien éclairées, les trottoirs propres. Des gens bien habillés se promenaient en admirant le pittoresque du lieu. A plusieurs reprises, j'ai abordé des passants pour leur demander s'ils connaissaient Cándida et, rien qu'en me voyant, ils sont partis en courant. L'un d'eux m'a photographié (avant de partir en courant), un autre m'a menacé en brandissant le guide Michelin, et un troisième qui avait accepté de m'écouter s'est révélé être étranger, membre d'une secte et apparemment idiot. Au vu de quoi, et comme je ne pouvais rien faire d'autre qu'attendre, que mes forces étaient à bout et la température clémente, je me suis rencogné contre les palissades d'un chantier et ma tête n'a pas eu le temps de rebondir sur le pavé que déjà je dormais d'un profond sommeil.

La fraîcheur de l'aube m'a réveillé et je me suis

retrouvé au même endroit, mais dépouillé de mon argent et de tous mes vêtements, sauf le caleçon, qu'il aurait été difficile de m'enlever sans m'arracher la peau avec. Je me suis recroquevillé et j'ai continué à dormir jusqu'à ce que le bruit de la ville laborieuse vienne me tirer définitivement de mon sommeil. Les commerces avaient ouvert leurs portes et j'ai poursuivi mes recherches en considérant que, même si les changements urbanistiques ou le cycle biologique naturel avaient expédié Cándida à la retraite, elle ne devait pas être allée vivre loin de là – si elle vivait encore. Par chance, la saison touristique avait commencé et ma tenue se confondait avec celle des nombreux visiteurs étrangers qui viennent contempler nos curiosités architecturales et nous offrent en échange la contemplation de leurs adiposités velues, ce qui m'a permis de déambuler sans me voir faire d'autres propositions que celles de me promener en calèche, d'acquérir un appartement dans la Cité olympique ou de déguster cette merveille culinaire barcelonaise qu'est le *suquet de bogavante*, voire les trois à la fois, et d'être accueilli partout avec les marques d'une obséquieuse cordialité. Lesquelles se changeaient en insultes, quolibets et menaces dès que je formulais ma demande dans la langue locale. A midi, mes espoirs de trouver Cándida avaient disparu. Je me suis assis sur un banc pour réfléchir et, tandis que je me livrais à cette activité improductive, j'ai été abordé par un garnement au teint basané qui, avec plus de culot que de syntaxe, m'a dit qu'il m'avait suivi toute la matinée, qu'il savait ce que je cherchais et qu'il détenait une information dont il estimait la valeur à cent balles, et encore il me faisait un prix.

— Mon garçon, lui ai-je répondu, je n'ai pas un radis. Mais je te propose un marché. Quel âge as-tu et comment t'appelles-tu ?

Il m'a répondu qu'il aurait bientôt vingt et un ans

mais que pour le moment il n'en avait encore que huit, et que je pouvais l'appeler Jamín, contraction de Jaime en catalan arabisé.

— Très bien, Jamín, lui ai-je dit, et maintenant écoute-moi. Si tu sais où habite Cándida, dis-le-moi, et peut-être qu'un jour je pourrai te payer ce service. Si tu ne me le dis pas, j'irai à la police et je leur dirai que je t'ai violé. Moi, ils me laisseront en liberté et toi, ils t'enfermeront en maison de correction.

Il avait l'esprit vif, même s'il manquait encore d'expérience et de savoir-vivre. Il est parti d'un pas rapide et je l'ai suivi sans cacher mon admiration pour cet authentique produit de la réforme scolaire. A peu de distance de là, il s'est arrêté devant un immeuble qui avait échappé au plan de rénovation et d'assainissement auquel semblait soumis tout le quartier : la suie suintait encore de la façade, et de la porte s'exhalait une puanteur tenace de sardine frite, d'excrément et de gaz domestique. Jamín m'a montré cette ouverture noire et a lâché avant de filer :

— Au second, porte 3.

L'esprit gonflé d'espoir et taraudé d'incertitude, j'ai gravi les marches glissantes et suis arrivé devant ce que la clarté qui filtrait par les fissures du mur m'indiquait comme étant le logement présumé de ma sœur. J'ai sonné et attendu un bon moment. Finalement, mes oreilles ont perçu le glissement sensuel d'une paire de vieilles savates sur les carreaux disjoints d'un sol délabré. Un œilleton s'est ouvert, mais la personne qui était derrière n'arrivant pas à la hauteur du trou, il s'est refermé et une voix fêlée a dit :

— Il n'y a personne ici, qui êtes-vous ?

— Je cherche une demoiselle nommée Cándida. Je lui apporte de bonnes nouvelles. Et un bouquet de fleurs. Et un lot de produits diététiques. Et la possibilité de gagner encore beaucoup d'autres prix.

– Inutile, jeune homme, s'est obstinée la voix fêlée. Cándida ne peut pas vous recevoir. Elle est occupée.

– Madame, ai-je menacé, si vous ne m'ouvrez pas sur-le-champ, j'enfonce la porte.

Il y a eu un bruit de barres, un grincement de gonds, et le visage d'une vieille est apparu dans l'entrebâillement où j'ai aussitôt introduit un pied, plus pour donner une impression de fermeté que par souci d'efficacité car, étant pieds nus, j'aurais dû, afin de battre en retraite, abandonner les cinq orteils à l'intérieur pour peu que l'idée de refermer vienne à ce cacatoès. Par chance le cacatoès semblait trop ahuri pour s'apercevoir de son avantage tactique.

– Qui êtes-vous?

Nous avions formulé la question en même temps, mais c'est moi qui ai répondu, en partie par politesse et en partie parce qu'il est inutile de discuter avec les personnes âgées.

– Je suis le frère de Mlle Cándida.

– Cándida ne m'a jamais parlé d'un frère, a répondu le cacatoès.

– Elle n'aime pas se vanter. Il y a quelqu'un?

– Oui, moi.

– Ça, je le sais. Je vous demande si Cándida est là.

– Ah. Et peut-on savoir, jeune homme, pourquoi vous vous promenez dans cette tenue légère?

– S'agissant d'une visite familiale, j'ai choisi de me présenter sans me mettre sur mon trente et un, ai-je dit en manière d'excuse. Je ne suis pas un esclave de la mode. Ni vous, madame, si j'en juge par la saleté de votre robe de chambre.

– Oui, mais moi, je suis chez moi.

– Comment, chez vous? Vous vivez avec Cándida?

– Non, monsieur, a répliqué le cacatoès. C'est Cándida qui vit avec moi.

– Puis-je vous demander en quelle qualité?

19

– Cándida est ma bru, a répondu le cacatoès. Mon fils et sa femme, je veux dire ma belle-fille et son mari, vivent chez moi et aux frais de ma modeste retraite. Mais ce ne sont pas des parasites, non, non : mon fils tient un commerce florissant et Cándida fait ce qu'elle peut, ce qui n'est pas beaucoup.

– Vous voulez dire, me suis-je exclamé, plus pour moi que pour les oreilles bouchées du cacatoès, que la pauvre Cándida a fini par se marier ? Je n'aurais jamais imaginé ça.

– Il est étrange qu'étant son frère vous ne le sachiez pas, a dit le cacatoès. Si elle ne vous a pas invité au mariage, c'est qu'elle devait avoir ses raisons. Et maintenant, si vous permettez, je vais fermer la porte, avec ou sans fracture du pied, à vous de choisir.

– S'il vous plaît, madame, l'ai-je implorée, j'ai besoin de parler à Cándida. Je n'ai pas de mauvaises intentions, mais je suis résolu. Puisque vous ne me laissez pas entrer, je vais m'asseoir sur le paillasson et attendre qu'elle sorte si elle est dedans, ou qu'elle rentre si elle est dehors, et plus ça tardera plus il y aura de probabilités que les voisins me découvrent en train de faire le fakir.

En voyant que je me disposais à exécuter ma menace et qu'en adoptant la position du lotus mon caleçon se déchirait sur mes fesses, la vieille a ouvert la porte en grand et m'a invité à passer dans un vestibule étroit mais meublé avec simplicité et mauvais goût, où, tout de suite, convoquée par les cris du cacatoès, ma sœur a surgi des profondeurs de cette bauge.

*

Il y a des femmes chez qui un heureux changement d'état civil produit un effet quasi magique sur leur apparence physique, une authentique transfiguration.

Ce n'était pas le cas de Cándida que j'ai trouvée, c'est le moins qu'on puisse dire, franchement plus moche, comme si les années écoulées depuis notre dernière rencontre lui avaient infligé au passage des ruades sauvages.

– Bonjour, Cándida, ai-je murmuré, tu es ravissante.

Contre toute prévision, Cándida a fait une grimace qui, chez un primate, aurait pu passer pour un sourire et m'a répondu :

– Toi aussi, tu m'as l'air très en forme. Mais ne reste pas dans le vestibule. Entre et mets-toi à l'aise. Tu es ici chez toi.

Tout d'abord, ayant vu à la télévision suffisamment de téléfilms et même d'authentiques reportages sur la question, j'ai pensé que la pauvre Cándida avait été l'objet d'une opération de substitution de la part de quelque extraterrestre qui avait pris sa forme périssable. Puis je me suis dit qu'aucun extraterrestre ayant un peu de jugeote n'aurait eu l'idée de prendre possession d'une coquille aussi pourrie pour débuter la conquête ou la destruction de notre planète et que si, malgré tout, un être bizarre d'une autre galaxie avait eu ce caprice, l'échange devait forcément m'être bénéfique. De sorte que je me suis fait tout miel et que je l'ai suivie à l'intérieur de l'appartement qui comptait deux chambres, cuisine, salle de bains et living-room, selon ce que j'ai pu déduire du mobilier, de la décoration et autres éléments rapportés.

– Comme tu vois, a dit Cándida, notre tour terminé, nous sommes divinement installés, moi, Viriato et Maman.

– Maman, c'est ce monstrueux chérubin nonagénaire ?

– La maman de Viriato, a précisé Cándida, et la mienne, ma belle-mère. Viriato est ma moitié d'orange. Viriato te plaira ; si tant est que ce soit possible, il est

21

plus jeune que moi, plus dégourdi, plus intelligent, et il est doux et libéral.

– Et tu crois que je lui plairai aussi ?

– J'en suis sûre et certaine. Pas vrai, Maman ?

Par chance, entre-temps le cacatoès s'était écroulé, endormi ou mort, sur le porte-parapluies, si bien qu'il n'a pas pu répondre à cette question pleine de perfidie.

– Écoute, Cándida, ai-je dit, je crois que tu devrais me raconter cette histoire en commençant par le commencement. Mais d'abord, comme je prévois qu'elle sera longue, je te serais reconnaissant si tu me donnais quelque chose à manger. Pour être sincère et au cas où tu ne l'aurais pas remarqué, je dois te prévenir que ma situation est loin d'être prospère. Mais ne crains rien : une fois satisfaits mon appétit et ma curiosité, ou même seulement le premier, je repartirai par où je suis venu. En aucun cas ma présence ne troublera ton bien-être conjugal.

– Ne dis pas de bêtises, a répliqué ma sœur. Le commerce familial a le vent en poupe, nous jouissons d'une situation confortable et nous avons justement besoin de quelqu'un de jeune, d'ambitieux et d'audacieux pour accroître les capacités de développement de notre entreprise. Tu comprends, les temps ont changé. Nous ne sommes plus dans les années soixante-dix que tu as connues, ni dans les années quatre-vingt que tu as passées enfermé. Nous sommes au milieu des années quatre-vingt-dix. Au seuil de je ne sais plus quel siècle. Reste avec nous et tu auras du travail, un bon salaire et un brillant avenir.

Et, tout en prononçant ces mots, elle a ouvert le tiroir du secrétaire et en a sorti un morceau de fromage, puis, d'un autre, un quignon de pain pas trop rassis, qui furent immédiatement victimes de ma voracité. Et comme, tandis que je mangeais, Cándida continuait de parler, j'ai perdu une bonne partie de son récit, tout en en saisissant la substance qui peut se résumer ainsi :

– Il y a un peu plus d'un an, Viriato avait collé sur les murs et les lampadaires une affichette qui disait : Cherche à épouser femme de ce quartier, âge, physique, intelligence, position sociale, race, croyance ou idéologie indifférents. Je répondis en disant que si vraiment la beauté, le cerveau et l'argent lui étaient indifférents, j'étais la personne qu'il cherchait, vu que je ne possédais aucune de ces trois choses, et que s'il voulait me voir, il pouvait venir me prendre au lever du jour, à la fin du turbin, sur le terrain vague qui se trouve derrière le vieux cimetière, section des soldes. Il vint le lendemain et nous nous mariâmes.

J'ai interrompu mes mouvements masticatoires et regardé fixement Cándida en attendant qu'elle poursuive, mais elle s'est bornée à fermer les yeux, à sourire et à s'exclamer :

– Et voilà.

Comprenant que formuler la question qui me venait en cet instant à l'esprit serait cruel, j'ai décidé de me taire et d'attendre que les événements se chargent d'y apporter la réponse appropriée.

– Et où est Viriato en ce moment ? ai-je seulement demandé.

– Il travaille, comme de juste, a dit Cándida. Mais il ne tardera pas à rentrer. Il mange toujours à la maison, en famille. Comme ça, il fait des économies et suit un régime équilibré. Il fait les courses, la cuisine et la vaisselle. Et pareil pour le dîner.

– Et après le dîner, il ne sort pas un moment pour se dégourdir les jambes ?

– Les jambes ? Non. Viriato est très casanier. Après le dîner nous regardons la télévision, s'il y a une émission culturelle. Sinon, nous jouons au Monopoly. Mais j'entends la sonnette, Maman ouvre la porte et les pas virils de mon Viriato résonnent dans le vestibule. Dans quelques secondes, vous aurez l'occasion de faire connaissance.

*

Viriato frisait la cinquantaine, il était petit, replet, avec le crâne dégarni et les membres courts, légèrement bossu, et il avait dû loucher au temps où il possédait encore ses deux yeux. Pour le reste, il avait l'air d'un homme en bonne santé, présentant bien, d'apparence débonnaire et toujours prêt à rire de ses propres plaisanteries. Il a pris acte de ma présence sans surprise ni mécontentement, a réitéré la proposition que Cándida m'avait faite et n'a pas éludé la question qu'avec beaucoup de sagacité il a lue dans mes yeux.

— Suis-moi dans la cuisine et nous causerons pendant que je préparerai la tambouille.

Et une fois seuls, il a ajouté :

— Tu dois sans doute te demander pourquoi un individu comme moi, qui ressemble à Kevin Costner, s'est marié avec une farce de la nature telle que Cándida. Tout a une explication. Depuis mon plus jeune âge, je désirais mener une vie retirée, consacrée à la méditation et à la philosophie, mais la disparition de mon père, quelques minutes après m'avoir conçu et en emportant avec lui les maigres économies de ma mère, puis les difficultés économiques consécutives à cet événement, et d'autres malheurs dont je te ferai grâce, avaient toujours entravé mes plans. Un temps, je pensai entrer dans un couvent, mais j'en fus empêché, non tant par le fait que je suis pédé comme un phoque, mais parce que je ne pouvais abandonner à son sort ma vieille mère sur qui pèse la malédiction, au demeurant fort commune, d'avoir été vieille depuis sa plus tendre enfance. C'est pourquoi je me consacrai au commerce qui nous procure actuellement de quoi vivre, et, dans les moments qui me restent, à ma véritable vocation. Ainsi j'accomplis mon devoir et j'ai déjà rédigé neuf tomes d'un traité qu'un jour, si tu le souhaites, je te lirai, avec les commentaires adéquats.

— Rien ne saurait me rendre plus heureux, ai-je répondu, mais tu devais me parler de Cándida.

— Ah, oui, Cándida, s'est-il exclamé comme si ce nom lui rappelait quelque chose. Eh bien, c'est que ma mère, en prévision des infirmités propres à son âge, insistait pour que je me marie. Et tu sais à quel point les mères peuvent être obstinées et combien d'arguments émotionnels elles sont capables de mobiliser dans ces cas-là. Elle mit deux fois le feu à l'appartement, elle se précipita une fois dans la cage de l'escalier et pour finir, devant l'échec de ces tentatives, elle se rendit au zoo et se jeta dans la cage des lions où elle serait encore si ceux-ci n'avaient attiré l'attention de leurs gardiens par des rugissements et des bonds épouvantés. En conséquence de quoi je décidai de faire plaisir à ma mère. Après avoir considéré plusieurs propositions intéressantes, je rencontrai Cándida et fus aussitôt convaincu que j'avais trouvé ce que je cherchais. Je ne me trompais pas : Cándida a plu à ma mère, et ma mère semble être du goût de Cándida. Moi, en bon philosophe, je me suis vite adapté sans problèmes à la nouvelle situation. Cándida est serviable et très endurante, elle ne s'immisce pas dans mes affaires, elle mène ma mère prendre l'air sur la terrasse quand il fait beau, elle ne se livre pas à des dépenses somptuaires et nettoie autant qu'elle salit. Je sais qu'un jour je les tuerai toutes les deux à coups de hache, mais en attendant nous vivons bien.

Je n'avais rien à ajouter à des paroles aussi sensées et comme par ailleurs, tout en parlant, Viriato avait fini de préparer des macaronis avec une sauce à la viande qui n'aurait pas déparé la table d'un satrape, j'ai scellé notre amitié par une vigoureuse accolade et, en ma qualité d'élément viril de la famille, j'ai donné ma bénédiction à cet heureux hymen.

Le repas terminé, arrosé d'un délicieux cabernet sauvignon de fabrication toute locale et égayé par la maman de Viriato (dont je n'ai pu déduire le nom de la conversation, car on s'adressait à elle en employant des épithètes affectueuses, telles que « sorcière » ou « crapaud »), laquelle, avec ce don naturel qu'ont beaucoup de vieilles personnes pour jouer les boute-en-train, nous a régalés du récit choisi de ses meilleures diarrhées, Viriato m'a proposé de l'accompagner à son travail, puisque ma sœur lui avait dit que je cherchais un emploi rémunéré et que lui, de son côté, avait besoin de quelqu'un avec qui partager ses responsabilités. Dans l'attente que mes gains me permettent d'acquérir une garde-robe en concordance, ils m'ont prêté un vieux chandail jaune grâce auquel, sauf aux endroits où la disproportion de gabarit laissait déborder de fugaces révélations, j'ai pu passer presque inaperçu au milieu de mes concitoyens.

*

Le commerce de mon beau-frère était situé à peu de distance de son domicile, dans une rue qui n'était ni très large, ni très longue, ni très propre, mais abondait en établissements ouverts au public (une rue commerçante), et il consistait en une boutique de coiffeur pourvue des ustensiles nécessaires, certes pas les plus modernes ni les plus sophistiqués, ainsi que d'un stock réduit de produits cosmétiques aux différentes étapes de la décomposition. Au-dessus de la porte, sur la rue, resplendissait une enseigne sur laquelle, malgré l'absence d'un assez grand nombre de lettres, on pouvait déchiffrer :

L'ARTISTE DES DAMES
SALON DE COIFFURE
FONDÉ EN 1985 OU 1986
RAPIDITÉ ET BON GOÛT À DES PRIX IMBATTABLES

– Nous avons un public nombreux et, ce qui est plus important, très fidèle, m'a expliqué Viriato, tout en profitant d'une absence de clients qu'il a jugée inexplicable pour me montrer fièrement ses installations. Le salon de coiffure est strictement unisexe, comme l'indique notre raison sociale, mais nous admettons indifféremment les hommes et les femmes. Nous comptons même quelques prêtres parmi nos visiteurs les plus assidus. C'est dire, sans exagérer le moins du monde, combien notre clientèle est sélecte.

Il avait beau s'exprimer au pluriel et accompagner ses propos de gestes qui suggéraient une troupe nourrie, j'ai vite compris que le personnel de la boutique se réduisait à Viriato, circonstance qu'il a justifiée ainsi :

– En effet, je pourrais employer plusieurs aides, compte tenu de la demande, mais il est très difficile par les temps qui courent de trouver des personnes travailleuses et responsables. Il y a un an, j'ai engagé un apprenti dont j'ai vite dû me séparer, car il manquait de la finesse, de l'élégance naturelle et des dispositions pour les relations publiques, essentielles dans ce genre de travail, outre qu'il ne me laissait pas l'enculer. Tu comprends ? Je vois que oui, parce que tu hoches la tête alternativement de haut en bas et de gauche à droite, ce qui me comble de joie. Évidemment, je ne peux pas t'offrir un haut salaire. Je ne peux même pas t'offrir un bas salaire. Au départ, tu devras te contenter des pourboires et de ce que tu pourras piquer dans les sacs des dames. Plus tard, si la chance nous sourit, je te permettrai peut-être d'acquérir des actions préférentielles de la société. Je te fais cette proposition à cause des liens familiaux qui nous unissent. Ne me remercie pas. Derrière ce paravent, tu trouveras une blouse, une serpillière et un seau.

*

C'est ainsi que j'ai obtenu le premier travail honorable de ma vie. Faut-il préciser que j'ai mis dans son accomplissement toute l'énergie accumulée au cours de tant d'années d'oisiveté, toutes les espérances que m'inspirait la perspective de me voir finalement intégré dans la société des hommes et, à quoi bon le nier, toute l'ardeur que générait en moi une saine ambition ? Et ma foi, mes efforts n'ont pas été vains.

Les premiers jours, comme cette absence tout à fait exceptionnelle de clients dans la boutique se prolongeait, j'en ai profité pour nettoyer et mettre de l'ordre. J'ai chassé, à coups de manche à balai, les rats qui s'étaient installés dans le local et, à coups de pied, les chats galeux qui avaient conclu avec eux un pacte ignominieux de non-agression. J'ai contraint, sous la menace de mes semelles, les puces, punaises, lentes, cafards et scolopendres à changer de domicile. J'ai éliminé les sangsues qui s'étaient confortablement installées dans les bigoudis. J'ai lavé les serviettes, blouses et chiffons dans une fontaine publique, aiguisé les ciseaux sur le bord du trottoir, recollé les dents des peignes... à quoi bon poursuivre ? Je travaillais du lever au coucher du soleil et mon beau-frère, pour me prouver qu'il me faisait pleinement confiance, me laissait seul toute la journée. A l'heure convenue, je fermais et j'allais le chercher dans un des neuf sex-shops qui garnissaient le pâté de maisons et dans lesquels, profitant du calme et de l'ombre propice, Viriato poursuivait ses études de philosophie avec un tel acharnement qu'il me fallait souvent le traîner jusqu'à la maison, car il se trouvait dans un état d'épuisement méritoire. Puis je revenais à la boutique, je préparais tout pour le lendemain et j'allais dîner dans un restaurant élégant quoique simple du quartier, dont la vitrine arborait un panneau alléchant :

SUCCULENTES PIZZAS

Cuites au feu de bois	400 pesetas
Crues	200 pesetas
Non décongelées	50 pesetas
TVA	6 %

Les jours fériés je complétais ce délicieux repas par un Pepsi-Cola (bouteille familiale), avant de réintégrer immédiatement la boutique. Je prenais encore le temps d'enlever quelques flocons de poussière sur le miroir. Puis je me couchais, fatigué mais heureux, sur le matelas que je m'étais fabriqué avec les cheveux accumulés par terre, sur les murs et au plafond. Dès potron-minet je relevais le rideau métallique et me mettais sur le pas de la porte pour vanter la marchandise en criant :

– L'Artiste des Dames ! Teintures, postiches, permanentes ! Nattes, crêtes, afros ! Mèches, tire-bouchons, franges, chignons ! Voyez nos prix !

Quand mes cris et mes gesticulations attiraient un client ou une cliente, je conduisais celui-ci ou celle-ci jusqu'au fauteuil où je lui passais le surplis, la cape ou le peignoir (ou si l'on préfère, dans les trois cas, le torchon), je lui aspergeais les cheveux avec un aérosol en essayant d'atteindre les yeux pour qu'il ne s'attarde pas trop sur les détails de l'environnement, et je courais chercher Viriato, lequel, tant bien que mal, achevait le travail.

Comme je suis d'un naturel entreprenant, j'ai vite trouvé le moyen d'élargir l'offre et d'en tirer un petit salaire de complément. J'ai commencé en cirant les chaussures avec un vieux chiffon très souple et très expéditif, et des cirages que j'obtenais en diluant du goudron dans de l'essence de térébenthine ou, à défaut, dans de l'alcool à brûler. Plus tard, ayant entendu parler de l'histoire exemplaire d'un notable de Barcelone qui avait commencé sa fortune en vendant une lotion pour faire repousser les cheveux durant l'exposition de 1888, j'ai voulu suivre ses traces, mais j'ai abandonné cette entreprise après diverses abrasions. J'offrais à la pratique des infusions, des rafraîchissements ou des décontractants que je courais chercher moi-même au café d'en face, percevant pour ce service des pourboires d'un côté et des commissions de l'autre. Toutes ces prestations étaient accompagnées des plus exquises marques d'affabilité et de servilité. Attentif à la conversation des clients, je faisais semblant d'entrer en transe, en riant de leurs plaisanteries jusqu'à me cogner le front par terre. Ces petites flatteries innocentes augmentaient beaucoup leur libéralité.

Conscient de l'importance de faire bonne impression, j'ai teint mes quelques cheveux blancs, et dans la foulée toute ma tignasse, en une délicate couleur safran. Avec mes premières économies, et en profitant des soldes de janvier, je me suis habillé en harmonie avec mon nouvel état, m'efforçant de faire ressortir ma prestance et ma sveltesse, légèrement mises à mal par la consommation intensive de mozzarella, de prosciutto et de peperoni. Ainsi, graduellement et non sans me dépenser beaucoup à la tâche, je me suis transformé en un vrai monsieur de Barcelone.

Mon beau-frère s'est fort bien comporté avec moi. Peu à peu, il m'a enseigné les rudiments de sa profession et, au bout de quelques mois, de beaucoup d'assiduité et d'effusions de sang modérées, j'ai pu l'exercer avec un succès relatif, ce qui lui a permis de se consacrer à ses affaires et de n'apparaître qu'à la fin de la journée pour vider la caisse. Grâce à quoi il a pu ajouter à son traité un nouveau tome dans lequel il démontrait de manière irréfutable que l'eau d'un fleuve ne passe jamais deux fois par le même point, sauf celle du Llobregat. Cet apport au monde des idées, les soins prodigués à sa vieille mère, sans compter un jeune cadre de la Caisse d'Épargne qui lui pompait tout son fric pour lui dispenser de parcimonieuses faveurs, occupaient tout son temps.

La clientèle du salon de coiffure n'était pas composée du gratin de notre aristocratie, mais elle ne manquait ni de standing ni d'agréments divers. J'ai déjà dit que le quartier, jadis mal famé, avait été soumis, au long de cette (heureuse) décennie, à un processus d'assainissement et de rénovation. J'ajoute ici que ce processus ne s'était pas arrêté, comme cela aurait pu être le cas si nos institutions avaient été négligentes ou vénales, aux apparences extérieures ; les apparences intérieures avaient également été modifiées, grâce à un institut d'enseignement primaire, un dispensaire et un gymnase desquels, sans débourser un sou, tout le monde sortait instruit, en bonne santé et avec des champignons. On avait fait des rues piétonnes à l'usage exclusif des véhicules à moteur, pavé de nouveaux trottoirs et des chaussées, et planté çà et là de riants arbustes qui, au milieu des années quatre-vingt-dix, c'est-à-dire à l'époque où commence cette histoire, avaient déjà perdu leurs feuilles, leurs branches et leurs troncs, et s'étaient intégrés à la perfection dans le paysage urbain. L'air était plus pur, le ciel plus bleu et le climat plus doux. La fierté de vivre là nous envahissait.

Il va sans dire qu'avec mon zèle et mon honnêteté, mon habillement et mon allure, je me suis inséré dans cette saine ambiance sans le moindre problème. J'étais connu, respecté et très apprécié dans le quartier. Les parents me demandaient conseil sur l'avenir de leurs enfants, les commerçants sur la marche de leurs affaires, les retraités sur la manière d'investir leurs économies.

Profitant d'une bonne occasion, j'ai loué un appartement un peu étroit et mal ventilé, mais proche de la boutique. Plus tard, j'ai acquis de seconde main un réfrigérateur et un téléviseur. Pour rattraper toutes ces années de retard, je me suis inscrit à des cours de culture générale par correspondance. Je recevais chaque mois mes cours photocopiés, une liste de questions et, pour un supplément modique, les réponses. N'ayant pas l'habitude des études, il m'arrivait souvent de me décourager en constatant le peu de rendement de mes efforts. Dans ces cas-là, encore une fois, mon beau-frère Viriato m'apportait le soutien de sa science.

« Ne te décourage pas, mon vieux, me répétait-il, étudie, mais modère ton zèle. Dis-toi bien que seul te fera profit ce que tu ne comprendras pas. »

Je me suis inscrit à diverses associations de quartier et quand, parfois, il fallait porter le viatique à un agonisant, je le précédais en agitant sans cesse la clochette et le parapluie. Ainsi, je me suis purifié au-dedans et au-dehors, et j'ai satisfait mes nécessités matérielles, mes ambitions sociales et mes aspirations intellectuelles. Quant aux femmes, pour lesquelles j'avais en d'autres temps éprouvé une inclination confinant à la lycanthropie, elles avaient cessé de m'intéresser. Je les traitais avec un respect particulier et j'essayais avec acharnement d'éliminer toute forme de familiarité dans nos contacts réciproques. Par ce moyen, j'ai réussi à en avoir autant que je voulais, c'est-à-dire aucune.

Et donc j'en étais là, pas loin de recevoir la Croix de Saint-Jordi, quand elle a fait son entrée dans le salon de coiffure.

2

J'étais seul et, comme d'habitude, tapi dans le coin le plus discret, absorbé dans mes études. C'est peut-être pour cette raison que je n'ai pas fait attention à son aspect extérieur. J'ai seulement vérifié qu'elle n'avait pas de chien. J'ai enfilé avec grâce ma blouse blanche pour donner une impression de professionnalisme et d'empressement, et aussi pour dissimuler une érection qui m'était venue sans crier gare, et je lui ai indiqué le fauteuil, qu'elle a occupé sans cesser de me regarder fixement.

– Je suis désolée d'avoir interrompu votre lecture, a-t-elle dit d'une voix indolente et caressante.

– Non, non, pas du tout. Je suis là pour servir le client à tout moment et en tout lieu. Je profite seulement des très rares instants de calme que me laisse ce commerce prospère pour élargir l'horizon de mes connaissances.

Et, en lisant dans son expression comme un encouragement, j'ai ajouté immédiatement :

– Tout corps plongé dans l'eau, à l'exception de l'eau, subit une poussée de bas en haut égale au volume de liquide qu'il déplace.

– Vous êtes un savant, a-t-elle dit.

– Oh, mon Dieu, non, c'est tout le contraire, ai-je répondu avec respect et modestie. Shampoing ?

– Astiquez plutôt mes chaussures, a-t-elle répliqué.

Et après avoir jeté un coup d'œil sur mon matériel, elle a ajouté en hâte :

– Passez un Kleenex, ça suffira.

Je me suis agenouillé et elle a levé une jambe pour poser le soulier sur le tabouret que j'avais placé devant elle. Le résultat de ma flexion et de son changement de position a été, pour moi, la vision ombreuse et subreptice, à la lointaine frontière des cuisses, d'un fragment de ruban ou de liseré d'organdi.

J'ai entendu qu'elle me demandait :

– Vous êtes nouveau ?

J'ai avalé ma salive pour dégager mon gosier et j'ai répondu :

– Non, madame. J'ai plusieurs années de métier. La nouvelle, c'est vous. Je veux dire dans cet établissement.

– Je serais venue avant si j'avais su que j'y trouverais quelqu'un d'aussi charmant, monsieur… ?

– Sugrañes. Onán Sugrañes, pour vous servir et pour servir Dieu.

Et tout de suite je me suis rendu compte que je m'étais laissé aller, pour la première fois depuis longtemps, à un inoffensif mensonge, et aussi que je l'avais fait par un soudain sentiment de danger, non que je me méfie des jolies femmes, mais parce que je me méfie de moi quand je suis en présence de jolies femmes. D'ailleurs, si ma réponse ne correspondait pas à la stricte vérité, je ne lui avais pas non plus tout à fait menti, car les tracas de ces dernières années m'avaient empêché jusqu'à ce jour de solliciter ma carte nationale d'identité et même de régulariser ma situation légale, vu que lors de ma venue au monde mon père ou ma mère ou quel qu'en soit le responsable ne s'était pas donné la peine de m'inscrire sur le registre de l'état civil, raison pour laquelle il n'y avait jamais eu d'autres

34

preuves de mon existence que celles que j'avais pu donner moi-même par mes actes, avec plus d'obstination que de réussite ; et comme de toute façon, plus récemment, du fait d'amnisties successives accordées par des gens bien intentionnés, et ratifiées avec un enthousiasme suspect par certains hommes politiques, les casiers judiciaires et les fiches de police avaient été retirés de la circulation, ma situation était comparable à celle de certains spécimens d'espèces éteintes, bien que sans aucun intérêt scientifique.

Je me faisais ces réflexions et quelques autres qu'il ne me semble pas opportun de décrire, quand elle m'a de nouveau interrogé :

— Votre travail vous plaît ?

J'aurais répondu que je me tâtais (au sens figuré), si une telle réponse avait été concevable. A tout hasard, j'ai dit :

— Oh, oui, beaucoup.

— Et avant d'être coiffeur, que faisiez-vous ? a-t-elle poursuivi, avant d'ajouter tout de suite, lisant peut-être de la méfiance dans mon regard : Excusez ma curiosité. Je suis ainsi faite.

En prononçant ces mots elle a croisé ses jambes dans l'autre sens, et j'ai cru entendre une voix harmonieuse venant de l'éther qui me disait : Respectable public, la séance va commencer.

— Je vous en prie, ai-je réussi à articuler, vous pouvez me demander ce que vous voulez. Je suis là pour vous servir. Avant d'être coiffeur, j'ai travaillé plusieurs années dans un centre de réhabilitation pour personnes en difficulté. Hors de Barcelone. Avant cela, j'ai été enfant de chœur.

En entendant ce curriculum suggestif, elle a souri et s'est levée du fauteuil.

— Combien vous dois-je ?

— Rien, ai-je dit pour ne pas compliquer les choses.

Elle m'a donné deux cents pesetas et s'en est allée ; quant à moi, après avoir comptabilisé la recette, épousseté le fauteuil et rangé les instruments, je me suis replongé dans ma lecture, décidé à oublier cette rencontre.

J'y étais presque parvenu à l'heure où j'ai réintégré mes pénates après avoir dîné à la pizzeria et fait une petite promenade aussi agréable que digestive. Comme la boutique était radicalement imperméable aux phénomènes naturels, je ne m'étais pas rendu compte que la douceur printanière commençait à se faire sentir. L'air était tiède et sensuel, et, venant de loin, un doux parfum se mêlait à ceux qu'exhalaient les tuyaux d'échappement et les poubelles. Nous étions vendredi et, aux terrasses des cafés, des groupes épars de jeunes gens facétieux se livraient à divers actes de violence entre eux ou sur les autres consommateurs ; le bruit ensorcelant de la musique et de la circulation couvrait les cris des ivrognes et des agités, ainsi que les gémissements des vieux et des malades abandonnés par leurs familles qui avaient profité du repos hebdomadaire et des premières chaleurs pour transporter le vacarme de la ville dans des résidences secondaires encore pires que les principales. Pris dans ces démonstrations de vitalité et dans le hululement continuel des sirènes de la police et des ambulances qui filaient en tous sens pour ramasser les victimes des accidents, des rixes et des overdoses, je suis arrivé dans ma charmante garçonnière. Je me suis mis en pyjama d'été (un pantalon de jogging déchiré) et j'ai allumé la télévision. Un footballeur scandinave ou peut-être nigérian essayait d'expliquer dans notre langue le résultat d'un match joué deux mois plus tôt :

– Rengag ed snoitirém suon siam udrep snova suon.

J'ai éteint la télévision, je me suis lavé les dents, je me suis couché, je me suis enfoncé un pouce dans chaque oreille pour ne pas entendre le bruit de la rue et j'ai essayé de dormir, mais au petit matin je n'avais pas encore réussi à trouver le sommeil.

*

Avec l'arrivée du beau temps, le commerce ne marchait guère le samedi matin, mais il s'animait l'après-midi car les gens, après être allés à la plage, venaient se faire enlever le goudron et les méduses collés à leurs cheveux. Comme ils avaient tous des projets pour la soirée, ils se montraient exigeants avec le personnel (moi), discutaient le prix et ne laissaient pas de pourboire. Quand le dernier client s'en allait, aux alentours de minuit, je restais pour faire la caisse et je ne partais jamais avant deux heures, car je me trompais tout le temps. A cette heure-là, la pizzeria était fermée et, ne voulant pas changer de régime alimentaire, je me couchais sans dîner. Le dimanche, le salon de coiffure n'ouvrait pas, sauf sur commande ou si c'était la veille d'une fête quelconque, ou alors pendant le mois de mai, quand il y avait des mariages à la pelle, bien que jamais une mariée ne soit venue se faire coiffer par moi (j'aurais fait ça très bien), ni une demoiselle d'honneur, ni même un invité. Mais il y avait quand même du suspense. Les dimanches où la boutique restait fermée étaient moins stimulants. Le matin je visitais deux ou trois musées (gratuits le dimanche et les jours fériés) et ensuite, pour tromper mon ennui, je me plantais devant un parking et je regardais les voitures entrer et sortir. Sur le coup de deux heures, j'achetais un sac de nougats et j'allais chez Cándida où m'attendait un agréable repas familial qui se prolongeait par un farniente, pour notre plus grand contentement, surtout par les après-midi humides, froides et sombres d'hiver, quand les émanations du poêle à butane avaient assoupi la mère de Viriato et que nous passions au salon où Cándida essayait en vain d'enfiler une aiguille et où Viriato lisait et commentait ses œuvres avec une méticulosité didactique. Je prenais congé à sept heures et demie avec mille marques de gratitude et regagnais mon logis, je regardais un peu la télévision et me couchais de bonne heure pour commencer la semaine en ayant fait le plein d'énergie.

*

Elle est revenue neuf jours plus tard, avec les mêmes jambes. Elle s'est assise sans rien dire sur le fauteuil, a refusé d'un geste le peignoir et m'a annoncé en me regardant droit dans les yeux :

— Je ne suis pas venue pour mes cheveux, mais pour parler avec toi d'une affaire personnelle. Ça ne te gêne pas que je te tutoie ? C'est logique, étant donné le caractère personnel de l'affaire que je viens de mentionner. Auparavant, cependant, je dois savoir si je peux compter sur toi pour cette affaire personnelle et pour ce qu'elle implique.

— Je ferai tout ce qu'il m'est possible de faire, ai-je répondu, du moment que ce n'est pas incompatible avec la déontologie de la coiffure.

— Je n'en attendais pas moins. Mais mieux vaut ne pas parler ici. Quelqu'un peut entrer et interrompre nos contacts. A quelle heure finis-tu ton travail ?

— Le travail d'un bon coiffeur ne finit jamais, ai-je dit, mais L'Artiste des Dames ferme à huit heures.

— Je t'attendrai à huit heures au café d'en face. Ne me fais pas poireauter.

A l'heure convenue j'étais présent au rendez-vous. Elle aussi, à une table du fond, concentrée dans la succion d'une boisson gazeuse (mise en bouteille par le garçon de café), indifférente à tout ce qui l'entourait.

Sans rien dire, elle m'a désigné la chaise. Je me suis assis. Nous avons gardé le silence un moment, elle pensant à la forme sous laquelle elle allait me présenter les choses, et moi pensant aux formes des choses qu'elle me présentait déjà. Cela m'a permis de l'observer avec plus d'application et, en conséquence, d'offrir au lecteur une description complémentaire, vu que j'ai fait état ailleurs de la partie inférieure de son corps. Elle était jeune, très mince, très grande (quand nous étions tous les deux debout, je devais me mettre sur la pointe des pieds pour avoir d'elle une vue complète) et très jolie, bien que sur ce point j'admette que mes critères soient assez souples ; elle était aussi bien lavée, car il émanait de tout son organisme une odeur saine où l'on reconnaissait le savon, le déodorant et le lait de beauté, et de toute évidence elle traitait ses cheveux avec un produit qui leur donnait brillance, légèreté et souplesse. Mon attention a été attirée par son indolence manifeste ; j'ai pensé qu'elle mangeait peu et que sa beauté lui permettait d'aller par le monde sans trop se préoccuper de sa réalité. J'ai pensé aussi que quelque chagrin caché la tourmentait. Même si elle adressait des regards dédaigneux à tout un chacun en général, et à moi en particulier, ceux-ci se voilaient parfois sans motif apparent d'une inquiétude proche de la peur, comme si un étrange don lui permettait de temps en temps de se mettre en phase avec les pires instincts de son interlocuteur. Dans ces occasions-là, ses lèvres se contractaient légèrement et ses mains devaient agripper fortement le premier objet (inanimé) à sa portée pour réprimer le tremblement qui les agitait.

– Quand même, ai-je dit inopinément pour rompre le silence avec un peu de conversation mondaine et cultivée, quel temps printanier. Évidemment, c'est la saison qui veut ça. Dans l'hémisphère occidental.

– Je n'aime pas le printemps, a-t-elle répliqué

sèchement, comme si je détenais une responsabilité personnelle dans l'alternance cyclique des saisons. Ça me donne une langueur invincible et parfaitement gnangnan. Mais l'été est pire parce qu'il me rappelle de tristes souvenirs. Quand j'étais petite, on m'envoyait tous les étés en Suisse, dans un pensionnat pour jeunes filles distinguées. J'y crevais d'ennui. Quand je revenais à Barcelone, on me mettait dans un autre pensionnat, également pour jeunes filles, mais pas aussi distinguées. Des Catalanes. C'est pour ça que je n'aime pas non plus l'automne.

Son visage s'est assombri. Elle semblait être sur le point de pleurer, aussi me suis-je abstenu de lui demander ce qu'elle pensait de l'hiver. Au bout de quelques secondes elle s'est ressaisie, m'a adressé un regard suppliant et a dit :

— Avant de te raconter quoi que ce soit, je dois te prévenir que la faveur que je vais te demander comporte un très léger risque. Et aussi qu'elle frise les limites de la légalité. Si ça t'effraye, dis-le-moi avant que je parle. Dans ce cas je m'en irai, et nous ne nous reverrons plus.

La mise au point ne m'a pas surpris. Une femme comme elle ne peut proposer à un individu comme moi que quelque chose de pas tout à fait clair.

— Explique-moi de quoi il s'agit.

*

Elle a croisé et décroisé les jambes comme elle avait pris l'habitude de le faire en ma présence, et j'ai essayé de regarder ailleurs pour bien comprendre ce qu'elle allait me dire et ne pas laisser mon esprit divaguer.

— En réalité, a-t-elle commencé, ce n'est pas moi qui ai besoin de ton aide, mais mon père. Il serait venu en personne te la demander s'il n'avait un agenda très chargé. Et puis nous avons pensé que je serais plus convaincante. Mon père s'appelle Pardalot, Manuel Pardalot. Ce nom te dit peut-être quelque chose ; c'est un homme d'affaires important. Ce n'est pas lui qui est important, ce sont ses affaires. Pour des raisons qui n'ont pas leur place ici, les affaires de Papa ont attiré dernièrement l'attention de la magistrature. Naturellement, il s'agit d'une erreur d'appréciation, mais pour rendre cette erreur manifeste il faudrait que certains documents disparaissent. Actuellement, les documents en question se trouvent en dépôt dans un bureau. Le reste saute aux yeux : il s'agit d'entrer dans le bureau, de prendre les documents, de sortir et de me les remettre. En échange, un million de pesetas en petites coupures, usagées et de séries différentes.

– La proposition est bonne pour quelqu'un dont l'existence s'écoule en marge de la loi, ai-je dit, mais tel n'est pas mon cas. Donne-moi une raison, à part l'argent, pour que je doive m'intéresser à une affaire de cette nature.

– Cherche-la toi-même, a-t-elle répondu, et quand tu auras trouvé, tu me le diras. Je ne suis pas une ingrate.

Et elle m'a adressé un sourire si artificiel qu'il pouvait être interprété de la façon la plus suggestive. J'ai réfléchi quelques instants, ou peut-être seulement un instant, en essayant d'éviter toute interférence de ses formes provocantes, après quoi je lui ai déclaré :

– Je regrette. Je suis un homme honnête, un citoyen exemplaire, et même des arguments aussi convaincants que ceux que vous évoquez, présentez et insinuez ne parviendront pas à m'écarter du droit chemin. Ne comptez pas sur moi, sauf en ce qui concerne la discrétion. Je tiendrai notre rencontre pour nulle et non avenue. Bonsoir.

Je suis rentré à la boutique et me suis mis à remplir deux flacons de shampoing doux (pour cheveux secs et

41

fragiles) avec du sulfate d'ammoniac, mais j'ai dû m'arrêter car, plongé dans des conjectures qui ne menaient nulle part, je laissais le liquide déborder du goulot avec tout le gaspillage qui s'ensuivait. Néanmoins, quand, quelques moments plus tard, je suis entré dans la pizzeria, ai occupé mon tabouret habituel, noué ma serviette autour de mon cou et commandé cinq pizzas aux anchois, thon, jambon, œufs, poivrons, champignons, parmesan et mayonnaise, ma décision continuait de me paraître la plus appropriée. Mme Margarita m'a regardé d'un air surpris.

– C'est que, ai-je expliqué, aujourd'hui je ne me sens pas en forme.

– Mal d'amour ? a plaisanté Mme Margarita.

Je me suis borné à pousser un soupir et à regarder de l'autre côté. La famille qui régentait la pizzeria, composée de Mme Margarita, de M. Calzone et de leur fils Quattroformaggi, était à mes yeux le paradigme de la félicité, un idéal auquel je ne croyais pas pouvoir aspirer, mais dont la vision me comblait à la fois d'allégresse et de mélancolie. Au cours des dernières années, j'étais devenu leur meilleur client et ils répondaient à mon assiduité par leur sympathie et leur affection. J'expérimentais dans cette pizzeria, même par procuration, la chaleur du foyer que je n'avais jamais connu. La contemplation de Mme Margarita en train de laver les chaussettes de son mari dans l'évier du restaurant, ou des couches du bébé au milieu de la pâte à pizzas, me faisait rêver d'une existence sans heurts à laquelle j'avais au fond toujours aspiré, mais que la vie, la malchance et mes propres erreurs avaient mise hors de ma portée.

Sur le chemin de mon minable galetas, j'ai dû faire une pause à cause des tiraillements d'estomac (causés peut-être par l'origan, qui est un carminatif puissant) et m'asseoir sur le bord du trottoir. Un cabot galeux est venu lever la patte contre la partie postérieure de ma veste. Je l'ai chassé à coups de pierre, mais cela n'a pas amélioré mon état. J'en étais là, quand une voiture s'est arrêtée devant moi. La portière s'est ouverte, et j'ai entendu une voix connue qui disait :

– Hé, toi, monte.

Sans plus réfléchir, j'ai sauté à l'intérieur de la voiture. La portière s'est refermée et nous sommes partis vers l'inconnu. C'est alors seulement que je me suis rendu compte qu'elle et moi n'étions pas seuls, chose que j'aurais dû d'ailleurs réaliser plus tôt, puisqu'elle m'avait appelé depuis la banquette arrière d'une grosse américaine que je n'hésiterais pas à qualifier de limousine si l'usage de ce vocable désuet ne mettait en évidence mon âge avancé. Il est vrai qu'elle seule était visible de l'extérieur, parce qu'elle avait baissé la vitre fumée tandis que les autres vitres restaient fermées, en préservant l'anonymat des passagers de la voiture, ou tout au moins ils devaient croire ça. Moi, en tout cas, je sais que si j'arrivais un jour à posséder une voiture comme celle-là je ne me cacherais pas, je ferais plutôt en sorte que tout le monde me voie, et même j'enverrais des baisers aux passants, comme le font le Saint-Père et d'autres personnes qui n'ont rien à cacher. Tout cela n'empêchait pas que je me trouvais pour l'heure avec des inconnus dont je ne savais pas les intentions, sauf qu'ils étaient sur le point de les mettre en pratique pistolet au poing, vu qu'ils me visaient avec un de ces engins.

– Levez-vous du tapis et asseyez-vous, a dit une voix bizarre.

Elle est passée du siège arrière au strapontin pour me céder sa place, m'offrant de nouveau par ce mouvement la vision qui avait été à l'origine de mes aventures et dont j'ai été tiré au bout d'un moment par le reste de la compagnie, composée d'un chauffeur et d'un individu qui était maintenant assis à côté de moi et tenait un pistolet Heckler & Koch P7. Le chauffeur était un grand type baraqué, avec les traits d'un Noir et la couleur d'un Noir, d'où j'ai déduit que ce devait être un Noir, mais peut-être qu'il s'était teint et que ses traits correspondaient à autre chose, car il portait des lunettes aux verres très épais comme les Noirs n'ont pas l'habitude d'en porter et encore moins quand ils doivent conduire. L'individu qui était à côté de moi, de taille normale et quelque peu obèse, semblait être le manitou de la bande, au moins en ce moment, et sans doute une personne importante et connue, car il cachait sa figure sous un passe-montagne et portait un chapeau à large bord enfoncé jusqu'au nez ainsi qu'une barbe postiche fixée à la nuque par un cordon. Il parlait aussi d'une voix fausse ou déformée, peut-être pour que je ne puisse pas reconnaître la vraie si je l'avais entendue dans un quelconque entretien à la radio. Je parle de sa voix parce que c'est cet individu qui, en sa qualité de manitou, a pris la parole après un long silence, quand nous sommes sortis de la circulation encombrée de la ville pour tomber dans un embouteillage définitif.

– Veuillez nous excuser, a-t-il commencé – car ses manières étaient d'un raffinement extrême –, d'avoir recouru à des méthodes légèrement irrégulières, encore que plus fréquentes qu'on ne le croit, pour obtenir votre précieuse collaboration. Je ne parle pas des contacts verbaux que vous avez entretenus en deux occasions avec la demoiselle ici présente, de caractère strictement volontaire, mais de ceux que vous entretenez maintenant avec moi. Il va de soi que nous ne vous retenons pas contre votre désir. Vous pouvez descendre si le cœur vous en dit, bien qu'à votre place je ne le ferais pas. Au contraire, si j'étais vous, j'écouterais ce qu'a à me dire la personne qui se trouve près de moi, en l'occurrence moi.

Comme, tout en prononçant ces aimables paroles, il appuyait le canon du pistolet Heckler & Koch P7 contre ma tête, j'ai manifesté par signes que j'avais bien pesé le pour et le contre, et il a poursuivi :

— En réalité, nous ne vous demandons pas de commettre un vol. Je suis le patron de cette entreprise et ma fille, ici présente, en est l'héritière. Le vol n'est qu'apparent. Naturellement, s'il arrivait quelque chose, nous répondrions de vous. Mais l'opération est seulement une fausse opération. Pas totalement correcte, mais pas non plus illégale. Nous vivons à l'ère de l'image, et je veux présenter une bonne image : y a-t-il quelque chose de mal à cela ?

J'ai répondu que non et que moi, précisément, dans ma condition de coiffeur, je m'efforçais tous les jours d'améliorer celle de ma distinguée clientèle. Malheureusement ce sujet n'a pas semblé éveiller son intérêt, car il ne m'a pas laissé poursuivre.

— Nous aurions préféré, a-t-il dit, arriver avec vous à un accord fondé sur le consentement mutuel. Hélas, cela n'a pas été possible, malgré l'offre généreuse que cette demoiselle vous a faite tout à l'heure, offre que vous avez refusée en alléguant de stupides raisons d'éthique. A en juger par votre attitude, par vos manières et surtout par votre façon de vous habiller, vous devez être de ceux qui s'obstinent vainement à distinguer entre le bien et le mal. A moins, bien sûr, que vous ne vous proposiez de faire monter le chiffre de la rétribution, ce qui serait voué à l'échec, étant donné nos limitations budgétaires. Un million, c'est beaucoup d'argent, et nous autres, nous sommes seulement riches. Je sais que pour vous ça ne signifie rien. Vous et les vôtres vous moquez de ces choses-là. Vous avez le sarcasme facile. C'est naturel : un prolétaire, quoi qu'il fasse, ne court jamais le risque de ne plus l'être. En revanche, un riche, à la moindre distraction, se retrouve dans la détresse la plus absolue. Mais soyons concrets : mon nom, comme vous le savez déjà, est Pardalot, Manuel Pardalot. Je suis propriétaire et gérant d'une société dénommée Le Filou Espagnol, S.A.R.L. Les documents que vous devez soustraire appartiennent à cette société. Comme je vous l'ai dit, le vol n'est qu'apparent. Cela devrait suffire pour écarter de votre conscience tout scrupule d'ordre moral ou autre. En réalité, il s'agit d'une opération comptable, pas totalement correcte, je l'admets, mais pas non plus illégale. En résumé, un million et la possibilité de prendre un verre sur notre yacht. C'est mon dernier mot.

— Non, ai-je répliqué avec fermeté.

— Nous suivrions la côte jusqu'à l'Estartit.

— Laisse tomber, a-t-elle dit. Il est idiot et têtu comme une mule.

Cela m'a fait de la peine de l'entendre émettre cette opinion vexante, car je me flattais de lui avoir fait bonne impression. Mais je suis resté coi.

— Très bien, a dit l'homme masqué, et maintenant, qu'est-ce qu'on fait, ma mignonne ?

En entendant cela, le chauffeur s'est retourné vers nous et s'est exclamé :

— Ah, ça non : je n'admets pas que vous m'appeliez mignonne !

— Mais je ne m'adressais pas à vous, voyons ! Occupez-vous de conduire et ne vous mêlez pas des affaires des autres quand on ne vous a pas sonné, a répliqué l'homme masqué.

Puis, se tournant vers moi, il a ajouté à voix basse :

— Non seulement ces nègres sentent mauvais, mais ils sont terriblement susceptibles ; ils croient tout le temps qu'on parle d'eux en termes péjoratifs.

Et, haussant la voix, il a ajouté :

— Quant à notre affaire, que puis-je vous dire de plus pour vous faire changer d'idée ? Notre déception est grande. Nous avions mis tellement d'espoirs en vous ! Ne croyez pas qu'il ait été facile de vous trouver. Nous avons passé beaucoup de temps à faire nos recherches. Nous avons remué ciel et terre jusqu'à ce que nous tombions sur vous, qui réunissez toutes les caractéristiques idoines pour ce travail, par la renommée dont vous jouissez dans le quartier, par la manière exemplaire dont vous œuvrez pour votre avenir à la tête de votre magnifique salon de coiffure, et, bien entendu, par les particularités de votre passé…

– Mon passé ? me suis-je exclamé.

– C'est elle, a répondu l'homme masqué en indiquant la fille avec le canon de son pistolet, qui a pensé qu'un homme avec vos antécédents ne dédaignerait pas une proposition… Vous m'avez compris.

Je l'ai regardée et elle m'a fait un clin d'œil. Je ne m'attendais pas à ça : ils me tenaient à leur merci. Car au cas où certains lecteurs ignoreraient encore ce que je fus ou ce que furent la trajectoire de ma vie et peut-être la véritable nature de mon être, il me faut expliquer que dans mon enfance, mon adolescence et ma jeunesse, je fus ce que nous pourrions appeler et ce qui s'appelle de fait un voyou. Le destin me fit naître et grandir dans un milieu où l'on n'accordait pas au travail honorable, à la chasteté, à la tempérance, à l'intégrité morale, aux bonnes manières et autres qualités estimables la valeur qui convient, et lorsque je les découvris et appris à les simuler, il était trop tard. De bonne foi, convaincu que c'était là un comportement naturel, je commis d'innombrables méfaits. Puis, quand les personnes chargées de veiller sur la sauvegarde de la vertu, la tranquillité de la vie, la protection des bonnes mœurs et l'harmonie entre les hommes (la flicaille) fixèrent leur attention et exercèrent leurs méthodes sur moi, qui était bien plus faible qu'elles, je dus rendre quelques services à la communauté (indic) qui ne m'attirèrent la sympathie de personne et me valurent la détestation de beaucoup. Finalement, quand vint l'heure de comparaître devant la justice et de rendre compte de mes actes, tout ce qu'on pouvait alléguer en ma faveur était si mince et sa possible incidence sur le jugement si insignifiante que mon avocat se borna à envoyer, de Minorque où il était, une carte postale au tribunal. Cependant mon propre témoignage, la netteté de mes déclarations, le repentir sincère dont je fis preuve, le ton respectueux, voire cordial, sur lequel je m'adressai aux magistrats, au procureur et aux témoins, et, plus généralement, mon comportement plein de raison au cours des deux semaines que dura le procès durent faire bonne impression sur l'esprit des juges, car je ne fus pas condamné comme je le craignais à une peine de prison, mais seulement à suivre une psychothérapie destinée à favoriser ma réinsertion rapide au sein de la société, dans un de ces établissements de soins correctifs que le vulgaire appelle asile de fous. Là, toutefois, les choses n'allèrent pas au mieux : de légers accrochages avec le personnel auxiliaire spécialisé (matons) et quelques malentendus avec le docteur Sugrañes, qui, en sa qualité de directeur et à la lumière de ses connaissances (et du pot-de-vin correspondant), devait déterminer le moment de ma guérison et de mon retour à la liberté, firent que mon séjour en ce lieu se prolongea de semaine en semaine, puis d'année en année, jusqu'à ce qu'un beau jour, alors que j'avais perdu tout espoir de revoir le monde extérieur et ses habitants honorables et sains d'esprit, se produisent les événements qui sont rapportés au début de ce livre. Le lecteur qui s'en souvient encore (je parle desdits événements) comprendra, au vu du long mais fructueux chemin vers la régénération que j'avais suivi depuis lors, combien je souhaitais peu, combien je craignais même, de me voir subitement perdre une situation dont, au fond, la solidité ne m'avait jamais paru tout à fait assurée. Ne vais-je pas, me demandais-je, si tous mes secrets viennent à sortir au grand jour, perdre le respect de mes concitoyens, et ceux-ci ne vont-ils pas (peut-être) refuser, à juste titre et mus par une méfiance logique, de confier leurs chevelures à mes mains criminelles ? Par ailleurs, que pouvais-je perdre en accédant à la demande modérée de ces personnes qui avaient besoin d'une aide que, à tout prendre, ils étaient disposés à rétribuer en espèces et peut-être même aussi en espèces d'un genre différent et des plus appétissants ?

— Quand ? ai-je demandé.

— Le plus tôt possible, a répondu l'homme au masque. Si cela vous convient, cette nuit même.

— Cela me convient. Ne perdons plus de temps et dites-moi ce que je dois faire.

En entendant ces paroles résolues, la mignonne a souri, l'homme masqué a soupiré sous sa capuche et même le chauffeur a marmonné un juron que je n'ai pas compris et qui m'a confirmé dans ma supposition que c'était un immigré. Tout de suite après cet intermède récréatif, l'homme masqué a poursuivi :

— L'affaire n'est pas compliquée. Comme la mignonne a déjà dû vous le dire, il s'agit de soustraire quelques documents. Ces documents se trouvent dans un dossier de couleur bleue qui est dans le tiroir de droite de la table de travail du bureau du chef, dénommé aussi, sur l'organigramme de l'entreprise, Executive Director. Naturellement, pour accéder audit bureau, il est nécessaire d'entrer dans l'immeuble. Cela ne présente pas non plus de complications. La nuit il n'y a personne dans l'immeuble, et encore moins un samedi quand il fait chaud, à l'exception du vigile qui se tient derrière un comptoir du hall d'entrée. Le vigile dispose d'un circuit fermé de télévision pour contrôler de son poste tous les bureaux de l'immeuble. Un programme préétabli fait que les bureaux défilent sur le moniteur du vigile avec une fréquence et dans un ordre invariables. Une petite lumière rouge qui s'allume quand la caméra commence à fonctionner vous permettra de vous soustraire à ce grossier système de protection. Il y a également une alarme qui se débranche par un code de cinq touches. Vous trouverez ledit code sur ce papier. Mémorisez le code mais ne perdez pas le papier, au cas où vous auriez un trou de mémoire. Les portes des bureaux restent ouvertes pour que les femmes de ménage puissent passer l'aspirateur. La porte du bureau du chef, où se trouvent la table de travail et le dossier bleu, est la seule qui devrait être fermée pour des raisons de sécurité, mais j'ai fait en sorte qu'elle ne le soit pas cette nuit. Le reste est de votre ressort. Des questions ?

— Comment entrerai-je dans l'immeuble, s'il y a un vigile à la porte ?

— Par la porte du garage, a répondu l'homme masqué. On l'actionne au moyen d'un dispositif qui émet des ultrasons. Du garage part un escalier de service qui permet d'accéder directement à tous les étages de l'immeuble.

— Y a-t-il des chiens ? ai-je encore demandé.

— Non, a-t-il rétorqué sèchement. Et arrêtez de poser des questions, nom de Dieu. Donnez du travail à un *charnego* * et la première chose qu'il fait c'est de tout embrouiller.

— Et le fric ?

— Contre livraison des documents, a dit l'homme masqué.

*

* On nomme ainsi en Catalogne les Espagnols qui ne parlent pas le catalan.

Le chauffeur a arrêté la voiture dans une rue tranquille, arborée et solitaire de la Bonanova, sous un réverbère qui, comme tous ceux de ce quartier opulent et distingué, se caractérisait par ses ampoules claquées. Il a éteint le moteur et nous sommes restés tous les quatre dans l'ombre et le silence, encore que pour peu de temps.

– C'est ici, a dit l'homme au masque en indiquant un immeuble moderne en verre teinté et autres matériaux. Vous vous rappelez les instructions ?

J'ai répondu par l'affirmative, tout en essayant de reconnaître le terrain. Distrait par les instructions qu'on m'avait données pendant le trajet, je n'avais pas bien observé le chemin que nous venions de parcourir, mais j'ai vu que nous nous trouvions dans la rue du Proctologue Zambomba, devant le numéro 10. La tranquillité de cette rue contrastait avec le grondement qui venait de la Vía Augusta, dont l'existence se matérialisait au carrefour le plus proche. J'ai enregistré ces données dans ma mémoire au cas où, plus tard, j'aurais à revenir sur le lieu du crime.

– Il est zéro heure vingt-trois, a poursuivi l'homme masqué. Vous avez vingt-cinq minutes pour mener l'opération. Prendre plus de temps serait un risque, pour ne pas dire un luxe. Vingt-trois et vingt-cinq font quarante-huit. A cette heure précise, soit zéro heure quarante-huit minutes et zéro seconde, nous vous attendrons au même endroit. Synchronisons nos montres.

Cette opération nous a fait perdre pas mal de temps, parce qu'il a fallu adapter toutes les montres, y compris celle de la voiture, aux caprices de la mienne qu'un Arabe mal rasé m'avait vendue cinquante pesetas dans un couloir du métro et dont la régularité n'était pas la première qualité. Finalement, la jeune femme a soupiré et a dit :

51

– Les héros m'affolent, mais maintenant, vas-y.

Stimulé par cette déclaration, je suis descendu, et la voiture a démarré pour disparaître en tournant au premier carrefour. Grand merci pour le compliment, mais à l'heure du danger on me laisse toujours seul.

D'un pas tranquille, j'ai contourné l'immeuble. L'entrée principale était située à la jonction de la rue où nous avions stationné et de la Vía Augusta, et elle consistait en une porte en verre sur laquelle figurait la raison sociale gravée à l'acide : LE FILOU ESPAGNOL, S.A.R.L., laissant voir, à travers le vaste hall, le comptoir du vigile et le vigile lui-même, un individu en uniforme, tout au moins de la ceinture à la tête, le reste étant caché par le comptoir, et plongé pour le moment dans la lecture d'un gros livre à couverture jaune. De temps en temps, il levait les yeux de son livre et les fixait sur le moniteur de télévision. J'ai fini de longer l'immeuble et suis arrivé à l'entrée du garage, située dans une ruelle latérale et protégée de l'extérieur, d'abord par une grille, et ensuite par une porte. Cela ne devait pas constituer un obstacle et n'en a pas été un pour quelqu'un qui disposait (c'était mon cas) de la télécommande adéquate. J'ai donc actionné la télécommande, la grille a glissé horizontalement sur son rail et la porte verticalement sur le sien. Une fois dedans, j'ai de nouveau actionné la télécommande et les portes ont repris leur apparence (faussement) normale. L'endroit où je me trouvais était complètement obscur et sentait ce mélange d'humidité, de carburant et d'aisselle de gorille qui caractérise les garages fermés et parfois aussi les garages ouverts. Le sol de celui-là était bien entendu recouvert d'une épaisse couche d'huile et de cambouis sur laquelle ont patiné mes élégants mocassins. Je suis tombé par terre, j'ai glissé, d'abord en décubitus latéral, puis ventral, puis dorsal, et suis allé heurter le mur du fond. J'ai refusé de penser à l'état de mon costume vert jaspé, fibre et viscose, que j'avais mis ce jour-là par hasard et à défaut d'un autre. J'ai pensé qu'il était incroyable que le sol du garage d'un immeuble aussi superbe et aussi emblématique soit à ce point dégoûtant, en essayant de ne pas glisser de nouveau et en cherchant à tâtons la porte d'accès indiquée sur un croquis où tout semblait plus simple et plus facile que sur le terrain. Je l'ai trouvée et l'ai ouverte en tournant la poignée. Derrière, il faisait toujours aussi noir que dans la gueule d'un loup, mais la pointe de mes mocassins a rencontré les premières marches, ce qui m'a confirmé que j'étais sur la bonne voie. J'ai commencé l'ascension. Les degrés étaient ou simulaient d'être en métal et chaque pas résonnait comme si je pesais six tonnes (je ne dépasse pas les soixante-quatre kilos) et comme si je ne me déplaçais pas avec le maximum de discrétion. Entre le bruit et l'obscurité, il y avait de quoi paniquer et, au bout d'un moment, je me suis rendu compte que je ne savais pas à quel étage j'étais. J'aurais bien gratté une allumette, mais, vu l'état d'imprégnation de mon costume, je m'exposais à me transformer en torche humaine. Je suis redescendu et j'ai repris mon ascension en essayant de comptabiliser les étages et les demi-étages. Ayant calculé que j'étais arrivé au quatrième, et après avoir trouvé la porte correspondante, j'ai ouvert celle-ci et suis entré. Jusque-là, je n'avais rencontré aucun obstacle, car, s'agissant d'un escalier de secours, tout était disposé pour une évacuation d'urgence de l'immeuble. C'était un plaisir de travailler dans ces conditions.

Par chance le couloir dans lequel j'ai débouché était faiblement éclairé par la lumière blafarde des réverbères de la Vía Augusta qui passait à travers le verre teinté de la façade, ce qui m'a permis de lire sur le papier portant les instructions (à ne pas confondre avec le plan de l'immeuble) les chiffres correspondant à la combinaison correcte (1-1-1-1-1) et d'appuyer sur les boutons du digicode situé sur l'encadrement de la porte avant que l'alarme se déclenche. Cela fait, et en prenant garde que mon corps ne traverse pas le champ de la caméra de télévision qui était fixée sur un support mobile et qui, à en juger par l'absence de lumière rouge, devait enregistrer en ce moment ce qui se passait dans un autre endroit, j'ai parcouru des couloirs, des antichambres et des bureaux successifs, avant d'arriver dans une salle de conférences. Sur la table s'alignaient des portefeuilles en cuir, des stylos, des dessous-de-verre et des écriteaux où l'on pouvait lire : Assistant Manager, Département de l'Expansion et des Ressources, Division de la Synergie, et autres appellations impressionnantes. Au fond se trouvait la porte du bureau du directeur. J'ai dirigé vers elle mes pas silencieux.

Elle était fermée à clef. Par chance, la serrure était une serrure de sûreté renforcée, c'est-à-dire de celles qui donnent le moins de mal à ouvrir. Je portais toujours sur moi deux épingles à cheveux, un peigne et des ciseaux, au cas où j'aurais une urgence dans ma profession capillaire. Grâce à ce matériel et à mon habileté, je suis entré en quelques secondes.

Le bureau était plongé dans l'obscurité, volets fermés. Le bruit qui venait du dehors m'a indiqué que la fenêtre devait être située sur la façade principale et, par conséquent, donner sur la Vía Augusta. La pénombre n'empêchait pas de deviner la somptuosité du mobilier. Sur une photo noblement encadrée, on voyait un monsieur distingué, en habit, serrer avec effusion la main d'une autre personne en train de lui remettre une médaille. Ils avaient l'air contents. J'aurais certainement eu plaisir à contempler d'autres choses, mais je n'avais pas de temps à perdre. J'ai consulté ma montre qui, avec le coup de la synchronisation, s'était définitivement arrêtée, et suis passé à la dernière étape de ma mission. J'ai ouvert le tiroir de droite. Le dossier bleu y était, débordant de papiers. Sous le dossier bleu il y en avait d'autres, mais après les avoir portés près de la fenêtre j'ai constaté qu'aucun n'était bleu, de sorte que je suis retourné les reposer à leur place. Ce faisant, le dossier bleu est resté au fond du tiroir et il m'a fallu tous les ressortir et les reporter dans la zone éclairée pour le distinguer des autres. Les minutes passaient avec la fluidité qui leur est propre. Une fois le dossier bleu identifié sans erreur possible, je l'ai mis de côté, j'ai fermé le tiroir, tiré de la poche de derrière de mon pantalon une espèce de crustacé qui avait été jadis un mouchoir et m'en suis servi pour effacer les empreintes digitales que j'avais laissées et que la graisse immonde du garage rendait encore plus visibles, après quoi j'ai pris le dossier bleu et suis sorti de là.

Les élastiques du dossier étaient cassés et j'ai été obligé de le serrer contre mon cœur pour que les feuilles ne s'éparpillent pas dans le couloir, ce qui m'a causé beaucoup de difficultés pour marcher et encore plus pour m'orienter. J'ai mis un moment à trouver la porte de l'escalier de secours et j'ai eu beau faire attention en descendant, je n'ai pu éviter que le maudit dossier ne m'échappe et ne tombe par terre à plusieurs reprises. Il m'a fallu ramasser les papiers dans le noir et les remettre en place sans aucun ordre. Du fait de ces contretemps, j'ai regagné la rue dans un état de confusion totale et j'ai dû faire deux fois le tour du pâté de maisons pour retrouver le lieu du rendez-vous, où je suis arrivé suant et soufflant.

Il n'y avait pas de voiture ni rien de semblable. J'ai attendu un moment, le dossier dans les bras, en essayant de remettre de l'ordre dans les documents qui, à cause de ma maladresse, dépassaient de tous les côtés, et d'éliminer les taches de graisse avec ma salive et le vigoureux frottement de ma manche, jusqu'au moment où un taxi s'est arrêté à ma hauteur, et le visage, le cou et les extrémités supérieures de la fille que je connaissais bien sont apparus à la fenêtre de la portière arrière.

— Mille excuses, ai-je dit en m'approchant, pour les dégâts et, dans la mesure où ça peut vous être désagréable, pour la sueur, mais j'ai glissé dans le garage et ce tas de paperasses est infernal. Vous trouverez peut-être les papiers un peu en désordre, mais dans le noir…

Elle a coupé court à mes excuses :

— Bah, c'est sans importance, tout à fait sans importance, l'essentiel est que tu sois sorti indemne de l'épreuve et que tu aies rapporté le dossier. Allez, donne-le-moi, qu'est-ce que tu attends ? Ce n'est ni une heure ni une situation pour faire des grâces.

— Et l'homme masqué ? ai-je demandé.

— Il a préféré ne pas venir, pour des raisons de prudence élémentaire. Il te prie de l'excuser.

Je lui ai donné le dossier, elle s'en est emparée avec force, l'a serré sur son sein et a relevé la vitre.

— Eh là, ai-je réussi à crier, et ma rémunération ?

— Demain, demain, a répondu une voix incertaine qui est restée à flotter là où, quelques secondes plus tôt, stationnait encore le taxi.

Courir derrière aurait été inutile, de sorte que je suis demeuré à l'endroit où j'étais, seul et progressivement envahi par la sensation ingrate d'avoir été victime d'une escroquerie grossière et pis encore : méritée. Pour briller aux yeux de cette fille que, maintenant, je ne pouvais hésiter à qualifier de perfide, j'avais commis la plus impardonnable des entorses à la morale : ne pas me faire payer d'avance. En conséquence de quoi je me retrouvais sans l'argent et sans la fille. Dans un geste d'affliction, j'ai levé les yeux au ciel et, n'y découvrant rien qui vaille la peine d'être regardé, je les ai reportés sur le sol et me suis mis à marcher dans la Vía Augusta jusqu'à un arrêt d'autobus où j'ai rejoint la queue des parias qui attendaient le service de nuit.

3

Je suis arrivé chez moi peu avant que ne pointe l'aurore, sain et sauf, et épuisé. J'ai réintégré le pyjama déjà décrit, et avant de me coucher j'ai tenté, avec un détachant, de remettre mon costume dans l'état où il était avant ma chute dans le garage. Là-dessus, vaincu par la fatigue et engourdi par les effluves toxiques du détachant, je me suis endormi.

Je me suis réveillé au bout d'une heure, sans avoir besoin de réveil (c'est un don que je possède et qui m'a permis d'économiser une fortune en piles), je me suis lavé la figure et peigné, j'ai mis le costume d'où les taches avaient presque complètement disparu au prix d'un sévère rétrécissement et de quelques trous çà et là, et je me suis rendu à la boutique avec une ponctualité exemplaire.

Par chance la matinée s'est écoulée sans incidents, du moins pour moi qui l'ai passée à dormir comme une souche. Peu avant midi j'ai été réveillé par une femme qui m'a demandé si je pouvais lui teindre son husky en blond. Je lui ai dit oui, mais je me suis mis en colère quand j'ai réalisé que c'était un chien, et je l'ai virée avec pertes et fracas. Après son départ, j'ai vu qu'elle avait oublié, sur la tablette où je range les aérosols en formations impeccables, le journal qu'elle tenait sous le bras en entrant, soit dans l'intention de le lire, soit dans celle, plus civique, de remédier aux débordements de son toutou, car il est bien connu que l'instinct conduit beaucoup d'animaux à marquer leur territoire avec des crottes et que les chiens sont particulièrement doués pour pratiquer, dès qu'ils sont hors de chez eux, cette forme inopportune de cartographie.

Je dois avouer, non sans honte, que je ne suis pas un lecteur assidu de la presse périodique, laquelle perd avec moi ce qui fait toute sa valeur, à savoir sa périodicité. Non que je méprise les journaux. Au contraire, je pense qu'ils peuvent être une source d'information, à condition qu'on les lise avec l'attention voulue et dans un lieu adéquat. Mais c'est là, hélas, une pratique qui m'est étrangère, car à l'asile nous arrivaient seulement des numéros isolés et irrémédiablement démodés de quelques journaux, et encore étaient-ils l'objet d'appropriations, de rixes et d'altercations, vu que rien n'éveillait autant d'intérêt, d'enthousiasme et d'agressivité parmi les internés que les nouvelles et les commentaires concernant le Tour de France que tous s'obstinaient à supposer perpétuel et non, comme il l'est en réalité, limité à quelques semaines de juillet, si bien que le contenu entier du journal était interprété comme se rapportant allusivement au Tour de France et qu'il s'ensuivait, comme toujours quand l'aveuglement l'emporte sur la lucidité, de vives discussions herméneutiques, des agressions verbales et physiques et, pour finir, l'intervention musclée de nos surveillants et de leurs matraques élastiques. Et il fallait alors tous s'échapper du peloton en pédalant sans bicyclette, qui à la manière d'Alex Zulle, qui à celle d'Indurain, qui plus modestement à celle de Blijlevens ou de Bertoletti, et qui, pour des raisons dues à l'âge, à la manière de Martín Bahamontes ou de Louison Bobet. Ce n'est pas là, on le voit, une façon de lire le journal avec profit.

Tout cela, néanmoins, ne m'a pas empêché, me trouvant en possession de cet objet oublié dans la boutique et n'ayant rien de plus pressé à faire pour le moment, de jeter un coup d'œil dessus et de tomber, dans une page intérieure, sur une nouvelle que je transcris intégralement ci-dessous.

ASSASSINAT D'UN PAUVRE HOMME D'AFFAIRES

Dans la nuit d'hier, c'est-à-dire cette nuit, a été assassiné l'homme d'affaires bien connu M. P. (Manuel Pardalot), âgé de 56 ans, actionnaire et directeur de la société Le Filou Espagnol, alors qu'il se trouvait dans son bureau où il s'était rendu en dehors des heures d'ouverture, selon ce qu'a déclaré à notre journal le vigile de l'immeuble, sous le prétexte que le susdit Pardalot y avait oublié des documents importants dont il a dit, au dire de ce dernier, qu'il devait avoir besoin le lendemain matin ou un autre jour. Une fois dans son bureau, l'homme d'affaires bien connu (Pardalot) est mort de plusieurs balles qui, au nombre de sept, ont affecté divers organes vitaux pour la vie de Pardalot. Selon des sources proches du défunt, celui-ci a été conduit à l'hôpital où son cadavre a reçu immédiatement son autorisation de sortie. Le vigile de nuit déjà cité de l'immeuble, répondant au nom de Santi, employé d'une agence privée de sécurité et ex-professeur adjoint à l'université Pompeu-Fabra, a déclaré ne rien avoir entendu et ne pas avoir vu entrer d'étrangers dans l'immeuble, chose, a affirmé catégoriquement le vigile, qu'il n'aurait permise en aucun cas, conformément à ses fonctions de vigile, celles-ci consistant justement en cela, bien que se souvenant d'avoir vu entrer le bien connu, si souvent mentionné et aujourd'hui défunt homme d'affaires M. P. (à savoir Pardalot) peu après minuit, heure locale, et avoir échangé avec lui quelques mots dont, sur le moment, il n'a pas inféré que celui-ci allait être assassiné si peu de temps après, de même qu'il n'a vu non plus sortir personne. Bien que l'on n'ait pas encore d'indices concernant l'auteur du crime, la police a démenti que l'assassinat de Pardalot puisse être en relation avec le Tour de France.

Cette nouvelle inquiétante était accompagnée d'une photo du mort, faite, comme cela sautait aux yeux, quand il était encore en vie, dans son propre bureau, là où, d'après l'article, il avait été assassiné. Inutile de préciser que ce bureau n'était autre que le bureau que j'avais visité la nuit même du crime dans le but d'y dérober le dossier bleu. Une analyse plus poussée de la photographie, effectuée à l'aide de lunettes que j'ai empruntées à Mme Eulalia, de la mercerie, a confirmé mes soupçons.

M. Mariano, qui tenait le kiosque, a fait semblant de ne rien remarquer pendant que je feuilletais les autres journaux locaux. Tous faisaient état de l'assassinat de feu M. Pardalot, mais aucun n'apportait de précisions complémentaires ni ne parlait de moi en relation avec ce triste événement. Ce qui m'a soulagé un peu, mais pas beaucoup.

A midi j'ai fermé et, après avoir dûment consulté le plan de la ville que m'ont prêté les concessionnaires de la librairie-papeterie La Chouette (M. Mahmoud Salivar et Mme Piñol), je suis retourné en bus sur le lieu du crime. Il n'y avait pas de curieux massés devant l'immeuble ni de policiers visibles. La porte principale, celle qui était en verre, semblait fermée, soit parce que l'entreprise observait officiellement le deuil, soit parce que les autorités compétentes étaient en train d'enquêter dans la plus stricte confidentialité. Derrière l'immeuble, près de la porte du garage, j'ai avisé un homme qui examinait le mur avec soin. Je me suis approché de lui et lui ai demandé s'il savait quel était le mobile du crime. Il s'est retourné, surpris, et j'ai compris qu'il ne s'agissait pas d'un enquêteur mais d'un passant qui était en train d'uriner. Il a bien failli m'arroser.

Je me suis posté de nouveau devant la porte d'entrée. A travers la vitre, j'ai vu deux individus discuter avec animation. J'ai cru reconnaître en l'un d'eux le gardien dont l'auteur de ces lignes et postérieurement le ou les assassins de feu Pardalot avaient trompé la vigilance la nuit précédente et à qui les journaux attribuaient le nom générique de Santi. Rien d'étonnant à ce qu'il subisse une engueulade en règle. Quant à l'autre individu, un monsieur d'âge mûr aux cheveux gris, élégamment vêtu d'un complet anthracite, je ne l'avais jamais vu auparavant mais, à sa mise et à son attitude, j'ai estimé que ce n'était pas un policier, plutôt un cadre supérieur de la maison. J'aurais volontiers attiré leur attention pour leur poser un certain nombre de questions, mais la prudence me le déconseillait et d'ailleurs la bonne marche de la boutique ne me permettait pas de rester plus longtemps absent. J'ai repris le même bus dans l'autre sens et j'ai pu ouvrir avec seulement dix minutes de retard sur l'horaire affiché, effort aussi méritoire qu'inutile, car personne n'attendait et nul n'est venu jusqu'à huit heures moins le quart; à ce moment-là Mme Pascuala est entrée pour se faire effiler les pointes et, se rendant compte au bout d'un moment de mon silence renfrogné et des horribles tonsures que je lui faisais, elle m'a dit :

— Je te vois bien taciturne.

A quoi je lui ai répondu par un grognement, car toute l'après-midi de noirs nuages de soupçon s'étaient condensés dans mon cerveau. Voyant cela, Mme Pascuala s'est levée du fauteuil sans attendre que je la laisse chauve, a arraché le peignoir et est sortie de la boutique en me lançant :

— Tu es devenu maniaque, capricieux et arrogant. Tu es méconnaissable ! Toi qui semblais si charmant quand tu es arrivé.

Mme Pascuala était la propriétaire de la poissonnerie Au Bon Thon Frais, à laquelle je n'achetais plus rien depuis le jour où, des années auparavant, elle-même, Mme Pascuala, m'avait vendu au prix exorbitant de cent cinquante pesetas le kilo un loup splendide qui, déposé par moi un peu plus tard avec amour dans la poêle, avait perdu sa couleur, sa saveur, ses nageoires, ses écailles, sa forme et sa texture, ne conservant de ses attributs originels qu'une insoutenable et persistante fétidité abyssale dont je ne m'étais délivré qu'après d'innombrables fumigations. Ce n'était cependant pas cela (beaucoup d'eau avait coulé sous les ponts) qui avait motivé mon attitude hargneuse avec Mme Pascuala et j'aurais bien voulu lui donner satisfaction, mais son brusque départ m'en avait empêché. Et comme, à l'heure du dîner, je racontais la chose à Mme Margarita, amie de Mme Pascuala (dans la boutique de qui elle se fournit en anchois en saumure qui, ensuite, trois par trois et camouflés sous la tomate, agressent et lésionnent la langue, le palais et les gencives de celui qui commet l'erreur de commander une pizza napolitaine), celle-ci a soupiré et m'a dit qu'à mon arrivée dans le quartier Mme Pascuala s'était fait à propos de ma personne certaines illusions que mon indifférence avait ensuite converties en dépit.

— Mais ce n'est pas une raison pour m'insulter, ai-je répliqué, et encore moins pour me vendre un loup soluble. Je ne me suis jamais rendu compte de ses sentiments, et même si je m'en étais rendu compte, ça n'aurait rien changé à mon comportement

Mme Pascuala ne me plaît pas, je n'aime ni son physique, ni son caractère, ni rien chez elle.

– Comme si c'était ça l'important, a répondu Mme Margarita avec ce souci du bon sens qui caractérise les femmes insouciantes.

Ce qui a ajouté un nouveau motif de confusion à ceux qui m'accablaient déjà.

*

Avant de monter chez moi, je me suis assuré que personne ne rôdait dans les parages. Cela fait, je me suis rué dans l'entrée de l'immeuble, j'ai gravi l'escalier sans allumer et, arrivé devant la porte de mon modeste mais néanmoins bien-aimé appartement, j'ai pénétré à l'intérieur, constaté que tout était tel que je l'avais laissé et suis ressorti sur le palier pour aller frapper doucement à la porte de l'appartement voisin. Celle-ci s'est tout de suite entrebâillée, une lumière rouge sombre a inondé le palier et, dans l'espace libre, s'est découpée la silhouette d'une femme habillée de cuir des pieds à la tête, un fouet dans une main et une poire à lavement dans l'autre.

– Bonsoir, Purines, ai-je chuchoté. Je te dérange ?

– Mais non, quelle idée, a répondu ma voisine. J'attendais un client, mais j'ai bien peur qu'il ne vienne pas, car il avait rendez-vous à six heures et dix coups viennent de sonner à l'horloge de l'église. Je t'offre quelque chose ?

Au cours des années que nous avions vécues de part et d'autre du même mur, il s'était noué entre Purines et moi d'excellentes relations de voisinage. Je menais une vie régulière et silencieuse à l'extrême. Elle, au contraire, recevait à toute heure une clientèle choisie de messieurs circonspects à qui elle administrait des raclées formidables, qu'ils supportaient avec des aïe !

résignés et couronnaient de rugissements de plaisir et de hurlements dignes de supporters du Barça quand celui-ci marque un but. Comme la cloison qui nous séparait n'était pas précisément en pierres de taille, je ne perdais aucun détail de ces séances tumultueuses mais, habitué au pandémonium perpétuel de l'asile où j'avais passé la majeure partie de ma vie, je ne m'étais jamais plaint et cette agitation ne m'empêchait pas de lire, ni de regarder la télévision ni de dormir comme un bienheureux. Nous nous rendions souvent les petits services habituels entre voisins : prendre un paquet en l'absence de son destinataire, permettre la réparation d'un tuyau, donner à manger au chat (le sien), nous prêter quelque condiment, et autres choses du même genre. Et un jour où un client de Purines était mort en pleine extase, c'est avec plaisir que je l'ai aidée à le transporter sur un banc de la rue, où nous l'avons laissé confortablement installé et faisant comme s'il lisait le supplément culturel d'*ABC*.

— Purines, ai-je dit, j'ai une faveur à te demander, parce que je crois que j'ai un petit problème. Il y a quelques nuits, j'ai commis un vol par effraction. Je croyais qu'il s'agissait d'une affaire propre, mais certains détails ultérieurs m'inspirent des soupçons.

— Mon garçon, tu ne peux pas savoir la joie que tu me causes, a répondu Purines. Tu avais l'air tellement coincé que tu me faisais peur. En quoi puis-je t'aider ?

— Tu es toujours chez toi. Surveille ma porte et tiens-moi au courant si quelqu'un vient en mon absence.

— C'est comme si c'était fait, a-t-elle dit. Autre chose ?

— Oui. As-tu du talc ?

— Bien sûr. Comment crois-tu que j'entre dans ces frusques et que j'en sors ?

J'ai remercié Purines pour ses bonnes dispositions,

j'ai pris congé d'elle, j'ai répandu le talc sur le palier, je me suis enfermé chez moi, et je me suis couché et endormi avec la rapidité d'un homme qui a la conscience chargée mais le corps moulu.

Le lendemain matin, sur la couche de talc du palier, s'imprimaient nettement les traces d'une paire de chaussures masculines d'une taille impressionnante qui semblaient correspondre à un homme grand, costaud, ou alors très disproportionné. Les marques allaient de l'escalier à ma porte et de ma porte à l'escalier. Quel que soit celui qui les avait laissées, il n'avait pas osé entrer dans l'appartement en se rendant compte que je m'y trouvais. J'ai balayé le talc pour ne pas m'attirer les foudres de la communauté et suis sorti en laissant la porte entrouverte, afin qu'on ne me bousille pas la serrure quand on viendrait fouiller mon appartement.

A la boutique, le cadenas du rideau métallique avait été forcé, mais pas faussé, Dieu merci, parce qu'il valait la peau des fesses. A l'intérieur régnait un ordre apparent. En réalité tout avait été manipulé et remis à sa place. Seule ma parfaite connaissance du stock m'a permis de repérer la soustraction d'un flacon d'huile de macassar. De toute évidence la fouille était l'œuvre d'un médiocre professionnel porté sur les cosmétiques gras. Pour le reste, la journée s'est écoulée sans incidents dignes d'être mentionnés. Mieux encore : sans aucun incident du tout.

Mais à la tombée de la nuit, en rentrant chez moi, j'ai eu l'impression que quelqu'un me suivait en catimini. J'ai estimé qu'il s'agissait d'un homme de très grande taille, car ses pas résonnaient dans le silence des rues vides à raison d'un seul pour deux que je faisais. J'ai marché en zigzags et il a fait de même ; je me suis arrêté devant une vitrine, comme pour contempler avec le plus grand intérêt la marchandise qui y était exposée (bandages, semelles, chaussures orthopédiques et articles pour l'incontinence urinaire), et mon suiveur s'est arrêté à quelques mètres derrière moi. La glace de la vitrine m'offrait le reflet de sa silhouette, de son visage et de son accoutrement, et tout cela m'a permis de reconnaître le chauffeur noir de la limousine. J'ai repris ma marche et, en tournant le coin de la rue, je me suis caché dans l'angle d'un porche obscur. Quand mon poursuivant est passé devant le porche, je suis sorti brusquement de ma cachette et lui ai demandé :

– Qu'est-ce que vous voulez ?

Il a failli se trouver mal. Il a poussé un cri et fait un bond en portant les mains à son cœur.

– Bon Dieu, ça ne se fait pas ! s'est-il exclamé, une fois remis de sa peur. Vous avez failli me donner un infarctus.

– Vous ne l'auriez pas volé, ça vous aurait appris à me suivre à une heure pareille, ai-je rétorqué. Vous croyez peut-être que ça m'amuse de parcourir ces rues mal famées dans la solitude de la nuit avec un sbire collé à mes talons ?

– Je ne vous suivais pas, a protesté le chauffeur. J'essayais seulement de vous rejoindre. Mais vous vous êtes mis à zigzaguer, et comme je n'y vois pas très bien et que je ne connais pas le quartier, j'aurais fini par me payer un réverbère si vous ne vous étiez pas arrêté. Et puis j'ai pensé que vous ne me reconnaîtriez pas.

– Parce que vous croyez qu'un Noir de deux mètres habillé en chauffeur peut passer inaperçu ? ai-je protesté.

Il m'a regardé fixement, comme s'il hésitait entre m'embrasser et m'éclater la tête. J'ai soutenu son regard en essayant de cacher ma frousse car, vu de près, tout en lui était terrible. Il était beaucoup plus grand et beaucoup plus gros que moi et, maintenant que nous n'étions plus dans la voiture, il était indéniable que cet individu était définitivement noir. Il avait une gueule patibulaire et, pour ne rien arranger, des rigoles dégoulinaient de sa chevelure entortillée et huileuse, entraient par le col de sa chemise et devaient couler jusqu'à ses chaussettes, ce dont j'ai déduit que c'était lui qui était entré dans la boutique, avait volé le flacon d'huile de macassar et se l'était appliquée *illico* sans se recommander ni à Dieu ni au diable. Et à en juger par la pointure de ses chaussures, ce devait être également lui qui avait laissé ses empreintes sur le talc de mon palier. Néanmoins, son attitude, le ton de sa voix et ses manières ne trahissaient pas la méchanceté, mais au contraire un penchant pour l'affabilité.

— Bah, je croyais que tous les nègres étaient pareils, a-t-il expliqué. Du moins, c'est comme ça dans mon village. Évidemment, là-bas, nous ne nous promenons pas tous habillés en chauffeur. Je n'avais pas pensé à ça, voyez-vous. Mais inutile d'aller nous perdre dans les collines de l'Ouganda. Je suis venu vous porter un message. Pas de moi, bien sûr, mais d'une autre personne que vous connaissez.

— De votre chef encapuchonné ? ai-je demandé.

— Non, de Mlle Ivette. Vous savez de qui je parle.

— Je ne connaissais pas son nom. Pourquoi n'est-elle pas venue elle-même ?

— Mlle Ivette ne me l'a pas dit. Mais quand vous aurez entendu le message de Mlle Ivette, vous pourrez répondre vous-même à la question. Le message dit : « Fais ce que je t'ordonne ou l'individu qui te porte le message te tordra le cou. » Vous l'avez compris ?

— Oui, mais je préférerais parler directement avec Mlle Ivette.

— Il vous faudra vous contenter de moi.

— Si je refuse, vous me tordrez réellement le cou ?

— Je vous serais reconnaissant de ne pas me mettre à l'épreuve, a répondu le chauffeur. Je ne suis pas un sauvage. Je pense seulement au bien commun.

— C'est une attitude qui vous honore et que j'apprécie. J'ai toujours pensé que vous étiez une personne honnête. J'écouterai le message avec plaisir et, à mon tour, si vous n'y voyez pas d'inconvénient, je vous poserai quelques questions d'ordre général, et aussi particulier.

— D'accord, a répondu le chauffeur après une brève hésitation. Mais j'ai laissé ma voiture mal garée et vous savez comment se conduisent les agents de la fourrière. Si vous voulez entendre le message que je vous apporte et si, en plus, vous voulez que nous conversions, accompagnez-moi en un lieu où je pourrai laisser ma voiture. Je vous invite à boire un coup.

Je n'avais rien à perdre en acceptant son invitation, aussi l'ai-je suivi jusqu'à l'endroit où était stationnée la voiture, en double file. Ladite voiture se révéla ne pas être la limousine de la fois précédente, mais une Seat de l'époque glorieuse où chaque véhicule qui sortait de l'usine était béni par l'évêque et filmé par les Actualités. Voyant ma surprise et ma déception, il m'a avoué que la limousine avait été louée.

— En revanche, ce tacot est à moi, a-t-il conclu. Je ne m'en sers jamais, vous savez. En réalité, aujourd'hui, une voiture est seulement le symbole d'un statut social, tout comme les lunettes à verres progressifs ou le linge de corps d'un homme, deux articles auxquels je me propose d'accéder dès que mes économies me le permettront. S'intégrer n'est pas une mince affaire.

— A qui le dites-vous, ai-je confirmé.

Nous sommes montés dans la voiture, il a démarré, et au bout d'un moment nous nous sommes arrêtés devant la porte d'une boîte de nuit qui semblait être et était une ancienne usine aménagée postérieurement en bar, sans que cette transformation suppose pour autant son embellissement, ni sa propreté, ni son aération. Avant d'entrer, j'ai demandé s'il connaissait ce bar et il m'a répondu que non, qu'il n y avait jamais mis les pieds et qu'il l'avait choisi parce qu'il avait vu en passant qu'il offrait à proximité suffisamment d'espace pour se garer. Pour le reste, a-t-il ajouté, le bar semblait accueillant et tranquille, malgré le néon en forme de svastika qui brillait au-dessus de la porte et l'inscription PÉDÉS DE NÈGRES AU POTEAU, soit qu'il attribuât à ces détails un rôle purement figuratif, soit qu'il fût idiot et particulièrement myope. Par chance, à cette heure, il n'y avait pas d'autre occupant que le patron, un géant tout en muscles dont le torse était orné d'un tatouage à l'effigie du cardinal Gomá et qui, en nous voyant entrer, s'est arrêté de transvaser une barrique de bière pour se porter à notre rencontre en annonçant aimablement :

– Je ne veux pas de tantes ni de chimpanzés chez moi.

– Ne parlez pas si fort, lui ai-je chuchoté à l'oreille. Son Altesse le Sultan de Brunei n'apprécie pas ce genre de plaisanteries. Vous aimeriez avoir une Rolls décapotable ? Alors donnez-nous une bonne table, apportez-nous quelque chose à boire, baissez le volume de la musique et faites en sorte que personne ne nous dérange. Son Altesse le Sultan déteste être reconnue. C'est pour cela qu'elle s'habille en chauffeur.

Le (grand) géant nous a conduits à une table du fond et est revenu avec le mélange maison (un demi-litre de gin, un demi-litre de vodka) et une portion d'olives farcies auxquelles j'ai préféré ne pas goûter en voyant que le tas bougeait. Comme mon système digestif ne tolère pas vraiment les boissons alcoolisées, et ma tête encore moins, j'ai laissé mon compagnon s'adjuger les deux consommations. J'ai demandé au colosse de nous resservir la même chose et à mon compagnon de me transmettre le message que lui avait confié Mlle Ivette.

– Il est très simple, a dit le chauffeur. Vous devez

rester muet à propos de ce qui s'est passé l'autre nuit. C'est-à-dire la nuit du vol. Vous n'avez jamais vu Mlle Ivette et Mlle Ivette ne vous a jamais vu. Pas même en peinture. Ce n'est pas moi qui le dis, c'est elle, et ce sont ses mots exacts : « pas même en peinture ». Pour moi ils n'ont aucun sens. Dans mon village, nous n'utilisons pas la peinture à de telles fins. Vous m'avez compris ?

— Seulement à moitié.

— Parce que je suis noir ?

— Non. Parce que les choses sont plus compliquées qu'il n'y paraît, ai-je répondu. Qu'est-ce que le vol du dossier bleu a à voir avec l'assassinat de M. Pardalot ? S'agit-il d'une pure coïncidence ou d'un plan soigneusement préparé ? Que contient le dossier bleu ? Pourquoi est-ce Mlle Ivette qui est venue le prendre en taxi et non l'homme masqué dans la limousine que vous conduisiez ? L'homme masqué était-il M. Pardalot et Mlle Ivette la fille de l'homme masqué, et donc la fille de M. Pardalot ?

— Je n'ai aucune réponse à toutes ces questions, a avoué mon interlocuteur, car je suis, comme vous, dans le brouillard. Tout ce que je peux vous dire, c'est qu'après vous avoir laissé devant le siège de la société nous avons fait quelques tours pour meubler le temps. Mlle Ivette est devenue très nerveuse, elle a dit qu'elle ne se sentait pas bien et qu'elle devait descendre immédiatement. L'homme masqué m'a ordonné de m'arrêter et Mlle Ivette est descendue de la voiture. Nous avons continué à tourner et, à l'heure convenue, nous nous sommes garés devant le siège du Filou Espagnol, à l'endroit fixé. Mais vous n'y étiez pas. Nous avons attendu un moment et vous ne veniez toujours pas. Alors l'homme masqué m'a donné l'ordre de lever le camp. Où dois-je vous mener ? ai-je demandé. Pour toute réponse il m'a dit de conduire et qu'il m'indiquerait où je devais m'arrêter. Arrivés sur une petite place de Sarrià ou de Pedralbes, il me l'a dit. Stop, m'a-t-il ordonné. J'ai stoppé, il m'a payé, il est descendu et je suis reparti. S'il était ou s'il n'était pas M. Pardalot, impossible de trancher. A aucun moment il n'a quitté son masque, ni ne m'a annoncé : Je suis Pardalot. D'ailleurs ça n'aurait rien prouvé, ça pouvait être un mensonge, puisque je n'avais jamais vu M. Pardalot. Je peux seulement certifier une chose : il était vivant quand je l'ai quitté. J'ai pu le voir dans le rétroviseur se diriger, toujours masqué, vers une rue transversale, tourner le coin et disparaître. Si quelque chose est arrivé ensuite, je n'ai rien vu. Je ne sais rien de plus et ne veux rien savoir.

Tout en parlant, il avait bu les deux mélanges maison et était devenu encore plus loquace, si c'était possible. Il m'a raconté qu'il s'appelait Magnolio. Mais ce n'était pas son véritable nom, c'était celui que lui avait imposé le missionnaire sur les fonts baptismaux. En réalité il s'appelait Luis Gonzaga parce qu'il était né le 21 juin. Magnolio, selon ce qu'il m'a conté lui-même, avait émigré (ou immigré, ça dépend du point de vue) il y avait douze ou treize ans. En arrivant à Barcelone, comme il ne parlait aucune langue sauf la sienne, il avait été engagé comme chauffeur. Il ne savait pas conduire, mais comme il répondait à tout ce qu'on lui demandait par le mot « oui », qui dans sa langue maternelle signifie « non », personne ne s'en était aperçu. Bien que déjà affecté d'une myopie exceptionnelle, il avait développé dans son pays un sens olfactif très fin qui suppléait avec succès à son manque de vision, car même de nuit et sans phares il pouvait distinguer s'il était en ville ou en pleine campagne ou si les toilettes d'une station-service étaient utilisables ou non.

Après avoir achevé cette biographie succincte et bu deux nouveaux mélanges maison, ses traits se sont empreints d'une noble mansuétude.

— Vous êtes quelqu'un de bon, m'a-t-il dit en me tendant sa grosse pogne. J'ai vu ça dès le premier moment. Voulez-vous être mon ami ? Je veux être votre ami.

Je l'ai assuré que nous étions déjà intimes et lui ai demandé si ça faisait longtemps qu'il connaissait la fausse Ivette.

— Je crois bien ! Au moins trois ou quatre ans, ce qui sous les tropiques équivaut à une dizaine d'années.

Cependant, poussé dans ses retranchements, il a admis qu'il en savait fort peu à son sujet : le peu qu'elle-même lui avait raconté ou laissé entendre, et de vagues rumeurs recueillies ici et là. Selon ce qu'il avait pu rassembler, Ivette avait vécu un temps à l'étranger. Là (à l'étranger) elle avait été mannequin de haute couture et avait gagné beaucoup d'argent. Ensuite, pour une raison inconnue, elle était rentrée. Si son père, comme tout le laissait supposer, était bien M. Pardalot, elle aurait pu vivre à son aise et sans se restreindre, mais Mlle Ivette était très indépendante de caractère, de sorte qu'elle s'était établie à son compte. Évidemment, a ajouté Magnolio, si Mlle Ivette n'était pas en réalité la fille de M. Pardalot, cela mettait par terre l'hypothèse qu'il venait d'énoncer. Dans tous les cas, Mlle Ivette était à la tête d'une société de services.

Parmi les services que louait la société de Mlle Ivette figurait Magnolio, m'a expliqué celui-ci. Quand quelqu'un avait besoin d'un chauffeur, Mlle Ivette l'engageait à la semaine, à la journée, voire à l'heure. Pour d'autres prestations (par exemple porter un paquet ou changer un pneu), il touchait une prime. Jusque-là, si la mémoire de Magnolio ne trahissait pas Magnolio, il n'avait jamais été engagé pour commettre un délit comme celui de l'autre nuit. Jamais non plus, avant cette date, il n'avait vu M. Pardalot, ni avec un masque ni le visage découvert.

J'aurais aimé lui demander plus de détails concernant Mlle Ivette, mais Magnolio, une fois terminé l'exposé qui précède et après m'avoir réaffirmé la sincérité de ses sentiments amicaux, a cogné de la tête le plat de la table et s'est mis à ronfler. J'ai appelé le patron du bar et lui ai dit que je m'en allais.

– Son Altesse le Sultan de Brunei, ai-je ajouté en désignant la forme gisante de Magnolio, est victime du décalage horaire. Soyez attentif à ne la laisser manquer de rien. Son Altesse vous règlera l'addition dès qu'elle se réveillera.

Et sur ces mots j'ai quitté le bar au moment où, pourvus de matraques, couteaux et chaînes, les petits-fils de ceux qui animaient jadis de leur présence le Grill du Ritz et le Salon Rose commençaient à animer ledit bar de la leur.

*

Dès potron-minet j'étais déjà au kiosque de M. Mariano, à feuilleter la presse de notre ville où je n'ai pas eu de mal à trouver ce que je cherchais. A savoir :

†

Manuel Pardalot i Pernilot
né à Olot
président de la société Le Filou Espagnol

Décédé hier dans sa cinquante-septième année
ayant reçu sept balles et muni de la bénédiction papale.
Ses ex-épouses affligées Montserrat, Jeniffer,
Donatella, Tatiana Gregorovna, Liu Chao Fei
et Montserrat bis, sa fille Ivette et toute la famille,
ses associés, collaborateurs, employés et amis demandent

une prière pour le repos éternel de son âme.
Le service funèbre aura lieu à 10 heures
en l'église paroissiale de La Concepción.

Le présent avis tient lieu de faire-part.

A la boutique, une surprise désagréable m'attendait. La veille, et du fait de ma turbulente relation (si l'on peut employer ce mot) avec Mme Pascuala, j'avais oublié de laisser la porte extérieure ouverte, et le cadenas du volet métallique était maintenant sectionné, tandis que la plus effroyable pagaille régnait à l'intérieur. Grâce à Dieu, ils n'avaient rien emporté et la clientèle n'était pas nombreuse à cette heure matinale. J'ai tout remis en place, j'ai balayé, enlevé la poussière, fait les carreaux, et à neuf heures et quart précises L'Artiste des Dames ouvrait ses portes au public comme si de rien n'était. Mais le fait m'a inquiété, car il signifiait que Magnolio n'était pas le seul à me suivre et à fouiller chez moi.

A neuf heures trente de la même matinée, n'ayant encore vu entrer aucun client, je suis allé au vidéoclub de M. Boldo qui se trouvait juste en face de la boutique et j'ai dit à M. Boldo :

– Monsieur Boldo, je me vois obligé de m'absenter pour une petite heure. Gardez un œil sur la boutique et, si vous voyez entrer quelqu'un, dites-lui que je reviens tout de suite. Si besoin est, projetez-lui une vidéo et je paierai la location.

J'ai pris l'autobus et suis arrivé à l'église paroissiale de La Concepción à dix heures dix. Je n'ai pas eu besoin de demander quoi que ce soit, car un monsieur vêtu de gris et posté sous le porche m'a tendu un petit feuillet où l'image mortuaire de Pardalot confirmait que celui-ci était parti pour une vie meilleure. Je lui ai donné vingt-cinq pesetas et je suis entré. J'ai supposé que la famille

74

du défunt devait occuper les meilleures places, c'est-à-dire le premier banc à partir de l'autel, et je me suis frayé un passage dans la foule qui se pressait dans la nef, en jouant des coudes et en poussant pour la traverser de part en part, tout en distribuant des paroles de condoléances. Là, en effet, s'alignaient plusieurs femmes en deuil qui chuchotaient, tête baissée, et un certain nombre d'hommes bien habillés qui laissaient errer leur regard dans les hauteurs pendant qu'un prêtre égrenait des pensées pleines de raison, d'à-propos et d'utilité. En essayant de ne pas troubler le recueillement de l'assistance, je me suis approché d'une jeune femme assise au bout du banc et lui ai murmuré à l'oreille :

— Je participe à votre douleur. Le défunt et moi, nous étions comme les deux doigts de la main. On connaît le mobile ?

— Qui êtes-vous ? a-t-elle demandé en me lançant un regard torve.

— Sugrañes, agent d'assurances. Si vous me dites votre nom et votre degré de parenté, je vous dirai si vous figurez sur le contrat.

— Quelles stupidités me chantez-vous là ? a-t-elle rétorqué. Je suis Ivette Pardalot, la fille de feu Pardalot et l'héritière de toute la baraque.

— Impossible, ai-je répondu. La fille de Pardalot est éblouissante, et vous, sans vouloir vous offenser, vous êtes plutôt moche.

Elle semblait disposée à répliquer encore quand le curé a interrompu son prêche pour dire, en nous désignant :

— Hé, vous, au premier rang, vous allez vous taire ?

Elle a repris sa figure affligée et j'ai fait une génuflexion avant de battre en retraite.

Sur le parvis, cinq messieurs échangeaient vigoureusement leurs opinions sur la décision de ne pas aligner Romario contre le Celta Vigo.

– Puis-je vous poser une question ? les ai-je interrompus.

– Posez toutes les questions que vous voudrez, mon brave, a répondu l'un d'eux en s'exprimant au nom de tous, mais je vais vous dire une chose que ni vous ni personne ne soupçonne : au jour d'aujourd'hui, le football a cessé d'être un sport et est devenu un business comme les autres.

– Bien vu, me suis-je exclamé, avant de demander : Connaissiez-vous le défunt, que Dieu le reçoive dans sa sainte gloire ?

– Bien sûr, a répondu un autre participant à la discussion, mon premier interlocuteur semblant s'être retranché du monde pour méditer sur la gravité de son propre verdict. Pas vous ?

– Nous étions comme les deux doigts de la main, ai-je affirmé. Et je suis un grand ami des quatre filles du défunt.

– Il me semble que vous vous êtes trompé d'enterrement, a rectifié un troisième. Ici, la dépouille mortelle est celle de Manuel Pardalot et il n'avait qu'une fille, nommée Ivette, de son premier mariage.

– Ivette ? ai-je dit. Une fille blonde, grande, très jolie, avec des jambes époustouflantes ?

– Non, monsieur : une fille brune, petite, pas belle et avec les jambes comme deux carottes.

– Effectivement, ai-je admis, j'ai dû me tromper de jour, d'heure, d'église et de mort. Amusez-vous bien.

A onze heures et quart, j'étais déjà de retour à la boutique. M. Boldo m'a informé qu'il n'avait vu âme qui vive se présenter pendant mon absence. Je lui ai dit que je m'étais rendu aux obsèques d'une connaissance, je l'ai beaucoup remercié pour son amabilité et chacun est retourné à ses obligations respectives.

J'ai consacré le restant de la journée à mettre de l'ordre dans les informations que j'avais réunies jusque-là et à regarder de temps en temps la porte de la boutique pour voir s'il entrait un client, chose qui ne s'est pas produite.

En ce qui concernait les conclusions que je pouvais tirer des événements successifs, elles se réduisaient à celles-ci : a) la fille qui avait dit être Ivette Pardalot n'était pas en réalité Ivette Pardalot, si celle qui disait être Ivette Pardalot était bien Ivette Pardalot ; b) l'homme masqué qui avait dit être Pardalot pouvait avoir été, en effet, Pardalot, bien que le plus probable soit qu'il ne l'ait pas été, mais qu'il ait été, au contraire ; c) l'assassin du véritable Pardalot ou, sinon l'exécutant matériel de l'assassinat, du moins le cerveau de l'opération et, de tous les points de vue, son auteur moral, et, ce qui était encore pire ; d) dans ce cas, il était encore en vie, et Dieu seul savait s'il ne tramait pas de nouveaux assassinats (par exemple le mien) sous son capuchon ; e) ou f) ce qui précédait ne permettait pas d'inférer que le perfide encapuchonné était le père de la fille qui s'était fait passer pour Ivette (en ne l'étant pas), avec le consentement et la complicité de celle-ci, sauf s'il s'agissait effectivement de son vrai père, ce qui l'exonérerait de ce mensonge, mais non de mensonges pires ; g) et de pires perfidies.

Cet exercice terminé, je ne peux pas dire, pour être sincère, que j'aie eu l'impression d'avoir vraiment tout élucidé. Mais je ne disposais pas d'autres éléments qui me permettent d'aller plus loin.

Au milieu de l'après-midi, mon beau-frère Viriato est venu faire une visite d'inspection de la boutique. Je détestais et redoutais ces visites sporadiques, car Viriato, qui dans ses relations familiales était un fils attentionné, un mari serviable (et attentionné), un beau-frère courtois, un homme plein de prévenance et de délicatesse envers son prochain, bref un vrai petit chat patte de velours, se montrait, quand il s'agissait du travail, exigeant et inflexible, pour ne pas dire despotique, surtout si la colonne des bénéfices se soldait par des résultats aussi squelettiques que ceux que je lui présentais ordinairement. Alors il laissait de côté ses manières gracieuses et me couvrait de reproches, d'accusations et de menaces, il m'accusait d'être un inutile, vénal et corrompu, quand il ne me rouait pas de coups de pied et de ceinture, sans rien entendre de mes explications pleines de raison qui allaient des conséquences (indirectes) du traité de Maastricht au mauvais état du séchoir électrique. Pour Maastricht, j'essayais de lui faire comprendre que nous ne pouvions pas faire grand-chose, lui, Viriato, et moi, mais pour le séchoir électrique, la situation exigeait des mesures radicales, car au cours des deux derniers mois cinq clients (aujourd'hui ex-clients) avaient dû être transportés d'urgence à l'hôpital avec des lésions dont le pronostic s'avérait optimiste au regard des nombreux troubles du fonctionnement dont ils étaient atteints.

— La vérité, a répliqué Viriato, tout en inspectant la boutique dans l'espoir de trouver un prétexte pour rejeter ma demande, c'est que tu passes la journée à faire le joli cœur avec les clientes.

J'allais défendre ma probité, mon assiduité au travail et ma loyauté envers l'entreprise, quand un autre sujet plus pressant a accaparé mon attention.

— Dis-moi, Viriato, ai-je demandé, je sais que la question est un peu indiscrète, mais tu ne portes pas un pacemaker ?

— Non.

— Alors tirons-nous d'ici en vitesse, parce que ça

fait un moment que je perçois un tic-tac qui ne me dit rien de bon.

Nous avions à peine atteint la porte que nous avons entendu un coup de tonnerre, avons été enveloppés d'une épaisse fumée, avons senti dans notre dos une chaleur ardente et avons exécuté un bref vol plané au cours duquel j'ai tenté sans succès d'attraper, au fur et à mesure qu'ils passaient près de moi, les différents éléments composant la boutique (le séchoir, le fauteuil, la cuvette) qui, du fait de leur moindre densité, se déplaçaient plus vite que moi.

L'onde de choc se répandait encore dans le quartier en brisant les glaces des vitrines, quand j'ai atterri sur le trottoir d'en face, devant le vidéoclub de M. Boldo et au milieu du public nombreux qui s'assemble toujours immédiatement là où la fatalité s'abat sur autrui. Avant de vérifier si j'étais en possession de toutes les parties de mon corps, j'ai tâtonné à quatre pattes pour réunir le matériel dispersé et le protéger de la convoitise d'un éventuel petit malin ; puis je me suis occupé de moi, et enfin je me suis intéressé au sort de mon beau-frère qui, au dire d'un voisin plein de sollicitude, avait eu la veine de retomber sur le store du magasin de fruits et légumes de Mme Consuelo, ce qui faisait qu'il était indemne, bien que momentanément atteint de surdité, cécité, paralysie, amnésie et d'une décomposition galopante. Rassuré à son sujet, je l'ai laissé aux soins de ceux qui tentaient de le réanimer et d'extraire de ses orifices un régime de bananes, et j'ai couru remettre les ustensiles rescapés à leur place, c'est-à-dire parmi les décombres de la boutique, sur la façade de laquelle j'ai écrit avec le manche d'une brosse carbonisée :

OFFRE SPÉCIALE
10 % DE REMISE DURANT LES TRAVAUX
D'AGRANDISSEMENT ET DE RÉNOVATION

Après quoi j'ai cherché et trouvé le balai et la pelle à poussière, et je m'en suis servi pour essayer de faire un tas des gravats, éclats, bribes, loques, brandons et confettis (provenant de *Samana* et de *Diez Minutos*), tout en établissant le bilan des dégâts. C'est au milieu de ces occupations que m'a trouvé la police municipale qui, avisée par quelque passant indiscret, accourait sur les lieux du sinistre avec sa célérité habituelle.

— Merci de votre visite, messieurs les agents, en quoi puis-je vous être utile ? leur ai-je dit avec une joie feinte, car j'aurais préféré qu'ils restent à régler la circulation au lieu de me poser des questions du genre : qu'est-ce qui s'est passé ?

Mais mes craintes se sont révélées infondées, car les représentants de l'ordre (municipal) se sont bornés à jeter un coup d'œil sur les lieux et un autre sur moi, puis à me demander si c'était le butane.

— Oui, monsieur, ai-je répondu, j'avais allumé le poêle, malgré l'excellent climat que la mairie nous offre gratis, et je n'ai pas respecté les précautions d'usage. Mais les conséquences sont insignifiantes, car la compagnie d'assurances couvrira sans problème ces légers dommages.

Viriato, qui, déjà remis sur pied, entrait pour chercher sa veste, ses chaussures et la jambe gauche de son pantalon, m'a entendu et, dès que les agents ont disparu, m'a apostrophé :

— Pourquoi leur as-tu débité ces mensonges ? Tu sais parfaitement que je n'ai pas payé la prime d'assurance depuis 1987.

— Viriato, lui ai-je dit, je crains que nous ne soyons fourrés dans de sales draps, et la meilleure chose que nous puissions faire est d'essayer de régler ça par nos propres moyens. Pour cette fois, nous nous en sommes tirés par miracle. La prochaine peut être pire. Retourne à tes occupations, ne parle à personne de ce qui s'est passé, et tiens-toi à l'écart de moi.

*

A la tombée de la nuit, j'avais déjà réussi à sortir les décombres dans la rue, à raccorder toutes les sections d'une canalisation par laquelle passaient maintenant, provisoirement, l'eau, le gaz et l'électricité, et à reconstituer le miroir en assemblant les morceaux avec du sparadrap. Le séchoir électrique était définitivement inutilisable et le fauteuil avait perdu ses bras et son dossier. Pendant que je réfléchissais à la manière de remédier à ces carences, j'ai vu entrer dans la boutique un individu à la démarche si incertaine et au teint si blafard que je me suis d'abord demandé s'il ne s'agissait pas d'un cadavre. Il m'était déjà arrivé de raser, coiffer et maquiller quelques défunts, mais il ne s'en était jamais présenté un de sa propre initiative, ce qui ne m'a pas empêché, l'heure n'étant pas à faire la fine bouche, de lui indiquer les restes du fauteuil. Le nouveau venu a éclaté de rire et s'est exclamé :

– Je vois que vous ne m'avez pas reconnu.

J'ai examiné ses traits avec une attention redoublée et j'ai découvert qu'il s'agissait de Magnolio.

– Comment pouvais-je vous reconnaître ? Avant, vous étiez noir.

– Et vous blanc, a répliqué le chauffeur.

– C'est que je suis noir de suie, ai-je dit.

– Eh bien, moi, je me suis barbouillé de farine.

Puis il a regardé autour de lui et a ajouté :

– Même sans lunettes je remarque qu'on vous a mis une bombe. Ça vous apprendra à me jouer des tours comme celui de la nuit dernière. Mais si je me suis blanchi et si je suis venu ici, ce n'est pas dans l'intention de vous reprocher votre conduite ; c'est pour passer inaperçu et vous apporter un nouveau message de Mlle Ivette. Cette fois, elle veut vous voir. Personnellement. Elle dit que votre vie est en danger. Sa vie à elle et votre vie à vous. Les deux. Et peut-être la mienne. Ça, Mlle Ivette ne l'a pas dit, mais je le rajoute. Mlle Ivette dit que dans ces conditions elle se propose de jouer franc jeu avec vous, pas comme les fois précédentes. Et Mlle Ivette précise que c'est seulement en unissant vos efforts que vous pourrez sortir du pétrin où vous a mis la malchance. Prévoyant une réponse négative de votre part, Mlle Ivette a insisté pour que je vous dise que vous n'avez rien à perdre à la rencontrer, vu que vous avez déjà tout perdu.

– Où veut-elle que nous nous voyions ? ai-je demandé.

– Dans un lieu sûr, a répondu le chauffeur. Je vous y conduirai. Ne soyez pas méfiant. J'ai eu un tas d'occasion de vous faire la peau et je n'en ai jamais profité. Je pourrais vous faire la peau ici même, si ça me chantait. Ce n'est pas l'envie qui m'en manque. Vous n'avez pas honte d'abuser de mon amitié pour me soûler et me laisser en plan dans cet antre ? Et, en plus, qu'est-ce que vous leur avez raconté à propos d'une Rolls Royce ? Je vous briserais la boîte crânienne et tous les os si Mlle Ivette ne me l'avait pas expressément défendu.

– Vous m'en voyez ravi, il ne m'aurait plus manqué que ça. Regardez-moi cette pagaille, me suis-je exclamé. Qu'est-ce que je vais faire sans séchoir électrique ?

Il a haussé les épaules et n'a pas répondu. J'ai regardé l'heure. Du fait de l'explosion, la pendule murale n'avait plus que l'aiguille des secondes, ce qui rendait sa lecture un peu difficile, mais j'ai estimé que ce devait être l'heure de la fermeture, aussi ai-je décidé de suspendre les travaux de réhabilitation jusqu'au lendemain et de consacrer un moment à mes activités secondaires.

– Vous êtes venu en voiture ? ai-je demandé à Magnolio.

– Oui, monsieur. Vous ne pouvez imaginer à quel point il est facile de se garer quand on est sans lunettes.

– Très bien, ai-je dit. Aidez-moi à remettre la porte dans ses gonds et je vous accompagnerai où vous voudrez.

*

Magnolio a arrêté la voiture à un carrefour de la rue Bailén et désigné un immeuble en disant :

– C'est ici. Quatrième étage, porte C. Elle vous attend. Je vous rejoindrai quand j'aurai trouvé un endroit où stationner.

J'ai suivi ses indications et, une fois devant la porte indiquée, j'ai sonné. Tout de suite, une voix tremblante m'a demandé qui était là. En l'entendant, mon irritation et mon ressentiment se sont dissipés.

– N'aie pas peur, ma mignonne, ai-je répondu en essayant de réprimer le halètement dû à la montée de trois étages à pied. C'est moi : ton chevalier errant, ton héros galactique, ton superman.

– Qui ? a répété la voix tremblante.

– Le coiffeur.

La fausse (et faussaire) Ivette a entrebâillé la porte, elle a vu que c'était bien moi qui parlais et m'a livré passage. Elle semblait apeurée et nerveuse. A peine étais-je entré qu'elle a refermé et verrouillé la porte. Alors, seulement, elle a allumé la lumière de l'antichambre, une pièce carrée, sobrement décorée d'une caisse enregistreuse, et d'où partait un couloir court et ténébreux. L'air était dense et sentait comme dans un appartement qui est resté clos pendant plusieurs jours.

Le couloir nous a menés dans une grande pièce, au centre de laquelle il y avait une table pliante et quatre fauteuils idem. Du plafond pendait une ampoule masquée par un écran de papier d'emballage. Elle m'a offert un fauteuil et m'a dit :

— C'est ici ma maison et mon bureau ou, comme je préfère l'appeler, mon agence. L'appartement d'origine a été divisé en plusieurs ; celui où nous sommes a été à son tour subdivisé par moi. La partie de devant est réservée à ma vie privée. Seuls y entrent moi-même et qui je décide. L'autre partie, celle où nous nous trouvons maintenant, je l'ai affectée à mes bureaux. Tu dois trouver la décoration succincte. En réalité, je loue le mobilier en fonction de l'opération commerciale que je dois mener. Ainsi je m'adapte mieux aux caractéristiques de chaque client. S'il s'agit d'étrangers, modernisme catalan ; si ce sont des Catalans, design italien. Parfois je me contente d'un tatami. Mais nous ne sommes pas là pour parler de ça. Je peux t'offrir quelque chose ? J'ai les boissons traditionnelles.

— Du Pepsi-Cola ?

— Non.

— Alors rien, merci.

— Je vais te chercher de l'eau, au cas où tu aurais soif, a-t-elle dit.

Elle est allée dans le couloir et a disparu par une porte latérale. Comme les minutes passaient et qu'elle ne revenait pas, j'ai passé la tête dans la chambre voisine. Là aussi les stores étaient baissés ou les volets fermés, de sorte qu'on n'y voyait presque rien. Il m'a semblé distinguer une armoire et un lit à une place, défait. Par terre gisaient des vêtements jetés n'importe comment. Dans l'air flottait la chaude odeur que laissent les jeunes personnes bien lavées quand elles dorment seules. Je suis revenu dans la grande pièce au moment où Ivette arrivait avec un verre d'eau que j'ai bu d'un trait, car l'expérience de la chambre à coucher m'avait laissé la gorge sèche. Ivette paraissait avoir recouvré son énergie : les marques de crainte avaient disparu, elle était au contraire souriante et expansive.

— Prenons les choses point par point, a-t-elle commencé. Je ne suis pas la fille de Pardalot, comme tu le sais déjà puisque tu es allé ce matin à l'enterrement de Pardalot et que tu y as rencontré la véritable Ivette. Mon vrai nom est Lili… non, Lala… non, Lulu… Enfin, qu'importe ? Disons que je me nomme également Ivette : la vie est pleine de coïncidences. J'ai une agence de services, où nous nous trouvons en ce moment. Pas les services qu'une personne malintentionnée pourrait supposer en voyant mes formes sinueuses, mais d'autres, pires. Mieux vaut que je te raconte tout.

L'histoire d'Ivette correspondait pour l'essentiel à ce que m'avait rapporté Magnolio la nuit précédente dans la boîte de nuit. Ivette avait été mannequin à New York, mais elle était ensuite revenue à Barcelone, et là (à Barcelone), elle avait monté une société de location en tous genres pour escroqueries. Pour un tarif déterminé, l'agence d'Ivette procurait le nécessaire pour commettre n'importe quel genre d'escroquerie, tant en moyens matériels qu'en personnel. Magnolio en était un exemple et, dans le cas présent, j'en étais un autre. Elle sélectionnait la personne ou les personnes les plus adéquates pour telle ou telle opération, parlait avec elles, les persuadait par tous les moyens dont elle disposait et, à la fin, si leur travail avait été satisfaisant, les payait religieusement. Par malheur, cette fois les choses n'avaient pas fonctionné comme d'habitude, a-t-elle conclu.

Elle a fait une pause, après quoi, voyant que je ne disais rien, elle a ajouté :

— Il y a de cela deux semaines, un individu qui disait

s'appeler Pardalot a pris contact avec moi. Ce n'était pas Pardalot, mais quelqu'un qui se faisait passer pour Pardalot, seulement à ce moment-là je ne le savais pas. Je ne l'ai su que quand j'ai vu dans le journal la photo de l'authentique Pardalot. Le prétendu Pardalot me donna tes coordonnées en me disant de me faire passer pour sa fille, c'est-à-dire la fille de Pardalot, et de te faire miroiter un travail simple et sans risque. Ce que je t'ai raconté est ce qu'il m'a lui-même raconté : il voulait voler des documents dans son propre bureau pour frauder le fisc ou pour masquer une fraude fiscale ou quelque chose du même genre, et tu étais la personne idoine pour le faire. Au début, je ne compris pas le plan. S'il s'agissait de faire disparaître des documents de son propre bureau, le plus simple aurait été de simuler le vol, c'est-à-dire de prétendre que quelqu'un avait dérobé les documents, et de se débarrasser d'eux par n'importe quel procédé. En revanche, le plan du prétendu Pardalot comportait beaucoup de risques, à commencer par celui que tu sois pris la main dans le sac. Mais le prétendu Pardalot me répondit que rien ne pouvait mal tourner. Tout était préparé, m'expliqua-t-il, pour que le vol s'effectue sans contretemps. Jusqu'à la serrure du bureau qui avait été trafiquée de manière à ce que n'importe quel pedzouille puisse l'ouvrir à la première tentative. L'important, dit le prétendu Pardalot, était que le voleur laisse une trace quelconque de son passage : empreintes digitales, fragment de poil ou goutte de sperme, pour le test ADN. Au cas où ce ne serait pas suffisant, l'histoire du circuit vidéo était un piège. Le vigile posté à la porte ne te verrait pas entrer, certes, mais ton image resterait enregistrée. De cette manière, une fois obtenus les documents, le prétendu Pardalot pourrait montrer la bande sur laquelle on te verrait pénétrer dans l'immeuble et commettre le vol.

Arrivée à cet endroit, la fausse Ivette s'est levée, est

allée à la fenêtre, l'a ouverte et a écarté légèrement les lames du store pour laisser pénétrer l'air du dehors, car celui du dedans était pratiquement épuisé. Mais elle s'est arrangée pour n'offrir aucune visibilité à un observateur extérieur.

— Même ainsi, ai-je dit après qu'elle fut revenue près de la table, le plan était et est aberrant. Avec mes traces et la bande vidéo, tôt ou tard la police me trouvera et je lui raconterai que c'est Pardalot lui-même qui m'a engagé pour cambrioler le siège du Filou Espagnol, propriété de Pardalot, c'est-à-dire ses propres bureaux.

— C'est exactement, a admis Ivette, l'objection que j'exprimai. Mais, en l'entendant, le prétendu Pardalot se mit à rire. De ce côté, dit-il, il n'y avait pas de problème. Il avait précisément trouvé, ajouta-t-il sans cesser de rire, la personne idoine, c'est-à-dire l'homme qui avait le pedigree le plus net, le plus sage et le plus nul de tous les habitants de l'aire métropolitaine.

Il parlait de moi. Le lecteur saura m'excuser si, à ce point de mon récit, je lui révèle quelque chose qu'il (mon immérité lecteur) aura sûrement deviné depuis longtemps, à savoir que jusqu'à ce que me soit donnée cette explication, j'avais nourri la fate conviction d'avoir été choisi par cette mignonne et par son prétendu et maudit père (paix à son âme) à cause de ma réputation, jadis non négligeable, dans les cercles professionnels de la fauche, du braquage, de l'arnaque, de l'esbroufe et de la ruse, et même, à quoi bon le nier, à cause d'une attirance qu'elle avait éprouvée pour mon apparence physique, l'élégance de ma mise, mon affabilité, mes manières, bref mon pouvoir de séduction. Je me suis rappelé trop tard la pauvre Mme Pascuala, de la poissonnerie, dont l'insolence à mon égard prenait maintenant, à la lumière de ma douloureuse désillusion, son authentique et éclatante signification.

— On pouvait être sûr, avait ajouté Pardalot — et a

ajouté Ivette, insensible à l'amertume qui devait se refléter sur mon visage –, que la police ne te dénicherait jamais. Ils consacreraient quelques jours à fouiller dans leurs archives et finiraient par classer l'affaire. Et quand bien même ils t'auraient déniché, lui aurait tout nié, et Pardalot étant un notable et toi un ridicule coiffeur, c'est lui qu'ils auraient cru. Avec ta conduite irréprochable et ta tête de nigaud, le tribunal aurait considéré que tu avais commis le vol dans un moment d'égarement et t'aurait envoyé passer une saison dans un centre psychiatrique. Il paraît que ça ressemble à une station thermale. Évidemment, aujourd'hui, l'assassinat complique un peu les choses.

— De quel assassinat parles-tu ? ai-je dit.

— Tu n'as pas encore raccordé tous les fils ? Le prétendu Pardalot n'était pas Pardalot. Et il ne s'agissait pas de voler des documents, propriété de Pardalot, mais d'assassiner le véritable Pardalot et de faire porter le chapeau à un innocent qui, soit dit en passant, a les mêmes empreintes digitales et la même tête que toi.

— C'est absurde, ai-je répliqué. Je n'ai pas assassiné Pardalot, ni le prétendu ni le véritable, ni personne.

— Et comment penses-tu le prouver ? Bien sûr, tu peux aller à la police et leur raconter ce qui s'est passé, mais qui te croira ? Avoir laissé ses empreintes à proximité d'un cadavre et apparaître sur une bande vidéo enregistrée la nuit même et sur les lieux mêmes du crime, ce n'est pas une bagatelle. Mais si, malgré tout, tu décides d'aller à la police, je dois te prévenir : je jurerai que je ne t'ai jamais vu, et Magnolio fera de même. Ne le prends pas mal. Personne n'aime se voir embarqué dans les embrouilles des autres, surtout si sa propre situation n'est pas tout à fait claire. Par ailleurs, comment puis-je être certaine que tu n'as pas réellement tué le véritable Pardalot ? Je te connais à peine. Tu peux être un psychopathe.

– Oui, mais je n'en suis pas un, ai-je répliqué, et c'est bien là le problème. Car si je ne suis pas un assassin, quelqu'un a quand même bien assassiné Pardalot et on est forcé d'admettre qu'en ce moment un assassin se promène en liberté, qui te connaît et qui a des motifs à revendre pour te réduire au silence. C'est pour ça que tu as envoyé Magnolio fouiller mon appartement et le salon de coiffure, me filer et essayer de me tirer les vers du nez. Pour voir si j'avais tué Pardalot. Maintenant que tu es convaincue de mon innocence et que tu vois que Magnolio est un novice, tu m'as fait venir. Pourquoi ?

– Pour t'aider. Tu n'as pas confiance en moi ?

– Non, ai-je répondu fermement. Pis encore, je crois que tu es hypocrite, ambitieuse et égoïste, comme Dalila, Salomé, la Momie et autres méchantes femmes qui ont mérité de passer à la postérité pour leur cruauté, leur duplicité et leur rouerie. Mais si tu me proposes un marché raisonnable, je t'écouterai.

– Et tu feras bien, a-t-elle dit sans paraître s'offusquer de mes paroles. En réalité la situation est plus grave que tu ne le supposes. Mue par une mauvaise impulsion, la nuit du crime, j'ai dérobé le dossier bleu. J'ai pensé que je pourrais le revendre à Pardalot. Quand j'ai découvert que la personne qui m'avait engagée n'était pas Pardalot et que l'authentique Pardalot avait été assassiné, j'ai voulu rendre le dossier sans rien demander en échange, mais je ne savais plus à qui. Et eux, quels qu'ils soient, ne savent pas encore que c'est moi qui l'ai. Ils croient sûrement que c'est toi. C'est pour ça que j'ai voulu te prévenir. Tôt ou tard, tu les auras sur le dos.

– C'est déjà fait, ai-je lâché entre mes dents. Il y a quelques heures, ils ont posé une bombe dans le salon de coiffure. Comme tu vois, j'en suis sorti indemne, mais les dommages matériels sont énormes.

– Je suis désolée, a-t-elle murmuré.

– Ce n'est pas avec des sentiments qu'on achète un séchoir électrique, ai-je répliqué d'un ton cassant. Où est le dossier bleu ?

– Dans le coffre-fort d'une banque.

Je ne l'ai pas crue, mais ça ne servait à rien de discuter ce détail trivial. L'important était de sauver nos peaux respectives.

– As-tu une idée de qui peut être derrière tout ça ? ai-je demandé. De qui avait intérêt à éliminer Pardalot, ou, à défaut, de qui était Pardalot ?

– Non. Je sais juste ce que racontent les journaux.

– Alors c'est la première chose que nous devons éclaircir, ai-je dit.

– Comment ?

– C'est très simple : en retournant au siège du Filou Espagnol S.A.R.L.

– C'est très dangereux.

– Pas plus que de rester assis à attendre une bombe, ai-je dit. En revanche, si nous prenons l'initiative, nous aurons l'avantage pendant un court laps de temps, parce que, nous croyant faibles et eux-mêmes se croyant forts, ils ne prendront pas de précautions. Dans ces cas-là, le plus difficile est toujours le plus facile, justement parce qu'il paraît difficile. On peut faire confiance à Magnolio ?

– Oui, a affirmé Ivette. Bien qu'il ait été baptisé, il conserve l'honnêteté des idolâtres et, à la différence de beaucoup de gentlemen qui se comportent comme des sauvages, lui qui est un sauvage s'est toujours comporté avec moi comme un parfait gentleman. S'il y a quelqu'un à qui je ne sais pas si on peut faire confiance, c'est toi.

– Tant pis, tu dois courir le risque. Reste ici et n'ouvre à personne. Je te contacterai. Et maintenant, adieu.

Elle m'a accompagné à la porte. Avant d'ouvrir, mue par une impulsion inexplicable (ou par un réflexe de politesse commerciale), elle m'a serré contre elle et, faisant clairement référence aux périls extérieurs, elle a chuchoté à mon oreille :

– Fais attention, mon amour.

J'ai senti contre ma poitrine la chaleur frémissante de ses formes délicates (et fermes) et, n'ayant pas eu l'expérience d'un contact physique avec un corps humain depuis plusieurs années (ceux de l'autobus ne comptent pas), je ne sais comment j'aurais réagi en d'autres circonstances, mais le moment n'était pas le plus indiqué pour se laisser aller à la sensiblerie. Cependant, les choses étant ce qu'elles étaient, cette étreinte m'a plutôt déprimé. Aussi lui ai-je dit de nouveau adieu, avant de descendre l'escalier quatre à quatre. Dans la rue j'ai rencontré Magnolio en train de contempler d'un air satisfait sa voiture dont le coffre arrière faisait maintenant partie du véhicule devant lequel il s'était garé.

– Mlle Ivette m'a chargé de vous dire qu'elle n'a plus besoin de vos services pour aujourd'hui, lui ai-je annoncé. Quant à moi, inutile désormais de me suivre dans la rue ni de fourrer votre gros nez dans mes affaires. Assurez-vous que Mlle Ivette ne quitte pas l'immeuble. Si elle le fait, suivez-la sans vous faire voir. Je sais que la discrétion n'est pas votre spécialité, mais ne vous découragez pas : on s'améliore avec la pratique. Et venez demain matin me donner des nouvelles de ce qui se sera passé.

*

Vers onze heures, sans avoir dîné, je suis arrivé devant le siège du Filou Espagnol et je l'ai inspecté en restant prudemment à distance. Les lumières de l'immeuble étaient éteintes, sauf celles du hall que, derrière son comptoir, un gardien gardait. Ce n'était pas le même que la fois précédente, mais un autre d'âge moyen, ventru, chauve et portant une épaisse moustache. Ce sont les meilleurs.

J'ai tourné le coin et me suis arrêté devant la porte du garage. Dans cette rue (latérale), il ne passait personne. J'ai sorti de ma poche la télécommande que m'avait donnée l'encapuchonné quelques nuits plus tôt pour me faciliter l'entrée dans ce même immeuble (et par le même endroit), et qui était restée d'abord dans la poche de mon costume et ensuite chez moi, où j'étais allé la chercher préalablement aux faits que je rapporte en ce moment. Et je l'ai actionnée. La grille a glissé de nouveau horizontalement sur son rail et la porte s'est de nouveau levée verticalement sur le sien, tout comme je l'ai déjà décrit en temps et lieu et avec les mêmes mots. J'aurais pu m'introduire dans l'immeuble les doigts dans le nez, mais je me suis abstenu de le faire en considérant qu'on avait certainement changé le code qui désactivait l'alarme, au vu des dégâts qu'avait produits le précédent, surtout chez Pardalot.

J'ai laissé la porte du garage ouverte et refait le chemin dans l'autre sens, je me suis planté devant la porte en verre de l'immeuble et j'ai adressé des signes au vigile jusqu'à ce que celui-ci s'aperçoive de ma présence, m'indique que les bureaux n'étaient pas ouverts au public et me fasse comprendre ensuite par une mimique expressive, en désignant alternativement sa matraque et sa propre anatomie, où il allait me mettre la première si je ne le laissais pas en paix. A quoi j'ai répondu par une débauche de gesticulations et de mimiques, qui a eu pour résultat d'obliger le vigile à se lever, à reboutonner son pantalon qu'il avait déboutonné pour être plus à l'aise et, brandissant sa matraque, à venir entrouvrir la porte.

– Excusez-moi de vous déranger, me suis-je empressé de dire, mais j'ai des raisons pour cela. Jugez-en : je suis un habitant de ce quartier charmant et, en passant il y a un instant dans la rue latérale pour rentrer chez moi, j'ai remarqué que la porte du garage de votre immeuble, je veux dire de *cet* immeuble, était ouverte. Je dirai même grande ouverte. Avec civisme, j'ai jeté un coup d'œil à l'intérieur et il m'a semblé distinguer la silhouette suspecte d'un étranger dans le garage. Naturellement, c'est peut-être un effet de mon imagination. Je suis timoré de nature. Et arthritique. Pas comme vous, qui êtes un homme courageux, responsable, et beau garçon.

Le vigile s'est gratté l'arrière-train avec sa matraque pour se distraire pendant qu'il réfléchissait, après quoi il a dit :

– Je vais aller faire un tour dans les parages. Vous, ne bougez pas d'ici et ne touchez à rien.

– Soyez tranquille. Ce sera un honneur pour moi de garder le comptoir, ai-je répondu en me glissant à l'intérieur du hall. Ah, n'oubliez pas de débrancher l'alarme pendant que vous patrouillerez, sinon vous la déclencherez, avec le vacarme qui suivra. Les gens du quartier font toujours des chichis à propos de n'importe quoi, et je ne voudrais pas que vous ayez des ennuis si, en fin de compte, je me suis seulement fait des idées.

Le vigile a refermé la porte en verre, empoigné la matraque, rajusté son baudrier pour s'assurer qu'il portait bien son pistolet à la ceinture, désactivé l'alarme avec une clef et est parti dans l'immeuble par une porte située au fond du hall.

A peine me suis-je vu seul que je me suis précipité dans un ascenseur pour monter au quatrième étage, où j'ai cherché et trouvé le bureau de Pardalot, ai forcé de nouveau la serrure et suis entré. Tout était resté comme lors de la nuit du crime. Il semblait impensable qu'il y ait eu un mort dans une pièce si somptueusement meublée. En hâte j'ai ouvert tiroirs, classeurs et placards sans rien trouver ; les papiers personnels du défunt avaient sans doute été saisis par le juge d'instruction en vertu des dispositions de la loi *ad hoc*. Voyant qu'il n'y avait là rien d'intéressant, je suis passé dans la salle de conférences. Je ne m'attendais pas à y découvrir quoi que ce soit, mais je pourrais au moins me remplir les poches de stylos.

Pas question, pourtant. Car à travers le verre dépoli de la porte s'est dessinée la silhouette massive du vigile, la matraque levée. Pendant qu'il farfouillait dans la serrure de la porte de la salle (de conférences) avec son passe-partout, je me suis replié sur le bureau (de Pardalot) dont j'ai fermé la porte juste au moment où le vigile et sa matraque entraient dans la salle. Il devait avoir remarqué quelque chose, parce qu'il est allé tout droit au bureau et a ouvert la porte. En l'absence de paravent, rideau ou cloison pour me cacher, je me suis tapi dans l'ombre. Je me suis cogné à un meuble et j'ai fait du bruit. Le vigile s'est arrêté sur le seuil du bureau, son imposant gabarit occupant presque tout l'encadrement. Sans lâcher la matraque, il a porté la main à son pistolet et a demandé :

– Qui est là ? Sortez les mains en l'air ou je tire.

J'allais me livrer quand une voix profonde, claire et arrogante, et j'ajoute d'outre-tombe, a répondu pour moi :

– Bonjour, je suis Pardalot.

Le vigile a laissé tomber la matraque, a tourné les talons et s'est enfui de la salle de conférences en filant comme le vent. J'aurais fait la même chose si mes jambes ne s'étaient pas dérobées sous moi.

*

En rapportant aujourd'hui cette scène, je me demande si la raison de ma stupeur devant cette apparition inopinée était due à l'effroi ou à la surprise, car si je ne suis pas ignare au point de ne pas savoir que les victimes d'horribles crimes de sang reviennent souvent sur le lieu de ceux-ci (justement appelé « le lieu du crime ») en traînant des chaînes, en entrechoquant leurs os et en émettant des hurlements, gémissements et autres ventosités destinées à provoquer l'épouvante, j'avais toujours pensé que ces phénomènes se produisaient dans des contrées exotiques, comme la Hongrie ou le Japon, et chez des morts de noble et ancien lignage, sans jamais imaginer qu'un circonspect homme d'affaires catalan pourrait les imiter dans le saint des saints de son bureau. Et même si, dans le passé, j'avais déjà fait avec des spectres des rencontres fugaces, plutôt burlesques, et que la science à elle seule ne pouvait suffire à expliquer, jamais je ne m'étais heurté à un spectre à ce point péremptoire et sûr de lui, les spectres étant plutôt timides de nature, comme il convient à de tels êtres (ou non-êtres) habitués à être mal reçus partout où ils vont. Toutes choses, d'ailleurs, sans grande importance dans le cas présent, car c'est la voix de Pardalot elle-même, cause de ma peur, qui s'est chargée de dissiper tout mystère en ajoutant avec la même jovialité, après une brève pause :

« Je ne suis pas disponible pour le moment. Laissez votre nom et votre numéro de téléphone après le signal sonore et je vous rappellerai dans les meilleurs délais. »

J'ai compris qu'en reculant et en heurtant un meuble j'avais mis involontairement en marche le répondeur téléphonique, d'où est sortie ensuite une voix dubitative et féminine qui disait :

« Ici le fleuriste. C'est à propos des fleurs que vous nous avez commandées pour le dîner de mardi chez Reinona. S'il vous plaît, rappelez-nous et dites-nous ce que nous devons faire. »

J'ai entendu ce message incompréhensible et, à mon avis, futile (pour moi) pendant que je traversais la salle de conférences comme un zèbre (se dit de celui qui, étant un mammifère ruminant, court très vite) et sautais dans la cabine de l'ascenseur qui m'a ramené au rez-de-chaussée. Là, j'ai patiné sur le sol bien ciré jusqu'au comptoir, et j'avais juste eu le temps de m'y accouder quand le vigile a fait son apparition par la porte située dans le fond du hall qu'il avait empruntée quelques minutes plus tôt pour sortir.

— Avez-vous vu quelque chose d'anormal, intrépide gardien ? lui ai-je demandé en essayant de dissimuler l'agitation de ma cage thoracique.

— Rien, a-t-il répondu en essayant de dissimuler le claquement de ses mâchoires.

— Pourtant je vous vois bien pâle et trempé de sueur, et si vous n'étiez pas gardien, je dirais que vous vous êtes pissé dessus. Et votre matraque ?

— Je regrette, a-t-il répliqué d'un ton cassant. Je ne suis pas autorisé à commenter les incidents de service avec la population civile. Partez, et considérez ce qui s'est passé comme top secret.

Il a sorti une bouteille de gnôle d'un sac en papier, s'est envoyé un bon coup et, de la main, du regard et de l'haleine, m'a fait signe de vider les lieux.

*

Chez moi, une désagréable surprise m'attendait. J'avais déjà envisagé la possibilité que mon appartement soit visité en mon absence, mais pas celle qu'on le fasse avec un tel manque d'égard. Les meubles avaient les pieds en l'air, et le contenu des armoires et des tiroirs était éparpillé, comme si les intrus, non contents de tout renverser, avaient joué au volley avec mes chers objets personnels. Un rapide bilan m'a permis de voir qu'il ne manquait rien, sauf un yoghourt dans le réfrigérateur. J'ai appelé Purines, lui ai demandé si elle avait remarqué quelque chose, et elle m'a dit que oui, que vers huit heures un terrible tohu-bohu provenant de mon logement était parvenu à ses oreilles, mais qu'elle avait jugé plus prudent de ne pas se montrer trop curieuse ni d'aviser la police. Je l'ai remerciée et assurée qu'elle avait agi au mieux dans l'intérêt de tous, c'est-à-dire le mien et le sien.

— Mon petit, je ne sais dans quelle sale affaire tu es embarqué, mais entre ce que tu étais avant et ce que tu es maintenant, tu devrais trouver une juste mesure, a-t-elle dit.

Et elle a ajouté, sans faire de pause ni de transition :

— Ce que tu dois faire, c'est te chercher une fille convenable et de ta classe, et fonder une famille.

Décidément, tout le monde s'acharnait à vouloir me marier.

— Ne fais pas cette tête, a ri Purines en lisant sur mon visage la confusion et la contrariété. Tu as dîné ? Je viens d'acheter au supermarché une demi-douzaine de saucisses de Francfort qui ne demandent qu'à être mangées, et je t'invite.

J'aurais accepté sa proposition de bon cœur, car je n'avais pas dîné, ni mangé à midi à cause de la bombe, mais je ne voulais pas remettre à plus tard le rangement de mon appartement saccagé ni lui causer une gêne supplémentaire, de sorte que j'ai décliné l'invitation en exprimant de nouveau ma profonde gratitude et mon espoir de pouvoir partager sa table et sa compagnie dans un avenir proche. Et j'aurais ajouté d'autres amabilités, si un affreux bâillement ne m'avait forcé à les interrompre.

— A ta guise, a dit Purines. Je voulais seulement t'aider.

Et après un silence, alors que j'avais déjà la main sur

la poignée de la porte, elle a ajouté tout bas et d'une voix hésitante :

– Ce n'est pas à moi de te donner des conseils, mais fais bien attention. Cette fille n'est pas claire. Je ne dis pas que c'est une mauvaise personne. Les mauvaises personnes n'existent plus. Avant, il y avait des femmes fatales, cruelles comme des crocodiles et collantes comme des mouches. Aujourd'hui, nous sommes toutes bonnes. Mais si jamais…

– Purines, l'ai-je interrompue, tu es un ange.

Je suis retourné dans mon appartement saccagé et me suis mis à l'ouvrage. Tout ranger, sans oublier les rideaux en percale et les fleurs (en plastique) qui donnaient à l'endroit une note chaleureuse sans rien lui enlever de sa sobriété, m'a pris, en faisant au plus vite, deux bonnes heures. Après quoi j'ai dormi comme une souche.

*

Le lendemain matin à neuf heures moins vingt minutes, je suis entré dans le café du coin et j'ai demandé au garçon un demi-sandwich aux calamars et aux oignons ainsi que la permission de consulter l'annuaire du téléphone. Le garçon a accepté en faisant la tête, et j'ai cherché dans l'annuaire le nom de Reinona, mentionné sur le répondeur de Pardalot (que la police n'avait pas joint aux pièces saisies) et se référant, selon ce que je croyais me rappeler (bien que n'y ayant pas prêté sur le moment l'attention voulue), à un dîner, à un mardi, à des fleurs et au nom propre susmentionné que, malgré toutes mes recherches, je n'ai pas réussi à trouver dans l'annuaire. En conséquence de quoi, et le sandwich aux calamars et aux oignons entre les dents, je suis allé à la boutique et j'ai ouvert.

Ponctuel et somnolent, Magnolio est arrivé au rendez-vous matinal convenu entre nous la veille au soir et a résumé le résultat de sa garde devant le porche de la maison d'Ivette avec une précision laconique : néant. Du moins, s'est-il hâté d'ajouter, jusqu'à ce que sonnent les douze coups de minuit à l'horloge d'une église proche, vu qu'à ce moment-là, non par peur des esprits ni de rien de semblable, mais parce qu'il avait envie de dormir, il était rentré chez lui.

— Et vous, m'a-t-il demandé, qu'avez-vous fait ?

— Pas grand-chose. Avez-vous entendu par hasard parler d'une certaine Reinona ? Surtout au cours de ces derniers jours.

— Non.

— Ne répondez pas à la légère, mon vieux, l'ai-je réprimandé. Comment pouvez-vous en être aussi sûr ?

— Je n'oublie jamais les noms des Blancs, a-t-il dit, parce qu'ils me font rire. La nuit, dans mon lit, je les passe en revue et je me tiens les côtes. Avant-hier j'ai fait la connaissance d'un dénommé Têtenpoire : pas mal, non ? Ha, ha, ha.

Il s'esclaffait encore à gorge déployée quand il m'a laissé seul avec la clientèle de la boutique, c'est-à-dire seul. J'ai attendu un moment, puis j'ai fait un saut à la librairie-papeterie La Chouette et j'ai demandé à Mme Piñol de me prêter un guide des rues de Barcelone. Nanti de cette bibliographie, d'un bout de papier et d'un stylo (également prêté) je suis retourné au café.

Comme à cette heure la clientèle du café était aussi nombreuse que celle de la boutique, j'ai prié le garçon d'aller jusqu'à celle-ci au cas où quelqu'un viendrait, car j'avais à effectuer plusieurs appels téléphoniques qui me prendraient peut-être un peu de temps, en lui promettant de l'aviser si un client se présentait dans le café. La proposition ne l'a pas du tout enthousiasmé, mais comme j'étais un habitué du café (à midi) il a fini par accepter. Une fois seul, j'ai ouvert l'annuaire (pages jaunes) sur une table, étalé le papier et empoigné le stylo, et en moins d'une heure j'ai établi une liste des dix fleuristes les plus proches du siège du Filou Espagnol. Cela fait, j'ai appelé le premier de la liste et j'ai dit :

— Bonsoir. Je suis monsieur Pardalot. C'est bien chez vous que j'ai commandé un bouquet de fleurs à livrer chez Reinona ?

— Non, monsieur. Je ne sais pas de quoi vous parlez, a répondu à l'autre bout de la ligne un individu, fleuriste de profession.

— Dans ce cas, moi non plus. Au revoir.

Quatre fois encore j'ai fait la même tentative et obtenu le même dialogue. A la cinquième, une voix féminine, en qui j'ai cru reconnaître celle du répondeur de Pardalot, s'est exclamée :

— Vous êtes monsieur Pardalot ?

— Oui, madame.

— Dans ce cas, j'espère que la couronne que nous avons envoyée à votre enterrement vous a plu.

— Ah, madame, me suis-je empressé de dire, je ne suis pas le regretté M. Pardalot, je suis son exécuteur testamentaire. C'est pourquoi j'utilise le nom du défunt, car je suis, pour ainsi dire, son représentant sur cette terre. Et c'est précisément en examinant avec soin ses papiers que j'ai vu le nom de votre établissement et la commande de fleurs destinée à la maison de Reinona. Si je ne me trompe pas.

— Vous ne vous trompez pas, a dit la fleuriste. Justement, hier, j'ai appelé le bureau, pour demander des instructions à ce sujet, et comme il n'y avait personne, j'ai laissé un message sur le répondeur. M. Pardalot en personne avait appelé vendredi pour commander deux douzaines de roses rouges. Mais maintenant, étant donné les tristes circonstances, je suppose que nous devrons annuler la commande.

– Pas du tout, madame, ai-je dit. Il est de mon devoir d'accomplir fidèlement les dernières volontés du défunt. Envoyez les fleurs sans tarder. J'appelais seulement pour vérifier l'adresse du légataire.

– De qui ?

– De Reinona.

– Elle n'a pas changé.

– Cela vous ennuierait de me la rappeler ? C'est seulement à effet d'inventaire.

– Je vous en prie, prenez note, a dit la fleuriste. Rue de la Partouze, 27.

Je me suis confondu en remerciements et j'ai raccroché.

J'ai rendu le guide et le stylo à la librairie-papeterie et j'ai permuté avec le garçon du café, chacun reprenant sa place habituelle. A midi j'ai fermé, me suis dirigé de nouveau vers le café, j'ai salué le garçon, je me suis assis à une table et me suis fait servir l'autre moitié du sandwich aux calamars et aux oignons. J'allais lui infliger le premier coup de dents quand Magnolio est entré. A sa vue, le garçon a empoigné le fusil à perdrix, mais je l'ai rassuré en lui disant que Magnolio était mon ami et que je répondais de sa bonne conduite. Pendant ce temps, indifférent à cette négociation, Magnolio examinait attentivement les mets qui fermentaient sur le comptoir.

– Mettez-moi une portion de salade russe avec du pain complet, aimable serveur, a-t-il dit en s'asseyant à ma table.

Je lui ai demandé le motif de sa présence inattendue en ce lieu, et ses petits yeux se sont éclairés derrière les verres épais de ses lunettes.

– Je ne suis pas idiot, a-t-il expliqué, j'ai réfléchi et je me suis rendu compte de ce que vous vous proposiez de faire.

– Je me propose seulement de manger ce demi-sandwich en paix.

– Ha, ha, a répliqué Magnolio. On ne m'a pas si facilement. Vous vous proposez de découvrir le véritable assassin de M. Pardalot. Ne niez pas. Dans votre situation, je ferais de même. Sinon, vous allez tout droit en taule, ha, ha. Mais laissez-moi vous dire une bonne chose : en solitaire et si vous avez de la chance, vous n'obtiendrez rien ; et si vous n'avez pas de chance, vous obtiendrez de vous faire flinguer. Ha, ha.

– Et vous, en quoi ça vous concerne ?

– Ça me concerne. Nous sommes tous frères.

– L'assassin de Pardalot aussi. Allez manger avec lui.

– Ce n'est pas pareil, a dit Magnolio. Je suis un honnête homme, comme vous. Vous et moi, nous militons dans le même camp, même si c'est sous des drapeaux différents. Celui de mon pays est comme la *Senyera** mais avec un mandrill au milieu. Si les honnêtes gens comme nous ne s'unissent pas, les fripouilles s'empareront du monde. C'est peut-être d'ailleurs déjà fait.

– Je ne vois aucune raison de vous faire confiance, ai-je répliqué.

– Écoutez, a poursuivi Magnolio sans se laisser émouvoir, je n'avais pas de mauvaises intentions quand j'ai collaboré à cette embrouille dans laquelle nous sommes tous plongés. Maintenant, je ne voudrais pas avoir votre mort sur la conscience. Et j'ai peur aussi pour Mlle Ivette, que je connais et apprécie. C'est une demoiselle jolie et tendre, au sens figuré du mot, très fragile et très seule. Parfois, en conduisant la voiture, je l'ai vue pleurer dans le rétroviseur. Je veux dire : *en la regardant* dans le rétroviseur. D'autres fois elle présente des symptômes de confusion, fatigue, dépression et anxiété. Je ne m'y connais pas en psychologie, mais

* Le drapeau de la Catalogne.

102

j'oserais parier que Mlle Ivette est sous l'influence d'un esprit négatif ou malin. Elle a besoin de protection et, pour l'heure, nous sommes les seuls à pouvoir la lui donner. Mais ce n'est pas tout. J'ai aussi des raisons personnelles que je ne vous exposerai pas maintenant, car ce serait trop long et hors de propos.

Il s'est tu et a entrepris de manger sa salade avec une délectation tranquille et des manières raffinées. J'ai consacré ce temps à l'observer avec attention et une pointe d'envie, car bien que j'aie conservé, Dieu merci, toutes mes dents et que j'essaye de ne pas parler en mastiquant, je ne parviens jamais à terminer un repas sans laisser un échantillonnage complet du menu sur la table, le sol et les murs, sans parler de mes vêtements et de mes chaussures. Pour ce motif et d'autres d'ordre général, le personnage ne me déplaisait pas. Et ce n'était pas le moment de faire le difficile devant un peu d'aide, surtout celle que pouvait me prêter semblable armoire à glace. De plus, il avait une voiture. J'ai décidé d'accepter son offre et le lui ai fait savoir.

— Vous avez pris une sage décision, s'est-il réjoui en m'adressant un petit salut de la tête. Comme on dit dans mon pays, à nous tous nous ferons tout. Traduit, ça perd beaucoup de son charme. Maintenant, racontez-moi qui est Reinona.

Tandis qu'il réglait son compte à la salade russe et au pain, et commandait en dessert une orange qu'il a pelée et mangée avec sa fourchette et son couteau pour l'ébahissement et l'admiration des clients habituels accoutumés à porter la soupe à leur bouche avec les mains, je lui ai raconté le message téléphonique et ce que j'avais obtenu en appelant la fleuriste. Chacun de nous ayant terminé, il s'est essuyé soigneusement les lèvres avec la serviette, a plié celle-ci, l'a posée sur la table et a dit :

— Tout cela est fort bien, mais jusqu'à maintenant

une seule chose est claire : Pardalot n'assistera pas à ce dîner qui, puisque nous sommes mardi, a lieu ce soir même.

— Pardalot, ai-je répondu, n'y assistera pas, mais moi si. Et la personne qui l'a tué ou l'a fait tuer y assistera certainement aussi. L'heure est proche où nous allons nous trouver face à face. Inutile de préciser que l'entreprise est risquée. Puis-je compter sur votre aide ?

— Non, monsieur, a-t-il répliqué.

— Alors payez l'addition.

J'ai fait signe au garçon d'apporter la note (y compris les communications téléphoniques) et l'ai mise discrètement sous le nez de Magnolio. Il a payé, nous sommes sortis ensemble et nous nous sommes séparés sur le trottoir avec toutes sortes de révérences et de solennités.

4

Comme je disposais encore de quelques minutes avant d'ouvrir la boutique, j'ai fait le tour du pâté de maisons et me suis arrêté devant un magasin dont l'enseigne disait :

RAMACHANDRA SAPASTRA
TEINTURERIE
RACCOMMODAGE DES CHAUSSETTES
REPRISAGE DES DÉCHIRURES
RAJUSTEMENTS EN TOUS GENRES

La teinturerie était fermée, j'ai frappé à la vitre et M. Ramachandra est sorti de l'arrière-boutique en babouches et couche-culotte, une assiette de ratatouille à la main et une cuiller dans la bouche. Je lui ai expliqué que je devais me rendre ce soir à une réception dans la haute société et que je voulais me faire resplendissant comme un astre, il m'a laissé entrer et nous avons choisi, parmi les vêtements confiés par les clients, un costume adapté à mon gabarit, à mon propos et aux convenances sociales, des gants en chevreau et un foulard. Je lui ai payé mille pesetas d'avance et je suis revenu à la boutique.

A huit heures moins cinq, après le départ du dernier client (qui était aussi, ce jour-là, le premier), je me suis teint les cheveux en un intrépide noir de jais. Après quoi je me suis fait une barbe avec un chignon postiche, mais, après plusieurs essais, j'y ai renoncé, car elle me donnait un aspect farouche peu rassurant. J'aurais aimé passer chez moi pour faire un brin de toilette, car tant ma chemise que moi-même laissions pas mal à désirer du point de vue de la netteté, de la fraîcheur et du fumet, mais Ivette a fait une apparition inopinée au moment où je me disposais à partir. Elle était très en beauté et semblait agitée. Pendant que j'enregistrais ces détails, elle s'est livrée à une rapide inspection de ma personne et m'a demandé :

— D'où as-tu sorti ce déguisement ? Et ces taches ?

J'ai voulu lui expliquer que la location des vêtements *après* nettoyage à sec coûtait le double de la location des vêtements *avant* le nettoyage à sec, au cas où il faudrait les détacher de nouveau. Quant au choix du modèle (un sobre smoking à revers argentés), je continuais à penser qu'il était une réussite. Elle n'a guère prêté attention à mes paroles, alléguant que cet endroit répugnant et fétide (le salon de coiffure) lui avait toujours fait horreur, mais que maintenant, après la bombe, il la plongeait dans le plus profond abattement. J'ai compris l'allusion et lui ai proposé d'aller au café.

J'ai fermé (manière de parler) la porte de la boutique, nous sommes allés au café et nous y sommes assis à la table que nous avions occupée lors de notre premier rendez-vous. La coïncidence m'a paru significative et je lui ai demandé si nous ne pourrions pas appeler ce café « notre café », à quoi elle m'a répondu que son nom actuel (Aux Frères Sabots) lui semblait bien comme ça. Avec des femmes comme Ivette il ne faut pas se précipiter, c'est pourquoi j'ai décidé d'imprimer un nouveau tour à la conversation en l'interrogeant sur le motif de sa visite inattendue.

Elle a répondu qu'il était de connaître de ma bouche

mes aventures de la nuit précédente, je lui ai rapporté rapidement ce qui s'était passé dans l'immeuble du Filou Espagnol, sans omettre l'incident du répondeur et l'enquête que j'avais pu mener à partir de celui-ci, et j'ai terminé cette récapitulation, déjà connue du lecteur, par mon plan pour m'introduire dans la maison de Reinona.

– C'est d'une suprême imprudence, s'est-elle exclamée. Tu ne sais pas qui est Reinona ni quelle sorte de gens tu trouveras là.

– Ne t'en fais pas, ai-je répondu, ils seront riches et catalans, c'est-à-dire inoffensifs. D'ailleurs je ne cours aucun risque : comme tu vois, j'ai adapté mon apparence aux circonstances, et je n'aurai pas de difficultés à me mêler aux élites sans me faire remarquer. Du reste j'en ai l'habitude, ai-je ajouté avec hauteur. Contrairement à ce que tu crois, ma mignonne, je suis un homme de ressources !

– Eh bien moi, à en juger par le résultat, à ta place je changerais de méthode.

– Je n'ai pas agi ainsi par goût, mais parce que je n'avais pas d'autres solutions, ai-je dit en serrant les dents. Mais ne te tracasse pas pour moi. C'est moi qui me fais du souci pour toi.

Ses yeux se sont remplis de larmes, soit à cause de ce que je venais de dire, soit à cause des relents qu'on respirait dans le café, et, posant une main (la sienne) sur la mienne, elle a murmuré :

– Je ne veux pas que tu te mettes en danger pour moi.

J'ai senti un nœud dans ma gorge et je ne sais ce qui se serait passé alors (certainement rien) si, à cet instant, Magnolio n'avait fait de nouveau son apparition dans le café ; lequel (Magnolio), en nous distinguant assis à la même table comme deux amoureux, n'a pas hésité à venir vers nous et à briser la magie de cet instant par le récit de ses aventures. Car, nous a-t-il expliqué en manière d'introduction, ayant réfléchi à mon intention de me rendre ce soir dans la maison de Reinona, et ayant, de ce fait, considéré que ce plan était excessivement téméraire et que son attitude envers moi manquait d'esprit de solidarité, il avait décidé de reconnaître le terrain. En conséquence il était allé à l'adresse indiquée par la fleuriste, avait sonné à la porte de l'hôtel particulier, car on pouvait donner ce nom à la maison située en cet endroit, et demandé au majordome qui lui avait ouvert s'il se trouvait bien au centre d'accueil des Sénégalais sans papiers. Tant de ruse n'était pas restée sans récompense, car le majordome lui avait rétorqué que non, mais que, s'il cherchait un travail temporaire et mal payé, lui, le majordome, pouvait lui proposer quelque chose. Naturellement, Magnolio n'avait pas laissé passer l'occasion et avait répondu par l'affirmative. Alors le majordome lui avait dit de se présenter à l'hôtel avant huit heures et demie, car on y donnait le soir même une réception à laquelle assisteraient de nombreux invités et on était un peu à court de personnel. Magnolio était très satisfait du cours inespéré qu'avaient pris les événements.

– Et je vous comprends, a dit le garçon du café qui avait écouté la conversation, mais va falloir vous dépêcher, car il est déjà huit heures. Quant à vous deux, ou vous consommez ou vous allez poursuivre votre conversation dans un meublé.

Pour ce qui est de se dépêcher, il avait raison et, comme Ivette n'avait pas faim et moi pas d'argent, nous sommes partis tous les trois. Nous avons convenu, Magnolio et moi, de nous revoir chez Reinona, et il s'en est allé. Sans faire cas de la grossière suggestion du garçon du café, qu'Ivette ne semblait pas disposée à suivre pour le moment, j'ai proposé à celle-ci de l'accompagner à l'arrêt de l'autobus. Elle a prétendu souffrir d'un mélange de claustrophobie et d'agoraphobie qui l'empêchait d'utiliser notre magnifique réseau de transports publics, mais elle n'a pas formulé d'objection à ce que je l'accompagne à la recherche d'un taxi libre. Nous avons marché jusqu'à une artère (ou rue) principale, en silence, car bien que je sois loquace de nature et que, du fait de ma profession et de mes lectures, les sujets ne me manquent pas pour susciter l'intérêt des femmes (l'ostéoporose et autres), je me sentais intimidé, pour ne pas dire effrayé, par ce moment d'intimité étrange, doublement étrange même, car je ne reconnaissais pas ma propre image (par chance) quand, du coin de l'œil, je voyais celle de cet étranger reflétée dans une vitrine en compagnie de cette créature éthérée avec qui je croyais, peut-être parce que j'étais très bien habillé, former un couple parfait. Cette promenade inoubliable a duré un temps qui m'a paru éternel mais qui, en réalité, a été court car, à cette heure-là, et l'économie du quartier étant ce qu'elle était, il y avait des taxis à la station. Ivette est montée dans l'un d'eux et a disparu.

Son absence m'avait laissé sans joie mais pas sans appétit, de sorte que j'ai décidé de faire une halte à la pizzeria. Cependant je me suis dit que chez Reinona, selon la description faite par Magnolio, on servirait un dîner copieux (c'était une erreur) et j'ai jugé que si je devais courir des risques sérieux, je pouvais au moins en tirer quelque profit. Je suis entré dans la pizzeria juste pour m'excuser de ne pas y dîner ce soir-là, avant de m'installer à l'arrêt de l'autobus, car bien qu'il soit encore tôt pour me présenter à la réception, l'endroit où je me rendais se trouvait à l'autre bout de la ville et j'avais devant moi, si tout allait bien, un vaste périple à parcourir.

*

Vers dix heures et demie, et après avoir fait à pied la dernière partie du trajet et la plus pentue, je suis arrivé dans les parages de l'objectif désigné. La nuit était chaude, mais une brise fraîche saturée de jasmin soufflait sur Pedralbes. Cette enivrante sensation n'adoucissait pas, néanmoins, l'aspect patibulaire des hommes qui, postés près de luxueuses automobiles, montaient la garde le long de la calme rue montante que j'ai gravie jusqu'au sommet de la côte en feignant l'indifférence. La présence de ces hommes, dont le nombre augmentait à chaque instant, m'a fait comprendre que les invités à la réception de Reinona devaient déjà être là (à leur poste). Arrivé devant une grille, je me suis arrêté, j'ai vérifié l'adresse, ouvert la grille, pénétré dans le jardin, parcouru un sentier de gravier qui conduisait, entre des myrtes, à la porte principale de la maison, et sonné. Tout en attendant, j'ai examiné le lieu. La maison était construite avec les matériaux les plus robustes dans un style architectural qui unissait de façon équilibrée l'ancien et le moderne et répondait sans réserve au terme d'hôtel particulier que Magnolio avait employé pour la qualifier. Elle était composée d'un rez-de-chaussée et d'un étage. L'étage disposait d'une terrasse ou plutôt d'un balcon continu d'où l'on pouvait sauter et après avoir prié pour que le gazon amortisse l'atterrissage. A en juger par son étendue, le jardin qui entourait la maison devait communiquer avec la rue qui passait derrière et dont il était séparé par un mur en pierre de moins de deux mètres de haut dans sa partie la plus basse, qui pouvait être escaladée. Quelques pins et un cèdre superbe offraient dans leurs branches un refuge provisoire contre les chiens et les bêtes féroces. Un cyprès gracile ne servait à rien. Dans les massifs de fleurs abondaient les rosiers et autres végétaux piquants.

J'aurais poursuivi la reconnaissance du terrain avec plaisir et profit, si la porte ne s'était ouverte et si, dans l'entrebâillement, ne s'était découpée la silhouette d'un jeune homme dont je n'ai pu distinguer les traits, parce qu'il était à contre-jour alors que je recevais la lumière en plein visage, ce qui m'a fait regretter de ne pas m'être muni d'un éventail pour me défendre de sa curiosité.

– Bonsoir, a dit sur ces entrefaites le jeune réceptionniste, puis-je vous demander votre invitation ?

J'ai fait comme si je cherchais dans les poches de mon costume et, finalement, je me suis écrié, en émettant un gros rire jovial (et stupide) :

– Comme c'est bête, j'ai dû l'oublier dans un des nombreux costumes propres que je possède.

– Je regrette, a-t-il dit, je ne peux pas vous laisser passer sans invitation. Ce sont les ordres formels de Reinona.

En disant cela, comme pour souligner son écœurement, il a détourné la tête et j'ai pu reconnaître, dans ce jeune réceptionniste, le vigile qui gardait ou aurait dû mieux garder le siège du Filou Espagnol. Cette coïncidence, qui pour moi n'en semblait pas une, m'a fait penser que l'intuition m'avait guidé en un lieu aussi indiqué pour le succès de nos recherches que dangereux pour ma peau, et j'aurais peut-être entrepris de battre en retraite avec l'excuse de l'absence d'invitation si, à cet instant, une voix dans le dos du jeune homme n'avait demandé ce qui se passait.

– Rien, a répondu celui-ci, c'est juste un pique-assiette qui essaye de resquiller.

En disant cela, le jeune homme s'est rangé de côté en me laissant voir à l'intérieur un monsieur d'âge mûr aux cheveux gris en qui j'ai reconnu, comme si une seule coïncidence ne suffisait pas, le monsieur d'âge mûr aux cheveux gris que j'avais vu la veille dans le hall du siège du Filou Espagnol en train de parler avec celui qui était alors vigile et était devenu maintenant jeune réceptionniste, et avec qui, en ce même moment, quoique en un lieu différent, parlait également le monsieur d'âge mûr aux cheveux gris.

Avant que le monsieur d'âge mûr aux cheveux gris, qui m'examinait en levant un sourcil et en fronçant l'autre dans une expression qui unissait la perplexité au soupçon, ait pu arriver à quelque conclusion défavorable à mon encontre, j'ai poussé de nouveau un éclat de rire retentissant, ouvert les bras en m'exclamant :

— Salut, vieille branche, comme je suis content de te voir !

Le monsieur d'âge mûr aux cheveux gris a accueilli cette effusion avec froideur.

— Je ne crois pas avoir eu le plaisir de vous rencontrer, a-t-il dit.

— C'est peut-être moi qui suis victime d'une confusion, ai-je admis. Toute l'année, j'ai affaire à des milliers de messieurs d'âge mûr aux cheveux gris. Permettez que je me présente. Je suis l'avocat de M. Pardalot, aujourd'hui feu M. Pardalot, et mon cabinet est sur la Diagonale.

— Quel curieux hasard, a dit le monsieur d'âge mûr aux cheveux gris. Je suis aussi l'avocat de Pardalot et mon cabinet est aussi sur la Diagonale.

— Je ne voudrais pas vous faire de peine, ai-je répliqué, mais M. Pardalot avait plusieurs avocats, et presque tous avaient leur cabinet sur la Diagonale. Vous étiez probablement son préféré, mais moi, il me confiait.. comment dirais-je, des affaires particulières…

— Quel genre d'affaires ?

— Des amendes pour stationnement interdit… et d'autres genres de transactions… outre-mer… enfin nous nous comprenons. Quant à l'invitation, ai-je enchaîné immédiatement pour laisser de côté un sujet qui me semblait semé d'embûches, je l'ai reçue il y a quelques jours avec un mot joint, rédigé de la main de Reinona, qui tenait beaucoup à ma présence.

– Vous connaissez Reinona ?

– Nous sommes comme les deux doigts de la main, ai-je affirmé.

Le monsieur d'âge mûr aux cheveux gris a réfléchi si longuement que j'ai eu le temps de le voir mûrir un peu plus. Finalement, il a demandé :

– Vous avez apporté votre obole ?

– Bien entendu, ai-je dit en portant la main à la poche de mon pantalon. C'est combien ?

– Deux cent cinquante mille par tête de pipe.

– Fichtre ! Et cette bagatelle donne droit à quoi ?

– A une coupe de mousseux de mauvaise qualité.

– Ça me semble équitable. Mais je préfère la remettre en présence de l'intéressé.

– Très bien, a dit le monsieur d'âge mûr aux cheveux gris. Suivez-moi.

*

Précédé de l'avocat (sûrement authentique) de Pardalot et suivi du (sûrement faux) réceptionniste, j'ai traversé le vestibule et suis arrivé dans un salon somptueux où se pressaient des hommes et des femmes visiblement d'excellentes familles, dont l'âge allait de la maturité à la liquéfaction.

– Restez où vous êtes, a dit le monsieur d'âge mûr aux cheveux gris en indiquant du doigt une dalle, après que nous eûmes franchi le seuil du salon somptueux. Je vais chercher Reinona.

Il m'a laissé en compagnie du jeune réceptionniste, et ses cheveux gris se sont perdus dans l'océan des autres cheveux gris d'où, de temps en temps, dans le brouillard bleuté des cigares, émergeaient de rutilants îlots chauves. Profitant du répit, j'ai cherché Magnolio du regard. D'abord je ne l'ai pas vu, car il n'était pas là ; puis il est entré dans le salon par une porte latérale. On

113

lui avait mis un uniforme de serveur (ou frac) qui avait certainement appartenu avant à un autre ou à d'autres serveurs et qui, Magnolio étant ce qu'il était, était trop court de manches, de jambes et d'épaules. D'une main il tenait, aussi haut que le permettait l'étroitesse de l'habit, un plateau de coupes de mousseux. En me voyant, il a esquissé un signe amical et deux ou trois coupes sont tombées par terre. Je suis resté impavide pour que personne ne remarque que nous nous connaissions, précaution superfétatoire car l'assistance était absorbée dans autant de conversations que de personnes qui la composaient. Là-dessus, le monsieur d'âge mûr aux cheveux gris et avocat de Pardalot est revenu, a congédié d'un geste le jeune réceptionniste et, d'un autre, m'a fait signe de le suivre. En évitant les gens et les colonnes, nous avons traversé le salon somptueux et bondé et sommes arrivés à l'autre bout où, un peu à l'écart du reste de la troupe, se tenaient deux hommes et une femme. Les deux hommes, également d'âge mûr et aux cheveux gris, étaient plongés jusqu'au cou dans une discussion animée à laquelle ils ont mis un point final ou qu'ils ont ajournée en constatant notre présence.

— Voici l'homme qui dit être avocat de Pardalot et avoir reçu une invitation personnelle de Reinona.

J'ai pensé qu'ils allaient me sauter dessus, or non seulement ça n'a pas été le cas mais l'un des deux hommes m'a souri en me tendant la main. Encouragé par cette démonstration de cordialité, je l'ai serré dans mes bras et lui ai tapé dans le dos en criant :

— Sacré Reinona, tu es un vrai phénomène !

— Il me semble que vous faites erreur, a répondu l'objet de mon affection en se détachant de mes bras. Je ne suis pas Reinona et je ne crois pas vous avoir jamais vu.

— Pourtant, moi je te connais très bien, vieux frère, ai-je dit.

– Normal, je suis le maire de Barcelone.

Je ne me serais probablement pas sorti à mon avantage de la situation si la femme, qui jusque-là s'était bornée à contempler la scène avec la hauteur qu'affectent les personnes riches, belles et bien élevées quand elles voient autrui dans le pétrin, n'était pas intervenue pour dire :

– Je suis Reinona. Mais inutile de me saluer avec autant d'effusion.

Je l'ai alors examinée avec l'attention que méritaient ses paroles et j'ai vu qu'il s'agissait d'une femme aussi belle que distinguée. Sans être mûre, comme cela semblait obligatoire en ces lieux, elle ne pouvait non plus être qualifiée de jeune, au moins selon mon barème, plutôt strict. Quant aux cheveux gris, on ne pouvait rien dire de concluant, elle les avait peut-être teints avec une teinture d'excellente qualité, très différente, pauvre de moi, de celle que je m'étais appliquée avant de venir et qui, pour l'heure, sous l'effet de la chaleur, me faisait le visage d'un supporter de Chelsea. Sa mise (robe longue de satin avec des bretelles et des liserés de tulle) venait certainement des meilleurs couturiers de Paris ou de Milan. Elle portait au cou une rivière de rubis et au doigt une bague sertie d'énormes brillants qui scintillaient en reflétant les lampes du salon. Passablement intimidé, j'ai murmuré :

– Madame…

Attribuant ma confusion à d'autres raisons, elle m'a coupé net pour dire :

– Vous pouvez parler librement devant ces messieurs. Vous connaissez déjà l'un d'eux, puisqu'il vient de se présenter lui-même et qu'on le voit tous les jours dans les journaux. Le second est mon mari. Cela ne vous gêne pas si je dis simplement Pedro ?

– Non. Pour moi, vous pouvez appeler votre mari comme vous voulez.

– C'est de vous que je parle. Mieux vaut garder l'anonymat. Tous ces gens sont de confiance, mais il peut y avoir un infiltré, ou un délateur, ou un repenti. Peut-être plusieurs. Peut-être qu'ils participent tous, dans une mesure plus ou moins grande, à une forme ou une autre de trahison. Il peut aussi y avoir des microphones cachés n'importe où. Même vous, vous pourriez porter un microphone dissimulé sous vos vêtements. Ou dans l'anus. Cela dit, pas besoin non plus de nous appeler par nos petits noms. Plus tard, peut-être, si nous sommes plus intimes, mais pas pour l'instant.

J'ai exprimé mon approbation et son mari a demandé :

– Quelles sont les nouvelles ?

– Eh bien, ai-je dit, c'est selon…

L'authentique avocat de Pardalot est intervenu à ce moment pour dire :

– Il paraît qu'on a balancé hier une bombe à cet imbécile de garçon coiffeur et qu'il en est sorti indemne.

– En effet, me suis-je exclamé, incapable de me contenir, quelqu'un a mis une bombe dans L'Artiste des Dames, un centre de beauté prestigieux, causant à l'établissement des dommages d'un montant considérable. Puisque vous avez abordé ce sujet, j'aimerais savoir si la Municipalité a prévu un quelconque type de subvention pour ce genre d'éventualités et si Monsieur le Maire pourrait intercéder pour la présente.

– Je vous en prie, a murmuré le maire, ce sont là des choses que je ne dois pas entendre. Et encore moins résoudre au cours d'une soirée mondaine.

– C'est vrai, nous ne pouvons pas nous attarder à des broutilles. Le temps presse, a dit le mari de Reinona.

Et se tournant vers sa femme, il a ajouté :

– Que disais-tu, mon chou ?

— Ne te force pas, mon biquet, tu pourrais te faire mal, a-t-elle répliqué.

A ce moment, un monsieur s'est approché du groupe et, s'adressant au maire, a déclaré :

— Monsieur le Maire, je vous vends un lot de dix mille réverbères pour le prix de quatorze mille réverbères. Une affaire à saisir.

— Je vous en prie, a répondu le maire sans desserrer les lèvres, ce n'est ni le moment ni le lieu.

— Il y aura une ristourne pour vous et aussi pour ces messieurs, a ajouté le diligent fournisseur en englobant tous les présents d'un geste magnanime.

— Combien ? ai-je demandé.

— Ce sont là des choses que je ne dois pas entendre, s'est indigné le maire.

L'avocat de Pardalot a fait signe au jeune réceptionniste et, celui-ci ayant accouru à son appel, il lui a dit :

— Conduisez ce monsieur à la cuisine et faites-lui donner une banane.

Le jeune réceptionniste a entraîné de force le fournisseur inopportun. L'incident a créé un instant de confusion dont Reinona a profité pour me chuchoter dans le creux de l'oreille :

— Il faut que je te parle seule à seul. Si ce n'est pas possible ce soir ici, demain ailleurs. Méfie-toi de tous, et motus et bouche cousue.

J'allais demander des éclaircissements, quand un nouveau personnage nous a encore interrompus. Il venait, comme le précédent, de la masse des invités mais s'en distinguait par un détail : il était doté des plus énormes oreilles que j'aie jamais vues. Prenant le maire par le bras, comme s'il voulait se l'approprier, il lui a dit :

— Monsieur le Maire, vous devriez adresser la parole à ces illustres habitants de notre ville qui, depuis des lustres, vous traitent de tous les noms de la création en tant qu'institution et en tant qu'être humain.

– Vous voyez comme le temps ne nous laisse pas de répit ? a dit le mari de Reinona.

– Très bien, a acquiescé le maire. Je parlerai à ces braves gens. Sur quel sujet ?

– Sur rien, Monsieur le Maire, comme d'habitude, a répondu l'homme aux énormes oreilles.

– Très bien, a répété le maire. Annoncez-moi, Enric.

Et s'adressant à nous, il a ajouté :

– Ayez la bonté de m'excuser. Je serai de nouveau à vous en un clin d'œil.

L'homme aux énormes oreilles a grimpé sur un guéridon et, de là, il a fait retentir ce que j'avais pris jusque-là pour ses oreilles et qui ne l'étaient pas mais des cymbales que l'Orquesta Ciutat de Barcelona i Nacional de Catalunya lui avait prêtées pour l'occasion. Et une fois l'attention de l'assistance attirée par ce tintamarre, il a dit :

– Mesdames et Messieurs, son Excellence Monsieur le Maire va vous adresser quelques mots aussi brefs que ma station sur ce guéridon.

Sur ce, il a perdu l'équilibre et s'est écroulé par terre. Immédiatement, les voix se sont tues, les regards ont convergé sur nous, et moi, tout en sachant que mon visage était d'une désespérante banalité, j'ai essayé de me cacher derrière Reinona dont la stature dépassait la mienne et, de là, de voir, écouter et prendre note.

Pendant ce temps le maire se frottait les mains, expectorait et se concentrait. Puis il a commencé en ces termes :

– Chers concitoyennes et concitoyens, mes amis, permettez-moi d'interrompre votre creux bavardage pour vous expliquer le motif de cette convocation intempestive et du vacarme qui l'accompagne. Il y a un instant, notre aimable amphitryon, le cher Arderiu, à qui nous devons tant, et surtout en picaillons, me disait que le temps vole. Le cher Arderiu n'a pas reçu de Dieu beaucoup de lumières ; nous sommes tous d'accord pour dire que c'est un imbécile. Mais il lui arrive parfois, pauvre Arderiu, de dire des choses sensées. C'est vrai : le temps vole. A peine avons-nous rangé les skis que nous devons déjà préparer le yacht. Encore une chance que pendant que nous nous grattons les couilles, la Bourse continue de monter. Vous me demanderez : que vient faire ici cette déclaration de principe ? Je vais vous le dire. Les élections municipales approchent. Encore une fois ? Oui, mes mignons, encore une fois.

Monsieur le Maire a fait une pause, il a contemplé l'assistance, puis, encouragé par le silence respectueux qui montrait qu'elle l'écoutait, il a poursuivi :

– Pas besoin de vous préciser que je me représente. Merci pour les applaudissements par lesquels, j'en suis sûr, vous recevriez cette annonce si vous n'aviez pas les mains occupées. Votre silence éloquent m'encourage à poursuivre mon discours. Oui, mes amis, je me représente, et je gagnerai encore une fois. Je gagnerai de nouveau parce que j'ai derrière moi un passé qui parle pour moi, parce que je le mérite. Mais surtout parce que je compte sur votre soutien moral. Et matériel.

» Ce ne sera pas facile. Nous affrontons un ennemi fort, résolu, qui a aussi peu de scrupules que nous et qui, par-dessus le marché, est un peu plus jeune. Arderiu avait raison : le temps vole, et certains veulent profiter de cette fâcheuse circonstance. Ceux qui prétendent prendre la relève allèguent que nous sommes arrivés à la fin de notre cycle, que c'est désormais à eux de commander et de puiser dans les coffres. Ils ont peut-être raison, mais depuis quand la raison est-elle un argument valable ? En tout cas, ce n'est pas avec des raisons qu'on me délogera de mon fauteuil.

Il a fait une nouvelle pause, au cas où quelqu'un aurait souhaité applaudir ou crier hourra, et, voyant qu'il n'en était pas ainsi, il a repris :

– Non, mes amis, ils ne nous délogeront pas. Si nous sommes où nous sommes, c'est bien parce que nous avons gagné notre place à la force du poignet, non ? Il y eut une époque où le pouvoir nous semblait un rêve irréalisable. Nous étions très jeunes, nous étions chevelus, nous portions la barbe, la moustache et des rouflaquettes, nous jouions de la guitare, nous fumions de la marijuana, nous étions en rut et nous pétions le feu. Certains ont fait de la prison pour leurs idées ; d'autres ont connu l'exil. Quand enfin la loterie du pouvoir nous a désignés, des voix se sont élevées pour dire que nous ne saurions pas l'exercer. Elles se trompaient. Nous avons su l'exercer, à notre manière. Nous sommes toujours là, et bien là. Et ceux qui nous critiquaient et doutaient de nous aussi. Le chemin n'a pas été facile. Nous avons essuyé des revers. Certains des nôtres sont retournés en prison, bien que pour des motifs différents. Mais, pour l'essentiel, nous n'avons pas changé. De voiture, oui ; et de maison ; et de parti ; et de femmes plusieurs fois, grâce à Dieu. Mais nous avons gardé, intactes, les mêmes convictions. Et nous sommes plus audacieux que jamais.

» Cependant les paroles, pour inspirées qu'elles soient, comme le sont toujours les miennes, ne servent pas à grand-chose. Nous avons besoin d'actes. Et plus encore : d'hommes capables de les réaliser. Car les actes ne se font pas tout seuls, sauf les pollutions nocturnes et certains projets d'urbanisme. Et telle est la raison, chères concitoyennes et concitoyens de mon cœur, pour laquelle je vous ai convoqués en cette nuit aux astres incertains. Vertes étaient les frondaisons d'où coulait une rosée d'or. Pardonnez-moi si, en des moments comme celui-là, je me laisse porter par le lyrisme. On prétend que je suis fou, mais ce n'est pas vrai. Parfois je perds le fil de mes pensées, c'est tout. C'est à cause de bourdonnements incessants et de ces satanées hallucinations. Enric ? Seriez-vous assez aimable pour donner encore quelques coups de cymbales ? Ah, merci, je me sens mieux.

» Je vous expliquais donc, chers concitoyens et concitoyennes, que nous avons besoin d'un homme pour une mission. Une mission spatiale, vous dites-vous ? Non. Je ne demande pas à aller sur Mars, ni sur Vénus, ni sur Saturne. Ma mission est terrestre, mais elle est aussi difficile et capitale.

» En disant cela, il me revient en mémoire un souvenir d'enfance. Je me vois, avec le dédoublement de la personnalité propre aux schizophrènes, dans la salle de l'école où j'ai préparé mon bac. Sur mon pupitre est ouvert le livre d'Histoire universelle, et à la page de gauche, en haut, dans un encadré, il y a une illustration. Cette illustration représente un soldat romain, avec cette minijupe qui excitait tant ma lasciveté naissante, une épée à la main, défendant un pont contre les hordes barbares qui tentaient de le franchir. Allez savoir où étaient passés les autres. Un homme seul, un simple soldat, un légionnaire, peut-être d'ailleurs un enfant de putain, protégeant l'Empire romain. Je n'oublierai jamais cette image. En revanche j'ai complètement oublié ce que j'étais en train de vous dire. Et mon nom. Ah, si. Ce soldat courageux n'est jamais devenu maire de Rome. Vous savez comment ça se passe en Italie. Mais je suppose que son exploit a servi à quelque chose.

*

J'écoutais avec ravissement le discours de notre premier mandataire et je mesurais à sa juste valeur, avec autant d'émotion que de reconnaissance, un système ouvert et démocratique tel que le nôtre (si différent de l'hindou, par exemple), où un être tel que moi dont l'extraction était abjecte et la trajectoire infâme pouvait parvenir à côtoyer ces méprisables marionnettes, quand la vision de Magnolio en train de sautiller et de gesticuler comme un sémaphore pour attirer mon attention m'a ramené au véritable motif de notre présence en ces lieux et à l'accumulation de mensonges qui l'avait rendue possible. J'ai abandonné mon abri et, à la faveur de la distraction générale, je l'ai rejoint dans l'antichambre précédant le salon.

— Vous avez trouvé quelque chose ? m'a-t-il demandé.

— Plusieurs. Le monsieur qui est en train de disserter est Monsieur le Maire. Cela le met au-dessus de tout soupçon. Les autres, en revanche, ne me paraissent pas clairs. Le jeune réceptionniste était vigile dans la société de Pardalot et continue probablement de l'être à ses heures libres. Et la maîtresse de maison m'a fait des avances.

— N'en soyez pas étonné, a dit Magnolio. D'après ce que j'ai entendu dire par la domesticité, la maîtresse de maison avait des histoires de fesses, les siennes semble-t-il, avec feu Pardalot. Dans les derniers mois, cependant, leur relation s'était refroidie. La domesticité ne sait pas avec certitude lequel a laissé tomber l'autre ou si la rupture s'est produite d'un commun accord. Tous s'accordent néanmoins pour dire qu'en raison de cette rupture la dame était très abattue, ce qui pourrait indiquer, toujours d'après le personnel de cuisine, que c'est Pardalot qui l'a laissée tomber. Cela pourrait être la cause de l'assassinat, si nous adoptons l'hypothèse du crime passionnel. Sale histoire, non ?

— Oui, mon ami, ai-je convenu, c'est ce qui fait que la vie des riches est si intéressante. Mais ne faisons pas de sociologie. Vous avez inspecté les chambres ?

— Juste une.

— Et qu'avez-vous trouvé ?

— Pas grand-chose : c'étaient les waters.

— Très bien, ai-je dit. Je vais essayer à mon tour, on

122

verra si j'ai plus de chance. Vous, restez ici et prévenez-moi quand le discours sera fini ou s'il arrive quelque chose avant.

– Et comment vous préviendrai-je ?

– En poussant un cri.

– Comme celui de Monsieur Tarzan ?

– C'est ça.

De l'antichambre partait un escalier, dont les marches étaient en acajou ou autre bois noble et qui menait à l'étage. Arrivé par ledit escalier audit étage, où tout semblait avoir été calculé pour le confort, comme tout l'était au rez-de-chaussée pour en mettre plein la vue, je suis entré dans la première pièce que j'ai rencontrée. Elle était dans l'obscurité et, en tâtonnant, je n'ai pas trouvé l'interrupteur, aussi suis-je ressorti. Le grincement des nobles marches d'acajou m'a averti que quelqu'un montait ou descendait l'escalier. Craignant qu'il ne s'agisse du premier cas, je suis retourné dans la pièce obscure (ou cagibi) et, par une fente de la porte, j'ai vu passer le jeune réceptionniste. Dans une main il tenait une bouteille de mousseux qu'il devait avoir subtilisée à la faveur d'une distraction du maître d'hôtel et à laquelle il faisait de longs emprunts. Dans l'autre main il tenait un Beretta 89 calibre 22. L'arme et l'acidité de son estomac le rendaient doublement dangereux. Après qu'il eut disparu à un tournant du couloir, j'ai expulsé l'air que j'avais retenu dans mes poumons et je suis sorti pour entrer dans la chambre voisine. Un lit avec un édredon de satin, une chemise de nuit en dentelle vaporeuse, des pantoufles avec des pompons m'ont fait supposer que j'étais, sauf preuve contraire, dans la chambre à coucher d'une femme et plus précisément de la maîtresse de maison, appelée par elle-même et par les autres Reinona. Sur la table de nuit étaient posés un livre de Saramago et des lunettes. Dans le tiroir, deux tubes de médicaments différents, un paquet de piles, un mouchoir de dentelle, un clip (pour les cheveux) et quatre bonbons. Je me les suis fourrés dans la bouche, mais je les ai crachés immédiatement car ils étaient à l'anis. Je ne supporte pas l'anis. Il fallait être expéditif, aussi ai-je laissé ce qui restait à explorer pour passer dans une autre chambre qui communiquait avec la première. C'était une pièce plus petite, encore qu'on aurait pu faire tenir dedans la totalité de mon appartement et la moitié de celui de Purines ; d'après les vêtements, des marques les plus célèbres, qui s'y trouvaient, elle semblait faire office de penderie, de garde-robe ou de *boudoarre*, comme disent les Français. Quelques tiroirs m'ont proposé une collection embarrassante et perturbante de lingerie féminine. Par chance la garde-robe communiquait avec une salle de bains, ce qui m'a permis de me rafraîchir en me mettant les pieds dans l'eau froide avec les chaussures et tout. Je suis revenu dans la garde-robe. Sur une coiffeuse, entre des flacons de parfum et des pots de crème, était posée une photo dans un simple cadre de bois clair. Sur la photo, Reinona était à cheval sur un cheval. Dans un des tiroirs de la coiffeuse, une autre photo sans cadre montrait une petite fille sous un arbre. La photo avait été prise à l'étranger, à en juger par les maisons que l'on voyait au fond, fort différentes des nôtres. L'ombre de l'arbre ne permettait pas de distinguer les traits de la petite fille. C'était peut-être Reinona enfant, ou peut-être pas. Je l'ai remise dans le tiroir. Dans le suivant, il y avait des comprimés de valériane contre les troubles nerveux et, au cas où les comprimés de valériane ne donneraient pas l'effet escompté, un échantillonnage complet de barbituriques et d'opiacés. Il y avait aussi des amphétamines (en cachets ou en ampoules injectables), des antispasmodiques, de la tombolycine, de la protectycine, une crème antioxydante à base d'algues marines qui contiennent des acides aminés naturels, et un pistolet Walter PPK calibre 7,65, petit et léger, idéal pour le porter partout dans un sac à main.

En repassant dans la salle de bains j'ai répété mon opération de rafraîchissement afin de prévenir toute récidive, puis je suis entré dans la chambre suivante. C'était un cabinet ou studio, pourvu de livres (avec d'autres œuvres de Saramago) contre un pan de mur, d'une écritoire ou bureau, d'une causeuse, de plusieurs lampes et d'autres meubles sans intérêt. L'écritoire offrait un important butin : lettres, extraits de comptes de diverses institutions bancaires, chacun dans son galimatias particulier, un annuaire du téléphone, un agenda. J'aurais bien tout emporté, mais je ne voulais pas laisser de traces de ma visite, aussi me suis-je borné à feuilleter l'agenda.

> *Lundi : tennis.*
> *Mardi : appeler Nicolasete.*
> *Mercredi : repos.*

Ça n'était pas grand-chose et ne prouvait rien, mais on ne pouvait pas non plus espérer davantage. Même le plus obtus des criminels ne note pas sur son agenda les délits qu'il se propose de commettre. Les soldes des comptes bancaires étaient maigres. Sur l'écritoire il y avait encore une photographie, cette fois dans un cadre de cuir clair. La photographie était de nouveau celle de Reinona plus jeune, habillée en mariée, au bras du mari de Reinona, le bon Arderiu, habillé en marié, avec une tête d'idiot. Tous les mariés font une tête d'idiot, mais celle-là remportait le premier prix.

*

Par le conduit de l'air conditionné me sont parvenus des applaudissements et des vivats. Le maire devait avoir terminé son discours. Je ne pouvais rester là sans que mon absence soit remarquée. J'ai quitté les lieux et suis sorti dans le couloir pour me diriger vers l'escalier que j'avais emprunté. J'aurais aimé jeter un coup d'œil aux appartements du mari de Reinona, mais le temps me manquait. Avant d'entreprendre ma descente, j'ai regardé dans la cage de l'escalier pour voir si le chemin était dégagé. Il ne l'était pas. Le jeune réceptionniste montait une garde vigilante au pied de l'escalier. J'ai parcouru le couloir dans le sens contraire, à la recherche d'un autre escalier. Quand j'ai cru l'avoir trouvé, je me suis penché sur la cage et j'ai revu le même jeune réceptionniste dans la même posture, et j'en ai déduit que j'avais fait le tour de la maison pour revenir au même escalier. Pour ne pas perdre de temps j'ai tiré cette conclusion tout en essayant, porte après porte, de trouver une issue. Finalement, derrière une porte pareille aux autres sous le rapport de la symétrie, j'ai déniché un escalier plus étroit, en maçonnerie ajourée, destiné à la circulation discrète de la domesticité. Je l'ai pris et j'ai débouché sur une espèce de placard à l'intérieur duquel il y avait un Philippin assis sur un escabeau. Je suis passé à côté de lui, j'ai traversé une autre porte et me suis retrouvé dans le salon juste au moment où le maire terminait son discours pour la quatrième fois et recevait une salve d'applaudissements. J'ai repris ma position derrière Reinona et joint les battements de mes paumes à ceux du public. Reinona s'est retournée et m'a dit à l'oreille quelque chose que je n'ai pratiquement pas entendu à cause du brouhaha, ou que je n'ai pas compris parce que le souvenir de sa lingerie interférait dans le processus et me faisait monter le sang aux joues.

— Un authentique chef-d'œuvre oratoire ! me suis-je exclamé pour masquer mon émoi.

— Je viens de te dire de filer si tu tiens à ta peau,

s'est exclamée Reinona. Derrière ce rideau, il y a une porte vitrée qui donne sur le jardin. Elle est fermée, mais seulement par un loquet. Au fond du jardin tu trouveras le mur et là, cachée par les buissons, une petite porte. On ne s'en sert jamais. Si tu arrives à l'ouvrir, tu pourras peut-être t'échapper.

En prononçant ce dernier mot, elle a eu un mouvement dont je ne sais s'il était pour m'embrasser ou pour m'écraser, et elle m'a chuchoté dans le creux de l'oreille :

– N'essaye pas de prendre contact avec moi. C'est moi qui prendrai contact avec toi. Et quoi qu'il advienne, ne raconte nos affaires à personne. Et maintenant, file.

Cette ultime admonition était inutile. Du coin de l'œil j'ai vu le jeune réceptionniste venir droit sur moi, avec sur le visage une expression qui laissait peu de doutes quant à ses intentions. J'ai cherché Magnolio du regard, mais en vain. Reinona s'est écartée de moi et a entamé la conversation avec une autre personne. Par chance un grand remue-ménage s'était instauré autour du maire. Tous voulaient faire entendre leurs requêtes : l'un réclamait la résiliation d'un contrat de la Municipalité avec une entreprise rivale, l'autre voulait être nommé directeur du Louvre, un troisième demandait l'autorisation de circuler à gauche parce qu'il s'était acheté une voiture anglaise, et ainsi de suite. J'ai profité de la confusion pour raccourcir la distance qui me séparait du rideau. La porte vitrée annoncée par Reinona se trouvait bien derrière. Je l'ai ouverte et suis sorti dans le jardin. Une fois là, j'ai couru comme un lévrier en essayant de ne pas écraser les fleurs, jusqu'à ce que je me heurte au mur. En l'absence d'éclairage, j'ai cherché la petite porte à tâtons. Elle était fermée à clef et je n'avais pas pensé à transférer mon outillage dans l'habit loué. Par chance la serrure était rouillée et je l'ai fait sauter en cognant dessus avec un caillou.

Je me suis demandé comment, avec tout ça, le jeune réceptionniste ne m'avait pas rattrapé. J'ai su plus tard qu'en sortant dans le jardin il était tombé dans un trou et s'était luxé la cheville. Je me suis également demandé si quelqu'un pouvait trouver un intérêt quelconque au récit de ces événements invraisemblables. Dans la rue il n'y avait personne car ce n'était pas celle, déjà décrite, où attendaient les voitures des invités et leurs gardes du corps respectifs. Par un terrain vague, j'ai rejoint une avenue où la circulation automobile était intense. Pour le moment j'étais relativement sauf.

*

Il était tard quand je suis descendu de l'autobus. Tous les établissements du quartier étaient fermés, à part quelques bars à putes et une pharmacie de service. Comme je n'avais pas dîné, j'ai pensé un instant acheter un lot de petits pots pour bébés à la pharmacie, mais il ne me restait guère d'argent et j'ai opté pour un en-cas plus frugal (rien) et suis rentré chez moi. Il y avait une ombre recroquevillée dans un coin de l'entrée.

— Tu peux te montrer sans crainte, ai-je dit, c'est moi.

— Comment ça s'est passé ? a demandé Ivette.

Sa voix tremblait comme si elle était sur le point de pleurer. Elle s'est redressée et a fait quelques pas avec difficulté. Nous sommes montés à mon appartement. Elle devait être restée longtemps dans la même posture et ses articulations étaient bloquées. Une fois à l'intérieur, j'ai fermé la porte sans allumer. Je suis allé à la fenêtre, j'ai baissé le store et tiré les rideaux de percale. Je suis revenu à la porte et j'ai allumé. Bien que je sois plutôt porté sur les économies d'éclairage, la lumière a ébloui Ivette. Elle s'est abrité les yeux avec la main. Elle était pâle. Elle avait mis une robe d'été imprimée, ample ou ajustée, je ne sais pas (depuis que je lis toutes ces revues féminines, je m'embrouille dans la terminologie), qui soulignait ses formes et lui allait très bien.

– Qu'est-ce qui t'arrive ? ai-je demandé.

– J'ai peur. Et toi, comment t'en es-tu tiré, dans la maison de Reinona ?

– Pas mal, ai-je dit. Reinona est une femme. Son mari s'appelle Arderiu. Tu as dîné ?

– Non.

– Il n'y a rien dans le réfrigérateur, mais je peux faire un saut pour acheter des petits pots, ai-je suggéré.

– Non, laisse tomber.

Elle a fléchi les jambes et les bras pour se désankyloser et demandé la permission d'utiliser le cabinet de toilette, chose à laquelle je ne me suis pas opposé. En son absence, j'ai ôté le costume que je devais rendre de bon matin en parfait état à la teinturerie de M. Sapastra, je l'ai secoué et posé avec le plus grand soin sur le dossier d'une chaise (*la* chaise), j'ai placé la chaise devant la fenêtre pour aérer le costume (il sentait un peu mauvais) et j'ai enfilé un tee-shirt de l'Union sportive de Lleida que j'avais ramassé des années plus tôt près d'un égout, mais encore en bon état, ladite équipe ayant été rétrogradée en deuxième division après avoir joué en première pendant toute la saison. Le tee-shirt me tombait sur les pieds à condition que je plie les genoux, que je me coince les talons contre les fesses et que je porte le tronc en avant. C'est dans cette position que m'a trouvé Ivette quand elle est sortie du cabinet de toilette. Elle avait repris des couleurs et semblait nettement plus en forme. Elle s'est assise sur le fauteuil (m'étant pour ma part assis par terre), m'a demandé si j'avais quelque chose à boire, a décliné poliment mon offre de l'eau du robinet et, tout de suite, est passée au récit qui suit.

Ce même soir, à son retour chez elle après sa rencontre avec moi au café et la promenade à mon bras qui avait suivi (assez langoureuse, dans mon souvenir trompeur), il ne s'était rien passé. Plus tard, cependant, elle s'était vue obligée de sortir de nouveau pour effectuer une course au supermarché le plus proche ou le plus approprié et elle avait eu l'impression que quelqu'un la suivait. Sur l'instant, a dit Ivette, elle n'y avait pas accordé d'importance, vu que, comme elle me l'a elle-même expliqué, elle avait l'habitude que les hommes la suivent en silence, qu'ils marchent à sa hauteur en lui adressant des propos galants, et même que les plus audacieux la précèdent à reculons en lui montrant leur machin, mais au bout d'un moment quelque chose dans la conduite de l'individu et aussi, a dit Ivette, dans la manière dont son ombre se projetait sur le pavé lui avait indiqué qu'il ne s'agissait pas d'un vulgaire suiveur. A ce point de son récit, je lui ai demandé de me décrire sommairement cet homme, et Ivette a dit qu'il lui avait paru de taille normale, plutôt grand, mince, légèrement contrefait, la démarche hésitante comme celle d'un espion. Il était vêtu d'un complet sombre, d'une gabardine noire, d'un chapeau à large bord et de gants de la même couleur, et, malgré la nuit, il portait des lunettes noires. Toutes choses, a dit Ivette, qui trahissaient le désir de passer inaperçu. L'individu en question, a-t-elle continué, l'avait suivie jusqu'à la porte du supermarché, l'y avait attendue et l'avait de nouveau suivie jusqu'à la porte de la maison d'Ivette, où Ivette était entrée précipitamment, et il était resté à monter la garde près du réverbère (dont la lumière moribonde donnait un air sinistre à sa silhouette), selon ce qu'avait pu constater la même Ivette en l'épiant par la fenêtre de sa chambre. Elle en était là, a poursuivi Ivette, quand le téléphone avait sonné. Ivette avait répondu à l'appel et avait entendu une voix neutre, ni masculine ni féminine, proférer les plus terribles menaces si elle, Ivette, ne restituait pas sur-le-champ le dossier bleu et n'abandonnait pas, également sur-le-champ, ses investigations. Après quoi, et sans lui donner le temps de rien dire, le féroce interlocuteur avait raccroché. Alors, prise de peur et sursautant au moindre bruit, elle avait profité de l'absence momentanée de l'homme à la gabardine noire pour venir me trouver, me rapporter ces événements et chercher auprès de moi appui et protection.

*

Sans maquillage et décoiffée, Ivette paraissait encore plus jeune : à la lumière ténue que diffusait ma lampe, on aurait dit qu'elle n'avait pas plus de vingt ans, comme c'est le cas de toutes les femmes qui ne les ont pas encore et de certaines (très peu) qui ont dépassé quarante ans. Je pensais à ces choses (et aussi aux petits pots) quand je me suis rendu compte qu'Ivette avait du mal à garder les paupières ouvertes.

— D'après ce que tu me racontes, ai-je dit, il est évident qu'ils ont découvert que c'est toi, et pas moi, qui t'es emparée du dossier. Tôt ou tard, ça devait arriver. Il faudra faire quelque chose à ce sujet, mais pas maintenant. Nous sommes fatigués tous les deux et nous avons besoin de dormir. Ici tu seras en sûreté, au moins pour cette nuit. Étant donné les dimensions du logement, je ne dispose que d'un lit, très étroit et défoncé. Mieux vaut ne pas faire attention au matelas, aux draps et à l'oreiller. Ça reste quand même le meuble le plus commode pour se coucher. Je te le cède. Je dormirai dans le fauteuil ou dans la cuvette de la douche.

— Pas question, a rétorqué Ivette, je ne veux pas te causer davantage de dérangement. Nous dormirons tous les deux dans le lit. Sauf si tu y vois un inconvénient.

La proposition m'a fait l'effet que le lecteur pourra imaginer (s'il en a envie) et m'a aussi profondément troublé. Depuis ma plus tendre enfance je m'étais attaché à me conduire conformément à ce que recommandent la raison, les bonnes mœurs et la stricte légalité. Et si en quelques occasions (réitérées) j'avais contrevenu à ces règles directrices (de ma vie) en me laissant mener par mes pulsions émotionnelles et en commettant, par exemple, quelques fautes à l'encontre de la propriété, de l'honnêteté et de l'intégrité physique des personnes, des normes civiles ou pénales, du code de la route, de la loi fiscale ou de l'ordre public, les conséquences avaient été pour moi démesurément négatives, du moins de mon point de vue. C'est pourquoi j'avais pris la résolution d'éviter des situations comme celle que je viens de décrire. J'avais peur de me trouver de nouveau plongé dans un tourbillon ou une tempête qui feraient sombrer la barque fragile de mon existence et me causeraient des blessures spirituelles, des dommages corporels et des problèmes professionnels. A ces considérations, déjà de poids, venait s'ajouter la crainte de faire, sans le vouloir, du mal à Ivette, pour qui je ressentais toujours la même attirance qu'au premier instant, mais qui, de surcroît, m'inspirait maintenant une tendresse qui ne présageait rien de bon. Sans parler, en plus, de la peur du fiasco. Pourtant, et comme Ivette, pendant que je m'attardais à ces réflexions, s'était mise en petite tenue, j'ai opté pour quitter la mienne (de petite tenue) et ne pas laisser passer l'unique occasion de tirer un coup que le destin avait jugé bon de m'offrir depuis au moins cinq ans.

Mais au moment où j'allais me dévêtir, la sonnerie de l'interphone a retenti avec une insistance qui ne permettait pas l'indifférence.

— Ça doit être une erreur, ai-je dit pour tranquilliser Ivette. Je vais régler ça en un clin d'œil et nous reviendrons à nos affaires.

J'ai décroché le combiné de l'interphone et j'ai demandé :

— Qui est-ce ?

— La police, a répondu une voix tonitruante. Ouvrez tout de suite ou on fout la porte en l'air, et l'escalier avec.

J'ai appuyé sur le bouton d'ouverture automatique et j'ai dit à Ivette :

— Il vaut mieux qu'ils ne te trouvent pas ici. Cache-toi dans le placard et je vais m'en débarrasser. Ne t'inquiète pas : je sais comment m'y prendre avec eux.

Et eux avec moi, ai-je ajouté en mon for intérieur. Ivette a ramassé sa robe, est entrée dans le placard que j'ai fermé à clef, j'ai caché la clef dans une boîte d'insecticide et suis allé à la porte de l'appartement où déjà retentissaient des coups violents, en me disposant à faire preuve de la plus grande fermeté, et si celle-ci ne suffisait pas, de la plus impudique et niaise soumission. Le binôme qui a fait irruption dans l'appartement, composé d'un agent de la police nationale et d'un autre de la police catalane, ne m'a pas laissé choisir. En vertu de Dieu seul sait quel pacte, c'est le second agent qui a parlé avant le premier :

— Que personne ne bellugue. On est venus escorcoller.

— Cause chrétien, banane ! lui a dit l'autre. Pas catalan.

Et il a répété (en chrétien) :

— Que personne y bouge. On est venus persiquitionner.

— Avez-vous un mandat de perquisition ? ai-je demandé.

Et tout de suite, au vu de leur expression et de leurs intentions, j'ai ajouté :

— Je dis ça pour que vous ne preniez pas la peine de me le montrer. Parce que moi, je suis toujours au service de vos honorables corporations. De quoi m'accuse-t-on ?

– De chourave.

– Avec circonstances aggravantes.

– Il s'agit certainement d'une erreur, messieurs. Je n'ai rien volé.

– T'occupe, Baldiri, a dit le policier national, le plus vicieux. Tous y disent pareil. T'escorcolles par ici, moi j'escorcolle par là, et on trouvera bien quéqu'chose.

Le flic catalan est allé tout droit au costume de location qui s'aérait sur sa chaise, a tâté les coutures et extrait de la poche une bague en or sertie de brillants.

– Ah, ah, a-t-il dit.

J'ai tout de suite reconnu la bague et j'ai compris trop tard que Reinona me l'avait glissée là quand, quelques heures plus tôt, dans le salon de sa maison et dans une démonstration de politesse exagérée, elle m'avait gratifié d'une embrassade mi-fraternelle mi-strangulatoire. Après quoi, c'était clair comme de l'eau de roche, elle m'avait dénoncé à la police. Et dire qu'elle m'avait recommandé de ne faire confiance à personne !

– Vous niez avoir dûment exproprié ce précieux objet de valeur ?

Ça ne servait à rien de nier. Et puis, s'ils continuaient à fouiller, ils trouveraient Ivette en petite culotte dans le placard, et je n'étais pas en mesure de justifier deux exploits d'une telle magnitude et d'un tel prix dans une habitation à loyer modéré.

– Faites votre devoir, ai-je dit. Tout s'expliquera. J'ai pleine confiance en l'équité et la célérité de nos tribunaux.

Ils m'ont tordu les bras, passé les menottes et administré la demi-douzaine de baffes réglementaires. Après quoi ils ont aboyé :

– En route !

Mais voilà qu'au moment où ils ouvraient la porte de l'appartement est apparue sur le palier, comme par magie, la forme imposante d'un homme petit et gros, sanglé dans l'uniforme de gala de la Garde civile, lequel s'est exclamé d'une voix de stentor :

– Garde à vous, espèces de glands ! Je suis le lieutenant-colonel Díaz-Bombona !

Les deux agents ont porté leurs mains respectives à leurs casquettes tout aussi respectives en claquant des talons et des dents.

– Où conduisez-vous cet homme ? a hurlé le nouveau venu.

– Au poste, mon colonel.

– Pour être présumé suspect d'avoir chouravé un bijou, mon colonel.

– Et vous, qui vous a autorisés à répondre, espèces de glands ? Voyons voir, où est ce bijou de mes deux ?

– Ici, je me le suis passé au petit doigt, mon colonel, histoire de voir comment il m'allait.

– Très bien : rendez-le à son propriétaire, ôtez-lui les menottes et filez d'ici en vitesse si vous ne voulez pas que je vous botte les fesses, que vous vous en souviendrez. Exécution ! Vous êtes sourds, ou quoi ?

Les agents ont obéi, et le bruit de leurs pas précipités s'est aussitôt perdu dans les profondeurs de l'escalier. L'inconnu s'est frotté les mains avec satisfaction, et une voix familière s'est fait entendre dans son dos :

– Tu as été parfait, mon petit Marcelo.

Sur ce, ma voisine Purines est entrée dans l'appartement, morte de rire. Elle était habillée en institutrice, avec une jupe plissée en flanelle grise, un cardigan en angora, un chignon et des lunettes. Dans une main elle portait une règle et dans l'autre un abécédaire. J'ai appris que, se livrant à ses activités ordinaires sur la personne d'un de ses fidèles habitués, ici présent, ils avaient d'abord entendu le timbre de l'interphone et ensuite les coups et les imprécations. De cela, et de ce qu'ils avaient écouté en collant l'oreille à la cloison, ils avaient déduit que je me trouvais dans une situation embarrassante. C'est alors que Purines, portée par son esprit philanthropique et avec l'aimable collaboration de son client, avait monté le numéro auquel je venais d'assister. J'ai adressé à Purines mes remerciements sincères et assené sur le dos de son collaborateur spontané des tapes qui ont fait tinter ses décorations.

— Je te félicite, vieux frère, lui ai-je dit. La farce était formidable et ce déguisement de guignol te va comme un gant.

— Bah, il n'y a pas grand mérite, a-t-il répondu en riant. Je suis réellement lieutenant-colonel de la Garde civile et cet uniforme est le mien. Je le mets quand je viens rendre visite à mon petit bonbon. Pourquoi vous emmenaient-ils ?

— Pour quelque chose que je n'ai pas fait.

— Oui, oui. Je dis la même chose au juge Garzón, et vous voyez le résultat.

— Je regrette de ne rien pouvoir vous offrir, me suis-je excusé.

— Ne te fais pas de souci, m'a rassuré Purines, on s'en va. Aujourd'hui le petit Marcelo n'a pas rendu ses devoirs, et Mademoiselle va lui donner une punition très, très, très sévère.

Je leur ai, à tous deux, réitéré mes remerciements, nous avons convenu de nous revoir plus tard et d'organiser un dîner entre voisins, et ils se dirigeaient vers la porte de l'appartement, quand des coups discrets ont résonné à celle-ci.

— Allons bon, ai-je grincé entre mes dents, qui ça peut bien être maintenant ?

Et, haussant la voix, j'ai demandé qui était là. Dehors, quelqu'un a répondu :

— Je suis le maire.

J'ai reconnu, en effet, sa voix charismatique et impossible à confondre avec une autre. Un peu troublé de cet honneur inattendu, j'ai encore demandé :

– Qui vous a ouvert la porte du bas ?

– Deux agents très sympathiques qui sortaient en courant.

– Je préférerais qu'il ne me trouve pas ici, m'a chuchoté à l'oreille le lieutenant colonel Díaz-Bombona. C'est idiot, mais…

– Je comprends. Mettez-vous dans le placard, ai-je suggéré. Purines peut se cacher dans le cabinet de toilette. Vous, vous n'y tiendriez pas.

J'ai récupéré la clef, ouvert le placard et, avant qu'Ivette ait pu en sortir, poussé dedans le lieutenant-colonel Díaz-Bombona. Purines s'est réfugiée dans le cabinet de toilette et je suis allé ouvrir. Le maire est entré, débordant de cordialité.

– J'aime voir comment vivent mes concitoyens à quatre heures vingt du matin, a-t-il dit en consultant sa montre.

– Comment avez-vous eu mon adresse ?

– Oh, j'ai le cadastre municipal dans la tête. Je vous dérange ?

– Pas du tout, au contraire. En quoi puis-je vous être utile, Monsieur le Maire ?

– A moi ? Non, non. C'est moi qui dois être utile à mes concitoyens. Ne te demande pas ce que ta ville peut faire pour toi mais ce que tu peux faire pour ta ville, comme a dit je ne sais plus qui. Vous vous servez des transports publics ? Vous pratiquez les poubelles sélectives ? Vous réglez ponctuellement vos contributions ? Voilà les seules choses qui m'importent. Je n'ai pas d'ambitions politiques, ni personnelles. Ne pas finir en cabane, c'est tout ce que je souhaite. Allons, je ne suis pas venu vous parler de moi, mais de moi. Vous étiez ce soir chez Reinona. Je m'en souviens parfaitement. Je ne sais si vous vous souvenez de moi : je suis le maire. On prétend que je travaille du chapeau, et parfois je me demande si on n'aurait pas raison. Ainsi, en ce moment même, il me semble entendre quelqu'un chanter *Tom Dooley* dans ce placard. Enfin, laissons cela. Je suis venu solliciter votre aide. Je suis un honnête homme, mais je dois effectuer ma tâche quotidienne en me déplaçant entre des volcans, des sables mouvants et des marécages. Je ne me plains pas : un maire doit être le champion des équilibristes. Jusqu'à un certain point. Qui a tué Pardalot ? Si vous le savez, ne le dites pas : ce sont là des choses que je ne dois pas entendre. Mais dans l'affirmative, mettez votre main gauche sur votre genou droit et, dans le cas contraire, la droite sur le gauche. Ne vous trompez pas. Pardalot avait autant d'amis que d'ennemis, et les uns et les autres étaient les mêmes personnes. Une société complexe telle que la nôtre ne fonctionne pas si on ne graisse pas de temps en temps les rouages. Pardalot s'occupait de ça. Je ne demande pas l'identité de son assassin. Je n'interférerai pas avec le pouvoir judiciaire. J'ai lu Montesquieu. Mais celui qui a donné l'ordre s'est mis dans le pétrin. Je ne sais si je m'explique bien. Tout le monde voulait liquider Pardalot, mais tout le monde avait intérêt à ce qu'il reste vivant. Si vous ne me comprenez pas, touchez-vous l'oreille gauche avec le pied droit.

*

Les révélations de mon illustre visiteur suscitaient de ma part le plus vif intérêt et je l'aurais volontiers incité (très respectueusement) à continuer de se déboutonner si, à ce moment, n'avait retenti le timbre de l'interphone. J'ai décroché le combiné et l'ai porté à mon oreille.

— Qui est-ce ? ai-je demandé.

— Reinona, tu te souviens de moi ?

J'ai adressé un regard interrogateur à Monsieur le

Maire, et Monsieur le Maire a exprimé d'un autre son assentiment résolu.

— Je me souviens, ai-je dit en appuyant sur le bouton de l'ouverture automatique. Montez.

— Cette femme, a dit précipitamment Monsieur le Maire, en sait plus qu'il n'y paraît. Il serait stupide de notre part de ne pas profiter de l'occasion pour lui tirer les vers du nez. Tout compte fait, il est préférable que je ne parte pas. Mais, en ma présence, elle ne dira rien. Dites-moi où je peux me cacher. Et surtout, pas un mot de ce dont nous venons de parler.

— Mettez-vous dans le cabinet de toilette et ne faites aucun bruit, quoi qu'il arrive dedans ou dehors.

J'ai remisé Monsieur le Maire dans le cabinet de toilette et j'ai couru recevoir Reinona. Elle est entrée dans l'appartement d'un air très décidé et a dit :

— Ferme. Je ne veux pas qu'on sache que je suis venue.

Elle portait un élégant peignoir de velours rouge et des mules. Avec ce vêtement d'intérieur et un livre de Saramago sous le bras, elle avait fait croire à son mari et à la domesticité qu'elle allait se coucher. Ensuite, sans être vue de personne, elle était sortie dans le jardin puis dans la rue par la petite porte, et là, elle avait pris un taxi. C'est ce qu'elle m'a expliqué avant de s'excuser de l'heure intempestive. Les invités étaient partis tard. Cependant, a-t-elle ajouté, elle n'avait pas voulu remettre davantage notre rencontre.

— Il fallait que je te voie d'urgence, a-t-elle poursuivi. Je sais que tu es mêlé à l'assassinat de Pardalot. Je t'ai vu à l'enterrement. Quelqu'un m'a dit que tu étais le suspect numéro un. Ne le nie pas.

— Je ne le nie pas, mais ce n'est pas moi.

— Aucune importance, a-t-elle répliqué. Je ne suis pas venue pour résoudre cette histoire. Ce n'est pas qu'elle ne m'intéresse pas. Pardalot et moi étions amis. Non...

Enfin, restons-en à « amis ». Mais je ne suis pas venue pour te parler de ça, qui, en définitive, n'est pas ton affaire. Je suis venue pour une chose plus importante pour moi. D'ailleurs l'exécutant matériel du crime est un simple pion. Un tueur à gages. Quelqu'un lui en a donné l'ordre. Ou peut-être que personne ne lui en a donné l'ordre. Dans une société civilisée comme la nôtre, tout le monde donne son acquiescement et personne ne donne d'ordre. Un bon subalterne n'a pas besoin qu'on lui dise ce qu'il a à faire. Il suffit de le payer après. Ah, je suis épuisée.

Elle s'est laissée choir sur la chaise, non sans avoir transformé préalablement mon costume loué en un tas informe, l'avoir jeté par terre et sauvagement piétiné. C'était une femme qui avait appris à ne pas extérioriser son tempérament passionné, sauf dans les moments les plus inopportuns et de la pire manière.

— Dites-moi en quoi je peux vous être utile, ai-je dit pour qu'elle laisse le costume en paix.

Elle s'est mise à pleurer à chaudes larmes. Je suis allé dans la cuisine et j'ai rempli un verre d'eau du robinet.

— Buvez ça, ai-je dit. Eau tiède et malodorante des thermes de Saint-Hygin, très recommandés pour les états émotionnels.

Ainsi encouragée, elle a bu le verre entier sans protester et s'est un peu calmée.

— Pourquoi ne me contez-vous pas ce que vous êtes venue me raconter ? ai-je suggéré.

— Je ne peux pas, a-t-elle répondu, j'en sais trop. Si je parle, ça fera un chambard épouvantable.

— Je croyais que ça vous était égal.

— S'il ne s'agissait que de moi, ça me serait égal, mais…

Elle s'est tue. Elle gardait les yeux rivés au sol, les sourcils froncés, les lèvres serrées, bref l'expression

crispée de quelqu'un qui est profondément préoc-
cupé. Au bout d'un moment elle a relevé la tête et a
demandé :

— Je peux aller aux cabinets ?

— Non.

— C'est que l'eau thermale fait son effet.

— Je regrette. Le cabinet de toilette est inutilisable.
Mais vous pouvez faire pipi par terre, ici ce n'est pas
Pedralbes.

— Tant pis, a-t-elle soupiré avec résignation. Quand
on court un grave danger, le reste est secondaire. Tu
m'aideras ? Chez moi, tu m'as dit que tu étais avocat, et
les avocats sont faits pour aider leurs clients. Et subsi-
diairement le genre humain.

— Je vous ai menti. Je ne suis pas avocat.

— Aide-moi comme si tu l'étais, a-t-elle imploré. Je
suis une pauvre et faible femme persécutée. Il suffit de
me regarder.

— Pourquoi ne vous adressez-vous pas à la police ?

— Ah, non. Pas ça. Pas question de m'adresser à la
police. Jure-moi que toi non plus, tu ne t'adresseras pas
à la police. Jure-le-moi.

— Pour ce qui est de moi, soyez sans crainte, l'ai-je
rassurée. Je suis le suspect numéro un, c'est vous-
même qui me l'avez dit.

— C'est vrai, a-t-elle admis. Mais je ne crois pas que
tu sois un assassin. Laisse-moi regarder tes mains. Tu
vois ? Les mains ne trompent pas, et tu n'as pas des
mains d'assassin. Tu as des mains délicates, des vraies
mains de coiffeur.

Il était évident qu'elle tentait de neutraliser ma
volonté à coups de flatteries et d'obtenir ainsi ma collaboration. Après quelques tentatives, se rendant compte
de ma modestie naturelle, elle a décidé de laisser tomber les simagrées : elle s'est levée, a ôté son peignoir
et l'a jeté à l'autre bout de l'appartement. Elle portait

une chemise de nuit si courte et si transparente que rien ne justifiait de s'en vêtir sauf pour s'en dévêtir.

— Fais ce que je te demande, m'a-t-elle lancé en changeant soudain de voix et d'attitude, et tu ne t'en repentiras pas.

Cet argument m'a paru irréfutable.

— Dites-moi de quoi il s'agit.

— Écoute, m'a-t-elle chuchoté à l'oreille, il m'est revenu des rumeurs selon lesquelles une fille serait mêlée à cette histoire, je veux dire celle de Pardalot, pas la nôtre. Plus jeune que moi et plus jolie que moi, mais pas aussi expéditive. Je veux que tu la trouves. Trouve-la. Tu dois la trouver. C'est clair. *Il le faut !*

J'ai hésité. J'aurais très bien pu lui révéler que non seulement je connaissais Ivette, mais qu'en ce moment précis je la tenais enfermée dans le placard en compagnie d'un lieutenant-colonel de la Garde civile, seulement, même en échange des délices que cette dame à la personnalité distinguée et aux formes encore plus distinguées me proposait de la voix et du geste, je ne voulais pas trahir la confiance qu'Ivette prétendait avoir mise en moi.

— Dites-moi d'abord la raison de votre intérêt pour cette fille, ai-je balbutié.

— Je le ferai, a-t-elle répondu d'une voix trémulante, quand nous aurons fini. Avant, embrasse-moi, assouvis-moi, et enlève le tee-shirt de l'Union sportive de Lleida.

Avec incrédulité d'abord, frayeur ensuite, je me suis rendu compte que ce qui avait commencé comme une grossière tentative de séduction avait fini par faire perdre le nord à cet être impétueux. Et n'étant pas de ceux qui se font prier, il se serait sans doute produit ici des scènes dont le récit aurait fait les délices du lecteur adulte, si le timbre ingrat de l'interphone ne m'avait obligé à reporter à plus tard le couronnement de mes désirs (et de mes efforts) et à remettre le tee-shirt.

– Excusez-moi. Je vais voir qui appelle.

J'ai décroché, posé la question adéquate, et une voix masculine a répondu :

– Je suis Arderiu, le mari de Reinona. Je peux entrer ?

J'ai couvert de la main le combiné et informé l'intéressée qui a donné des marques de contrariété.

– Maudit rabat-joie, a-t-elle marmonné, tout en remettant son peignoir. Si tu ne lui ouvres pas, il soupçonnera que je suis là. Il m'a peut-être fait suivre par un détective. Reçois-le et dis-lui la première chose qui te passera par la tête. Il la gobera : il est idiot. Je peux me cacher dans le placard ?

– Non. Pas dans le placard. La serrure est abîmée. Mettez-vous sous le lit.

Elle l'a fait avec tant de précipitation qu'elle a oublié les mules qu'une minute plus tôt, dans le feu de l'action, elle avait expédiées au plafond. Comme, déjà, retentissaient des coups à la porte, je les ai chaussées et suis allé ouvrir. Le mari de Reinona a fait son entrée en clamant :

– Bonsoir. Vous vous souvenez de moi ? Nous avons fait connaissance il y a quelques heures. Je suis Arderiu. Abelardo Arderiu. Vous pouvez m'appeler Arderiu ou Abelardo Arderiu, mais pas Abelardo.

– Bon Dieu, Arderiu, comment ne te reconnaîtrais-je pas, tu n'as pas changé. Pour toi le temps ne passe pas, ai-je dit, avec une certaine nervosité parce je commençais à perdre le contrôle de la situation.

L'aimable mari a levé la main pour mettre un terme aux politesses :

– Je vous parlerai sans détours. Comme vous le savez, je suis idiot, et nous, les idiots, nous sommes forcés d'éviter les détours, sinon nous nous égarons. Ma femme a quitté subrepticement la maison cette nuit et j'ai des raisons de penser que vous savez où elle est.

Je vous parlerai sans détours : Reinona est en danger. Toutes les femmes sont en danger, avec toute la violence qu'il y a contre les femmes. Mais pour Reinona, à la violence en général se superpose une autre violence, particulière et spécifique. Je vous parlerai sans détours. J'ai des raisons de penser que Reinona fait partie d'un complot. Cela, en soi, ne m'inquiète pas. Je ne suis pas de ceux qui croient que la femme doit rester à la cuisine. Chez moi il y a toujours eu une femme à la cuisine, et y mettre toutes les autres me semble inutile. J'ai toujours laissé Reinona faire ce qu'elle voulait. Ça me revient cher, mais avec mon patrimoine et mes revenus, je peux me le permettre. Par exemple, si elle avait voulu se consacrer à l'expression artistique, je n'y aurais pas mis d'obstacles. Aquarelle, pastel, huile, gouache ou burin, pour moi, ç'aurait été pareil. C'est seulement un exemple pour illustrer mon libéralisme. Et si, pour se sentir utile, il faut qu'elle participe à un complot, pour moi elle peut y participer. Vous me comprenez ?

Je lui ai dit que oui et il a profité de cette preuve de compréhension pour baisser la main. Puis il a poursuivi :

– Oui, mais voilà, les choses se sont compliquées. Puis-je vous parler sans détours ? Apparemment, notre ville traverse des moments difficiles. Je ne sais en quoi ils consistent, aussi devrez-vous vous contenter de ma parole d'homme du monde : des moments réellement difficiles. En quoi cette situation me concerne-t-elle ? Je l'ignore, mais je ne suis pas de ceux qui restent les bras croisés. On m'a demandé de participer à un complot et moi, sans réfléchir une minute ni demander de quoi il s'agissait, j'ai sauté le pas. A pieds joints. Je suis comme ça, sans détours. Maintenant, cependant, je me trouve dans une situation que je qualifierais d'authentique crise existentielle si je savais ce que signifie ce terme. Je fais partie d'un complot et ma femme fait partie d'un complot et j'ai des raisons de penser que mon complot et le complot de ma femme sont deux complots différents. Et je les qualifierais sans détours d'antithétiques. S'il s'agissait seulement de payer deux cotisations, je m'en ficherais. Mais j'ai des raisons de penser que nous sommes dans des camps opposés. Permettez-moi d'interrompre une seconde mon discours pour enlever mon manteau en mohair : avec cette chaleur, je suis presque en nage. Hier j'ai mangé de la dinde et j'ai cru que nous étions à Noël. Vous avez un portemanteau ?

Je lui ai répondu que non, mais que je lui servirais volontiers de portemanteau.

— Parfait, a-t-il conclu, une fois terminée la manœuvre, dans ce cas je vous parlerai sans détours. J'ai des raisons de penser que quelqu'un est en train de préparer l'assassinat de quelqu'un. Peut-être de mon épouse. J'ai même des raisons de penser que l'on a l'intention de me charger de cette besogne. Naturellement, si on me proposait d'assassiner mon épouse, je refuserais. Avec fermeté, s'il le fallait. Mais cela ne résoudrait pas le problème. Un autre se chargerait de lui donner « le passeport ». Je vous le dis en langage voilé, au cas où les murs auraient des oreilles, comme on dit. Quoi qu'il en soit, je suis dans une crise existentielle franchement antithétique. Par rapport à mon épouse et par rapport à tous les autres. Mon épouse s'appelle Reinona. Je vous le dis au cas où vous l'auriez oublié. Je suis le mari de Reinona. Nous avons fait connaissance hier soir. Ça ne fait pas beaucoup de temps, mais c'est suffisant pour parler sans détours. Je n'ai pas l'intention de laisser qui que ce soit assassiner mon épouse. Les relations conjugales sont compliquées, surtout entre mari et femme, mais un homme doit régler ça par ses propres moyens, dans l'intimité, sans l'interférence de tierces personnes. Où tout cela va-t-il nous mener ? Je ne sais pas. Reinona s'est enfuie de la maison et j'ai des raisons de croire que vous savez où elle est.

– Qu'est-ce qui vous fait penser une chose pareille ?

– Quelle chose ?

– Que j'ai à voir avec la disparition de votre femme.

– Ne faites pas l'innocent. Chez nous, je l'ai vue mettre la main dans la poche du pantalon. De votre pantalon. Elle fait ça à tous les hommes, mais elle s'enfuit toujours avec le dernier. Surtout ne prenez pas peur. Je ne suis pas un Othello. Je vous l'ai dit, je ne m'oppose pas aux expressions artistiques de mon épouse. Mais ce cas est différent, à cause du danger que je vous ai expliqué. Et vous aussi vous êtes différent, maintenant que je vois mieux les choses. C'est votre garçonnière, ici ?

– C'est mon domicile.

– Oh, il semble confortable. Tout à portée de main.

– Revenons à Reinona. Pourquoi prétendez-vous qu'on veut la tuer ? Qui veut la tuer ? Et quel est le mobile ?

– Qu'est-ce qu'un mobile ?

– Répondez seulement à la première question. Comment savez-vous que quelqu'un essaye de tuer Reinona ?

– Vous avez entendu parler de l'affaire Pardalot ?

– Je pense bien : je suis le suspect numéro un. Mais ce n'est pas moi.

– Bien entendu, bien entendu. Ce n'est pas pour ça que je vous en parlais. Je n'espérais pas non plus des aveux en règle. Nous sommes entre gens bien élevés. Si j'en ai parlé, c'est parce qu'elle tombe à pic. Entre ma femme et Pardalot, il y avait une relation très particulière. Reinona avait été sur le point de se marier avec Pardalot. Finalement elle ne s'est pas mariée avec Pardalot, mais avec moi. Je m'appelle Arderiu. Elle

146

aimait Pardalot et Pardalot l'aimait, mais, tout bien pesé, elle a bien fait de se marier avec moi, car, si elle s'était mariée avec Pardalot, aujourd'hui elle serait veuve. Veuve de Pardalot.

– Pourquoi avoir renoncé au mariage avec Pardalot ?

– Qui ? Moi ?

– Non. Reinona. Pourquoi Reinona a-t-elle renoncé au mariage avec Pardalot ?

– Ah, ne soyez pas elliptique, sinon je m'y perds. Vous me demandez pourquoi Reinona et Pardalot ont renoncé à se marier ? Eh bien, je ne sais pas. Peut-être pour des raisons antithétiques. Demandez-le à Reinona, si vous la voyez.

– Elle ne vous l'a jamais dit ?

– Je ne le lui ai jamais demandé. Vous connaissez la maxime : si vous voulez vous marier, ne posez pas de questions.

– Mais pour quelqu'un qui n'a pas posé de questions, vous avez l'air de savoir beaucoup de choses.

– Savoir… vraiment savoir, non, je ne sais rien. Juste des rumeurs qui me sont parvenues. Et pas toujours dans l'ordre chronologique. De toute manière, les faits se sont produits tels que je vous les ai dits. Ils allaient se marier et tout d'un coup les choses ont mal tourné. Finalement Pardalot s'est marié avec la veuve de Pardalot et moi avec Reinona. Pardalot a eu une fille : Ivette Pardalot. Reinona et moi, nous n'avons pas eu d'enfants, bien que nous ayons essayé. Mais probablement pas comme il fallait. Finalement nous avons consulté le meilleur spécialiste en gynécologie de cette ville : le docteur Sugrañes, fils du célèbre psychiatre du même nom. Les examens ont montré que Reinona était stérile. La malchance. Nous avons pensé adopter un petit Hawaïen mais, une chose en entraînant une autre, les années ont passé et nous n'avons rien fait.

147

Y a-t-il une relation quelconque entre ce que je vous raconte là et ce que je vous raconte ?

— C'est selon. Pardalot et Reinona ont continué à se voir après leurs mariages respectifs ?

— Oui, naturellement. Dans cette ville, il est difficile de ne pas rencontrer tout le monde, quand tout le monde se résume à une demi-douzaine de familles. Ils se voyaient aussi en privé. En cachette.

— Comment le savez-vous ?

— Les détectives me l'ont dit.

— Vous avez fait suivre Reinona ?

— Non, non. Je vous ai déjà expliqué que je ne me mêle pas de la vie privée de ma femme. Mon attitude est libérale, pour ne pas dire libertaire. Mais il m'est arrivé d'engager des détectives pour qu'ils enquêtent sur les activités de mes associés. On finit par se fatiguer d'être escroqué, vous savez ? Ensuite, dans les rapports, Reinona est apparue. Entrant et sortant d'un hôtel ou dans un aéroport, en route pour un endroit ou un autre. Elle me disait qu'elle était allée avec des amies au festival de Salzbourg ou des choses comme ça. Naturellement, les détectives ne savaient pas que Reinona est mon épouse, sinon ils auraient omis son nom, par délicatesse, enfin c'est ce que je pense.

— Monsieur Arderiu ou mon cher Arderiu, soyez sincère. Croyez-vous que Reinona ait pu tuer Pardalot ?

Il a mis un moment à comprendre le sens de la question, puis il a soupiré.

— C'est une question à laquelle il est difficile de répondre.

— Dites-moi seulement oui ou non. Reinona a-t-elle tué Pardalot ?

— Je vais vous dire ce que j'en pense. Mais vous devez me promettre que, si je ne me suis pas trompé, mes paroles resteront entre ces quatre murs.

— Parlez en toute confiance.

— Eh bien, voyez-vous…

Mais à ce moment un coup de sonnette a interrompu ses confidences.

*

— Qui est là ? ai-je demandé.

— C'est Magnolio, a dit une voix dans l'interphone. Je viens de me libérer et j'arrive pour vous faire mon compte rendu, comme convenu.

— Il n'est pas un peu tard, Magnolio ?

— Je suis désolé, mais j'ai eu beaucoup de mal à garer la voiture dans ce quartier.

J'ai appuyé sur le bouton de l'ouverture automatique, et j'ai répondu à l'interrogation muette du mari de Reinona en lui expliquant que le nouveau venu était un lieutenant à moi que j'avais placé dans leur maison (la sienne et celle de Reinona) pour voir s'il pouvait glaner quelque chose sur l'assassinat de Pardalot.

— Je n'aime pas que tout le monde fourre son nez dans mes affaires privées, a-t-il protesté.

— Il s'agit seulement de celles de votre femme, ai-je dit pour le tranquilliser.

— Et vous ne trouvez pas ça humiliant ? a-t-il demandé.

— Mais non, voyons, pourquoi ? ai-je répondu.

— En tout cas, a-t-il répliqué, je préférerais que cet individu ne me voie pas ici. Je n'ai pas l'habitude de fraterniser, vous savez ? Congédiez-le vite ; pendant ce temps je me cacherai dans la salle de bains. Non ? Eh bien, dans le placard. Non plus ? Alors sous le lit.

— Mettez-vous derrière le rideau, en vous collant au mur, et ne bougez pas, ne faites aucun bruit, lui ai-je ordonné en désignant les somptueux rideaux (de percale) qui encadraient la fenêtre.

Arderiu s'est caché et Magnolio est entré. Il ne portait plus l'uniforme de serveur mais son habituel uniforme de chauffeur.

– Excusez l'heure avancée, a-t-il dit, mais une fois parti le dernier ivrogne, nous avons dû desservir, vider les cendriers, passer l'aspirateur, laver les verres, sortir les ordures et faire je ne sais combien de choses encore. Et ils n'avaient pas laissé le moindre petit four.

– Les cafés vont bientôt ouvrir et vous pourrez prendre votre petit déjeuner, l'ai-je consolé. En attendant, dites-moi ce que vous avez vu et entendu.

Il s'est assis sur le lit pour enlever ses bottes en alléguant qu'il avait les pieds en compote. Sous son poids, le sommier a fléchi jusqu'au sol et Reinona a émis un gémissement lamentable.

– Vous devriez graisser ces ressorts, a commenté Magnolio.

Puis, en réponse à ma requête, il a dit :

– De ma conversation avec la domesticité, je n'ai pas tiré plus d'informations que celles que je vous ai déjà rapportées là-bas. En général, la domesticité se montre peu disposée à commenter la vie privée de ses maîtres avec un inconnu, ce qui, à bien y penser, est fort louable. La domesticité est composée d'un majordome, d'une cuisinière, de deux bonnes à tout faire et d'un jardinier. Le majordome est asturien, de même que la cuisinière, bien qu'il n'existe entre eux aucun lien d'une autre nature. Les bonnes à tout faire sont dominicaines, résidentes en Espagne depuis dix ans, toutes deux avec permis de travail et en instance de naturalisation. Le jardinier est pakistanais, il vit depuis deux ans à Barcelone et est le seul qui parle catalan. Le chauffeur exerce les fonctions sporadiques de chauffeur, bien que M. Arderiu et son épouse Mme Reinona préfèrent conduire eux-mêmes leurs automobiles respectives, une Porsche Carrera argentée de 3 600 centimètres cubes et une Saab TS coupé de 205 CV, grenat métallisé. D'ailleurs il y a une Porsche et une Saab identiques mal garées devant cette maison, est-ce une coïncidence ? Le jardinier, comme je le disais, est chargé, en plus du jardin, de l'entretien et du réglage saisonnier du chauffage, de l'air conditionné et des tuyaux d'arrosage, ainsi que du maintien de la propreté de la piscine et autres installations. La cuisinière cuisine et les bonnes à tout faire font tout le reste. De toute manière, Monsieur et Madame ne sont pas souvent chez eux. A midi ils déjeunent dehors, et ils sortent presque chaque soir, pris dans le tourbillon d'une vie mondaine intense. Ils font de fréquents voyages à l'étranger. Pour cette raison, le personnel domestique passe des heures à regarder la télévision, à téléphoner ou à bavarder, sauf en certaines occasions peu fréquentes, quand il y a des réceptions comme celle de ce soir, pour lesquelles on fait d'ailleurs appel à des extra. Compte tenu de ces conditions de travail et d'un bon salaire, les critiques et les commérages n'abondent pas. Seule la cuisinière nourrit un brin de ressentiment contre ses maîtres à cause d'un incident désagréable qui remonte à cinq ou six ans. A l'époque, d'après ce qu'elle m'a elle-même raconté, un colifichet d'une grande valeur disparut du coffret à bijoux de Mme Reinona. La police interrogea le personnel domestique et les soupçons retombèrent sur la pauvre cuisinière qui, par pur hasard, venait justement d'acheter une Renault Clio 1.2 RT trois portes, direction assistée, freins à disques, etc. La police établit une relation entre l'achat de la Clio 1.2 RT et le vol, mais la cuisinière put démontrer la provenance honnête de ses économies et l'affaire fut classée. Néanmoins, d'après les dires de la cuisinière elle-même, personne ne peut lui faire oublier le mauvais quart d'heure qu'elle a passé. Elle a même pris en grippe sa voiture, dont, par ailleurs, elle trouve les performances satisfaisantes.

— Le bijou a réapparu ? ai-je demandé.

— Je ne sais pas, a répondu Magnolio. Le récit de la

cuisinière était plus centré sur l'aspect psychologique et mécanique.

– Et après cette histoire, il ne s'en est pas répété de semblables ?

– Non, monsieur.

– C'est étrange. Il y a au moins une bague sertie de brillants qui devrait avoir disparu. Qu'avez-vous pu apprendre encore ?

Le chauffeur a écarté les bras et s'est laissé de nouveau tomber sur le sommier.

– Rien d'autre, s'est-il exclamé. Je n'ai guère eu le temps de faire la causette. Si vous saviez comme il a fallu se démener… En fin de compte, je ne vaux rien comme espion. Je suis myope, je suis noir et je suis énorme. Encore une chance que j'aie été bien payé.

– Qui vous a payé ? ai-je demandé.

– Le majordome.

– En avez-vous tiré le sentiment que le majordome administre les finances de la maison ?

– Il maniait les billets avec beaucoup de compétence et d'assurance.

J'ai réfléchi quelques instants, puis j'ai dit :

– J'ai beau raccorder quelques fils, il y en a trop qui restent sans liens entre eux. Et nous ne pouvons pas attendre la prochaine réception pour retourner dans cette maison. Magnolio, vous sentiriez-vous d'attaque pour établir des relations amicales avec un membre ou l'autre de la domesticité ? Vous les connaissez maintenant, et eux aussi vous connaissent. Et avec la sympathie que vous inspirez et vos dons pour les relations humaines, ça ne vous sera pas difficile.

Le chauffeur a eu un sourire reconnaissant :

– Je ne sais pas. Je pourrais essayer avec une des Dominicaines. C'est vrai que ça ne me déplairait pas de la revoir. Mieux, je vais lui proposer le mariage. Elle s'appelle Raimundita, et c'est un vrai sucre d'orge. Je ne dis pas ça à cause de sa couleur. Je ne suis pas raciste. Vous portez tant d'intérêt que ça à cette maison ?

– Oui, mon ami, ai-je répondu. C'est là que réside la clef du mystère. Mais il faut y aller sur la pointe des pieds. Quel que soit celui qui tire les fils de cette affaire, il est rusé et ne s'embarrasse pas de scrupules.

Le chauffeur allait ajouter quelque chose, soit à propos de cette affirmation, soit concernant Raimundita, quand la sonnerie de l'interphone a retenti, impérieuse. A la question rituelle, une voix masculine a répondu :

– Ouvrez, je suis Santi.

– Je ne connais aucun Santi, ai-je dit.

– Vous connaissez ce Santi-là, a répliqué la voix dans l'interphone. Nous nous sommes vus chez Reinona.

– Et qu'est-ce que vous voulez ?

– Vous parler.

Après une brève hésitation, j'ai choisi d'ouvrir. Au point où j'en étais, n'importe quelle information supplémentaire pouvait m'être utile. J'ai appuyé sur le bouton de l'ouverture automatique, j'ai fait signe à Magnolio de se cacher derrière le rideau de gauche, vu qu'Arderiu occupait celui de droite, et lui ai recommandé de rester vigilant au cas où les intentions de ce Santi ne seraient pas pacifiques. Il me l'a promis et a disparu derrière la percale au moment où, déjà, les poings (je suppose) de Santi frappaient la porte. J'ai ouvert et me suis trouvé en présence du jeune réceptionniste de la maison de Reinona, antérieurement vigile dans la société de Pardalot et à tout moment persécuteur obstiné de ma personne.

– Si j'avais su, ai-je dit, je ne vous aurais pas ouvert.

Le jeune réceptionniste a émis un rire sarcastique et juvénile et est entré en nous poussant, la porte et moi.

153

– Il fallait y penser avant. Vous m'avez échappé plusieurs fois quand j'étais à un doigt de vous mettre la main au collet, et à plusieurs reprises vous avez tiré avantage de la présence de tiers pour m'empêcher d'employer mes méthodes habituelles. Mais maintenant, cher monsieur, la chance a tourné. Nous voici enfin seuls, vous et moi.

Du coin de l'œil j'ai jeté un regard au rideau qui masquait Magnolio mais, en voyant qu'il bougeait au rythme régulier de sa respiration, j'ai compris que Magnolio s'était endormi.

– Eh bien, soyez le bienvenu chez moi, et dites-moi en quoi je peux vous être utile, mon cher Santi.

– D'abord en répondant à une question sans tenter de manœuvres dilatoires : avez-vous tué Pardalot ?

– Mais non, voyons !

– Pourtant, tout Barcelone le dit.

– Ça ne signifie rien, ai-je fait remarquer. Dans cette ville, la calomnie n'épargne même pas nos hommes politiques et leur entourage.

– Oui, a-t-il admis, mais dans l'exemple que vous citez, les calomnies coïncident avec la vérité. Ne niez pas : la nuit du crime, tandis que j'accomplissais mon devoir en montant la garde dans le hall, vous vous êtes introduit au siège du Filou Espagnol, certainement par la porte du garage. Une fois à l'intérieur, vous avez débranché le système d'alarme et vous êtes allé dans les bureaux à la recherche d'argent liquide ou d'autre butin. Vous avez été surpris dans l'un de ces bureaux par M. Pardalot qui se trouvait là en dehors des heures habituelles, et vous l'avez liquidé de sept coups de pistolet. Comme les portes, le sol et le plafond du bureau dudit M. Pardalot sont doublés de plomb pour éviter les oreilles indiscrètes, personne n'a entendu les détonations. Après quoi vous êtes reparti par où vous étiez venu.

— Mon cher Santi, si cela s'était passé comme vous le dites, je serais déjà arrêté et inculpé, ai-je dit. Mais ce n'est pas le cas.

— Par manque de preuves matérielles ou irréfutables, a-t-il répondu, et c'est là justement le motif de ma visite.

D'une poche de sa veste il a sorti une feuille de papier pliée en quatre et me l'a tendue.

— C'est une confession. Lisez-la et vous verrez comment les faits s'ajustent parfaitement. Il manque seulement la signature du déclarant, autrement dit la vôtre.

Je suis allé jusqu'à la table sur laquelle était posée une lampe allumée, je me suis assis sur la chaise, j'ai déplié le papier sous ce cône de lumière et j'ai lu :

Monsieur le Juge,
Par la présente j'avoue en termes irrévocables et sans être l'objet d'aucune coercition que c'est moi qui ai tué M. Manuel Pardalot que Dieu le garde en Sa sainte gloire avec un pistolet et en pleine crise de psychothérapie. Les circonstances du crime sont déjà connues : la porte du garage et tout le reste que j'omets pour ne pas allonger cette lettre. Je me repens mais si je le refaisais, je le ferais de la même manière.
Avec mes salutations empressées,

— Vous n'avez pas la prétention, ai-je dit ma lecture terminée, de me faire signer ce tissu d'insanités ?

Pour toute réponse Santi s'est planté près de moi, a sorti d'une autre poche le Beretta 89 Gold Standard calibre 22 que je connaissais déjà, a ôté le cran de sécurité et l'a dirigé vers moi.

— On va voir si vous ne changez pas d'opinion, a-t-il dit entre ses dents.

— Très bien, ai-je répondu, ne discutons pas. Dites-

155

moi seulement une chose : d'où vous vient tant d'intérêt à démontrer ma culpabilité ?

— Et vous avez encore le culot de me le demander ? a dit Santi. Par votre faute, ma carrière de vigile est à l'eau. Non seulement je laisse un voleur de pacotille se promener tranquillement dans l'immeuble confié à ma surveillance, mais je permets qu'on assassine le directeur dans son propre bureau. Tout ça dans ma première semaine de travail avec un contrat à durée déterminée. Voyez où j'en suis : me voilà réceptionniste pour pince-fesses. C'est un miracle qu'on ne m'ait pas encore fait promener le caniche pour faire son petit caca.

Pendant qu'il exposait les causes de son mécontentement, je m'efforçais de calculer les distances, les risques et les possibilités. J'avais beau comprendre ses raisons, je ne parvenais pas à éprouver de la sympathie pour le personnage, comme toujours quand il s'agit de quelqu'un qui me vise avec un pistolet. Mais je ne voyais pas comment je pouvais m'en libérer. Du silence qui régnait, à peine troublé par quelques doux ronflements, j'ai déduit que tout le monde, sauf nous deux, dormait à poings fermés. Je ne pouvais le reprocher aux autres. La nuit avait été longue et prodigue en émotions. D'ailleurs, crier pour demander de l'aide, il ne fallait pas y penser. A supposer même que quelqu'un m'entende et soit prêt à me porter secours, la surprise ou la colère pouvaient provoquer une réaction fatale de la part de Santi, dont déjà, sans qu'il soit besoin de le provoquer, le poignet tremblait.

— Santi, mon ami, ai-je dit sur le ton le plus apaisant et le plus ferme que je pouvais simuler, je dois t'avouer qu'en d'autres circonstances j'aurais résisté à ton invitation. Je peux te tutoyer ? Le fait que nous ayons eu quelques différends involontaires n'empêche pas que nous puissions être amis. Toi aussi, tu peux me tutoyer…

– Bouclez-la. Je ne veux pas être votre ami. Ni qu'on se tutoie. Je veux seulement que vous apposiez une signature ici et que vous alliez vous faire foutre. Et n'essayez pas de gagner du temps, avec moi ça ne marche pas.

– Allons, mon petit Santi, ne le prends pas ainsi. Je vais signer, mais je n'ai rien sous la main pour écrire. Tu me prêtes un stylo ?

Il a sorti un stylo Montblanc et me l'a donné. La situation était sérieuse : si je persistais dans mon refus de signer, cet excité pouvait me loger une balle dans la tête, mais si je signais, il était encore plus probable qu'ayant obtenu ce qu'il voulait il me liquiderait. J'ai réfléchi à toute allure.

La lampe qui éclairait la scène en ce moment avait été acquise, comme une bonne partie du mobilier et des appareils ménagers de mon foyer, dans les conteneurs d'ordures du quartier, et tant son aspect extérieur que sa conformation interne souffraient de certaines imperfections. J'ai décidé de jouer cette carte. Je me suis penché sur le papier et, masquant de mon épaule les mouvements de ma main, j'ai glissé la plume du stylo entre les fils râpés du cordon électrique, certain que je toucherais le métal nu et non du plastique. Il y a eu une légère explosion et nous nous sommes retrouvés dans le noir. J'ai voulu m'esquiver de côté, mais Santi a été plus rapide. J'ai senti augmenter la pression du pistolet sur mon crâne, un claquement s'est fait entendre et la flamme ténue d'un briquet a brillé.

– Ne bougez pas ! a-t-il aboyé. Que s'est-il passé ?

– Rien, rien, ai-je bafouillé. Peut-être une surcharge de la ligne, et les plombs ont dû sauter. Et sans lumière je ne peux pas signer. Je vais relever le store. Il fait déjà jour et la lumière entrera à flots.

– Pas question. Au premier geste, je vous étends raide.

– Bon, bon, je ne bouge pas, me suis-je empressé de dire. Mais si ni vous ni moi ne bougeons, personne ne relèvera le store, on n'en finira pas, et en plus votre briquet va s'épuiser.

– Signez dans le noir, a-t-il suggéré.

– Je ne peux pas. Je suis à demi analphabète ; avec la lumière, j'ai déjà un mal de chien à signer ; imaginez sans. Et puis le papier est tombé par terre et je ne le retrouve pas.

Santi a médité en silence.

– Très bien. Je vais remonter le store. Vous, restez là et ne faites pas de bêtises. Au moindre mouvement je tire au jugé et je suis sûr de toucher ma cible. On y voit suffisamment clair pour que je ne vous rate pas.

Le dur contact de l'arme a disparu et j'ai vu la petite flamme s'éloigner lentement.

– S'il vous plaît, ai-je dit, faites attention au téléviseur.

– Fermez-la et ne bougez pas.

– Je ne bouge pas, ai-je dit. C'est vous qui bougez, et c'est pour ça que vous avez l'impression que je m'éloigne Vous avez trouvé le cordon du store ? Ne tirez pas trop fort dessus : la courroie est pourrie et le bois du store aussi.

– Je sais parfaitement remonter un store, a dit Santi.

Pour le démontrer, il a tiré suavement sur la courroie et le store est monté au rythme de ses mouvements. La lumière matinale a fait irruption dans l'appartement. Au même instant, une détonation a retenti et Santi s'est écroulé sans dire ouf.

*

Moi aussi, je me suis jeté par terre. J'ai attendu un moment, puis, comme l'attaque ne se répétait pas, j'ai rampé avec une prudence extrême en essayant de ne pas entrer dans l'angle de visée du tireur embusqué ni de me cogner au téléviseur, et je suis arrivé près du corps de Santi.

— Santi, ai-je murmuré, vous êtes vivant ?

— Naturellement, a-t-il répondu d'un ton qui se voulait crâneur, c'est juste une éraflure. Mais il me semble que je suis grièvement blessé. C'est vous qui avez tiré ?

— Non. Quelqu'un a tiré depuis la terrasse de la maison d'en face en croyant que la silhouette à la fenêtre était la mienne.

— Quelle malchance, a-t-il soupiré. Allez à la fenêtre et regardez si ce salaud est toujours là.

Je suis allé à la fenêtre en m'efforçant de n'offrir pour cible que le minimum nécessaire et j'ai scruté l'immeuble en question, jusqu'au moment où un voisin furieux m'a crié :

— Si tu continues à épier ma femme sous sa douche, je t'écrase la tête, dégénéré !

J'ai compris que la ville s'était éveillée, prête pour la marche épique de chaque jour, et que, de ce fait, le tireur embusqué avait dû s'enfuir tout de suite après l'attentat. Je me suis penché sur Santi pour lui annoncer la bonne nouvelle. Il s'était évanoui et une mare de sang se répandait sur la moquette. Je me suis indigné. De toutes les personnes qui s'étaient donné rendez-vous cette nuit-là dans mon appartement, Santi était celle qui avait le moins fait pour se gagner mes bonnes grâces, mais quand même, la vision de sa dépouille ne me causait aucune joie, ni l'idée d'avoir à me débarrasser d'elle.

Je réfléchissais à cette question quand la sonnerie de l'interphone a retenti.

— Qui est-ce, cette fois ? ai-je demandé avec une pointe d'irritation dans la voix.

Une voix connue a dit :

– C'est moi, Cándida. Je te dérange?

J'ai ouvert sans répondre à une question aussi stupide. C'est une habitude de Cándida que d'introduire, pour un oui ou pour un non, ses formes spectaculaires dans mon appartement. Cette fois elle tenait à la main une chose enveloppée dans un grand mouchoir. Hier soir, m'a-t-elle dit, Viriato avait fait un pudding et l'avait si bien réussi qu'il ne voulait pas que j'en sois privé. Il y en avait un morceau sous le mouchoir.

– On peut le manger comme ça, mais il sera meilleur si tu le fais ramollir au bain-marie une demi-heure ou trois quarts…

Elle a laissé la phrase inachevée en voyant, près de la fenêtre, le corps inanimé de Santi, le sang et le Beretta 89 Gold Standard calibre 22. De grosses larmes ont jailli de ses yeux.

– Oh, non, tu n'as pas recommencé, a-t-elle dit dans un filet de voix. Tu m'avais promis…

– Ne faisons pas de rhétorique, Cándida, l'ai-je interrompue. Tout cela a une explication très simple. Et très amusante. Tu vas beaucoup rire. Mais avant, aide-moi à sortir ce coco d'ici.

Cándida a posé son paquet sur la table et s'est approchée prudemment de l'objet de notre conversation.

– C'est toi qui l'as tué?

– Comment peux-tu imaginer une chose pareille? l'ai-je grondée. Un individu sans scrupules lui a tiré dessus depuis la terrasse d'en face. Et nous ne savons même pas s'il est mort.

– Ça serait dommage, a-t-elle commenté. Il est jeune et bien fait. Et il respire encore. Mais lentement, et comme sans conviction. Il faudrait le transporter d'urgence à l'hôpital.

– Impossible, Cándida. Je devrais donner des explications et, même si celles-ci sont simples, comme je viens de te le dire, je préfère les éviter pour le moment.

Nous allons le mener dans une pharmacie de garde, et là on s'occupera de lui. Tu disposes d'un véhicule ?

– Le caddy pour les courses. Je ne sais s'il suffira : ce garçon paraît grand. Et si nous le portons sur le dos, nous attirerons l'attention.

Plutôt que d'écouter le bavardage de ma sœur, je réfléchissais. Finalement je l'ai fait taire et lui ai demandé si elle avait croisé quelqu'un dans l'escalier. Elle a répondu que non.

– Alors enlève ta robe, lui ai-je ordonné. Et ne pose pas de questions. Le temps presse.

La pauvre Cándida est restée en combinaison pendant que je déshabillais Santi. Puis nous avons mis la robe de Cándida à Santi et les vêtements de Santi à Cándida. Comme il n'y avait rien à faire pour les souliers, j'ai accepté que chacun garde les siens. Avec le mouchoir qui protégeait le pudding, nous avons fait un fichu pour masquer les traits masculins du réceptionniste. Nous l'avons assis sur la chaise et, à grand-peine, nous l'avons descendu jusque dans l'entrée de l'immeuble où nous l'avons laissé dans un coin sombre. A condition de ne pas le regarder de trop près, il pouvait passer pour la concierge. J'ai dit à Cándida d'attendre une demi-heure, puis de donner l'alerte en disant qu'en passant devant un porche elle avait vu une femme qui avait l'air malade.

– Habillée en homme, je ne sais pas si on me prêtera attention, a-t-elle objecté.

– Ah ! Cándida, pourquoi t'obstines-tu à me compliquer la vie ? ai-je protesté.

– C'est bien, je ferai ce que tu dis, a-t-elle répondu avec un soupir de résignation. Et souviens-toi : il vaut mieux ramollir le pudding avant d'y mettre la dent. Viriato a eu la main un peu lourde avec le gluten.

Elle est sortie dans la rue et s'est éloignée en soulevant une hilarité qui n'était guère plus forte qu'à l'ordinaire, et je suis remonté en courant à l'appartement. J'ai caché le pistolet dans le réfrigérateur et déchiré en mille morceaux la confession que Santi avait voulu me faire signer.

Dans le cabinet de toilette Purines dormait assise sur le bidet, la tête de Monsieur le Maire dans son giron. Je les ai réveillés avec délicatesse et les ai invités à évacuer les lieux. Ils ont échangé des bouts de papier portant leurs numéros de téléphone directs respectifs et Monsieur le Maire a promis de lui envoyer deux invitations pour le festival de Musique papoue. À peine étaient-ils partis que j'ai tiré le lieutenant-colonel et Ivette du placard. Ivette lui a rendu sa tunique, son baudrier et son tricorne, et le lieutenant-colonel s'en est allé après avoir pris congé avec un laconisme tout militaire. Ivette s'est rhabillée et m'a regardé avec un mélange de fatigue et de mélancolie.

— Les choses ne vont pas toujours comme on voudrait, lui ai-je dit, mais tout s'arrangera. Rentre chez toi et attends-moi. Ne sors pas et ne reçois personne. Ne réponds pas au téléphone et n'appelle pas. Comme tu le sais, mes graves obligations m'empêchent de disposer des heures de la journée, mais dès que j'aurai fermé la boutique je t'apporterai quelque chose à manger et te mettrai au courant des événements.

Le mari de Reinona en était au stade cataleptique. Je lui ai passé son manteau et l'ai sorti sur le palier.

— Descendez l'escalier par les marches, sortez dans la rue et prenez un taxi. Libre, autant que possible. Inutile de saluer la concierge : c'est une mégère.

— Merci pour tout, a-t-il dit. Une nuit délicieuse. Vraiment délicieuse.

Reinona est sortie à son tour de sous le lit, passablement contusionnée.

— J'ai eu l'impression qu'un éléphant s'asseyait sur moi, a-t-elle commenté.

Je lui ai rendu ses mules, non sans regrets car elles étaient très confortables et m'auraient convenu à merveille pour rester chez moi. Puis j'ai exhibé la bague sertie de brillants.

— Ceci, ai-je dit, est à vous. Je ne sais pas comment cette bague est venue atterrir dans ma poche.

— C'est moi qui l'y ai mise, a-t-elle admis. Range-la en lieu sûr et ne laisse personne se l'approprier. Quand j'en aurai besoin, j'enverrai quelqu'un la chercher. Cette bague est vitale pour moi.

Elle est partie, d'un pas qui révélait l'écœurement d'une personne de son âge, de sa beauté, de son intelligence, de sa position et de sa classe qui se voit forcée de faire confiance à un individu tel que moi.

Restait Magnolio. Je l'ai secoué comme un prunier, jusqu'à ce qu'il se rappelle où il était et qui il était. Je lui ai demandé quels étaient ses plans pour la journée à la naissance de laquelle nous assistions, et il m'a dit qu'il allait tenter de renouer avec la vie ordonnée et le digne office de chauffeur de louage.

— Ça peut attendre, ai-je dit. J'ai encore besoin de votre aide.

— Pas question, a-t-il protesté. Avec toutes ces histoires, cela fait plusieurs jours que je ne bosse pas, et donc que je n'ai pas touché une thune.

— N'exagérez pas. Vous venez de gagner un bon paquet chez Mme Reinona. C'est vous-même qui me l'avez dit. Et la vie de Mlle Ivette peut dépendre de nous.

— Ah, dans ce cas… dites-moi ce que je dois faire.

— C'est très simple : surveiller la maison de Mlle Ivette. Installez-vous devant l'immeuble et notez qui entre et qui sort, ainsi que tout incident, épisode ou circonstance, même insignifiant. Si Mlle Ivette, contrevenant à mes instructions, sort de chez elle, suivez-la partout où elle ira sans qu'elle s'en aperçoive : il est probable que vous ne serez pas le seul à le faire. J'irai vous relever dès que j'aurai fini.

— Soyez sans inquiétude, a répondu le chauffeur.

Quand nous sommes sortis, une ambulance était arrêtée devant la maison et deux infirmiers entraient sous le porche en portant un brancard. Magnolio et moi nous sommes rangés de côté pour les laisser passer, nous avons pris congé l'un de l'autre sur le trottoir et nous sommes partis dans des directions opposées.

Je n'étais pas dans la boutique depuis une demi-heure que Viriato est entré, fou furieux. Il avait parlé avec Cándida, celle-ci lui avait rapporté sa visite chez moi et, maintenant, il exigeait des explications complètes. En essayant de ne pas donner d'importance à l'incident, je lui ai raconté l'attentat, comment j'en étais sorti indemne par erreur et comment nous nous étions débarrassés de la victime, mais il m'a interrompu en disant qu'il se fichait bien de tout ça et qu'en réalité il venait pour connaître mon opinion sur le pudding.

— Oh ! il est exquis, ai-je menti. Il faudra que tu me donnes la recette.

— C'est que nous autres cuisiniers, tu sais.   nous improvisons toujours un peu, en suivant notre inspiration… En art, l'intuition compte plus que la science. Deux et deux ne font pas toujours cinq.

J'ai manifesté mon accord total avec ses affirmations et mon immense admiration pour ses dons, et quand, radouci, il m'a paru à point, je l'ai prié de me rendre un service. Il a été incapable de me le refuser et il est parti au trot pour faire ce que je lui avais demandé.

5

Durant toute la matinée je n'ai eu à travailler que deux fois : j'ai lavé et démêlé les cheveux de jumeaux pour qu'ils puissent vivre séparés, et j'ai expulsé à coups de balai une souris surprise en train de siffler un pot de lait de beauté Ph 5 (stabilise la couche acide de la peau, lui donne souplesse et tonus, et plaît beaucoup aux souris). Ces travaux, ainsi qu'une réflexion approfondie sur les récents événements, m'ont occupé jusqu'à l'heure du déjeuner.

J'aurais aimé aller à la pizzeria car, l'ayant délaissée la veille pour le dîner, il me semblait judicieux de compenser cet abandon en y prenant les deux repas de la journée, mais je n'ai pas cru prudent de m'éloigner de la boutique et je me suis donc rabattu sur le café d'en face où je me suis assis près de la vitrine, à travers laquelle, après avoir gratté la graisse accumulée, je pouvais surveiller la porte du salon de coiffure et même ses alentours immédiats, et j'ai commandé un sandwich aux calamars et aux oignons. Pendant que j'attendais, Viriato est passé sur le trottoir, je l'ai appelé et il m'a rejoint. Le garçon est revenu en annonçant qu'il n'avait plus de calamars aux oignons, et j'ai dû me contenter d'un sandwich (également très bon) à la morue salée avec de la sauce tomate. Viriato a demandé un petit pain farci aux moules.

— Je te préviens que nous partagerons l'addition, ai-je dit.

Il a ronchonné tout bas, puis, haussant la voix, il a demandé au garçon de supprimer les moules. Après quoi il a dit :

— J'ai passé la matinée à travailler pour toi et tes crimes. Il y a peut-être un détail qui t'intéressera, tête de mule.

*

Effectivement, Viriato avait enquêté comme je le lui avais demandé sur la société de feu Pardalot et le résultat de ses investigations pouvait se résumer de la manière suivante :

L'entreprise dénommée Le Filou Espagnol S.A.R.L. était inscrite au Registre du commerce (sous un numéro qu'il n'est pas important de donner ici) depuis seulement cinq ans. Antérieurement, cependant, le même Pardalot avait fondé, fait enregistrer et dissous six autres sociétés ayant les mêmes caractéristiques. Les associés de ces entreprises étaient toujours les mêmes, à savoir Manuel Pardalot, aujourd'hui feu Pardalot, un certain Horacio Miscosillas et un certain Agustín Taberner, *alias* le Gaucho, tous deux habitants de Barcelone. En outre, Viriato avait pu établir que le nommé Horacio Miscosillas était un avocat d'une certaine réputation, ayant son cabinet sur la Diagonale, probablement le monsieur d'âge mûr aux cheveux gris qui s'était présenté lui-même comme l'avocat de Pardalot la veille au soir chez Reinona, bien que le Registre du commerce ne contienne aucune précision relative à sa maturité, à la couleur de ses cheveux, à ce qu'il avait fait la veille au soir, ni à quoi que ce soit d'autre d'intéressant, ce qui explique pourquoi, soit dit en passant, l'indice de lecture du Registre du commerce est et restera toujours très faible. L'autre associé, répondant au nom, comme il a été dit ci-dessus, d'Agustín Taberner, surnommé le Gaucho, sur qui Viriato n'avait rien pu établir, avait cessé de l'être (associé) dans la dernière des sociétés inscrite au registre, à savoir Le Filou Espagnol S.A.R.L., ayant été remplacé dans l'actionnariat par Ivette Pardalot, la fille de feu Pardalot, à ne pas confondre avec la fausse Ivette Pardalot avec laquelle j'avais été sur le point, quelques heures plus tôt, de passer au stade supérieur de nos relations, bien que tout ait finalement et malheureusement tourné en eau de boudin.

Quant à l'objet social des entreprises successives, a continué Viriato et toujours au dire du Registre du commerce, il était invariable et, selon ce qu'avait pu en juger Viriato, plutôt vague : à savoir, la commercialisation d'activités diverses toutes guidées par l'esprit de lucre. En réalité, personne n'était capable de dire, ni au Registre du commerce ni en dehors du Registre du commerce, en quoi consistaient les activités des entreprises de Pardalot, même si tout le monde tenait pour acquis qu'elles étaient très importantes. On ne connaissait pas non plus les motifs des transformations, réitérées et dûment portées sur le registre, de ce qui était en fait la même entreprise, les résultats étant toujours bons, bien que tout paraisse indiquer un désir manifeste de ne pas rester trop longtemps en scène sans changer d'identité. Fraude fiscale, blanchiment d'argent, trafic illégal de personnes ou de biens, ou mélange de tout cela, telle était en tout cas l'opinion de Viriato.

Lequel a conclu son rapport en disant que le siège social avait changé à chaque nouvelle société, la dernière ayant acquis l'immeuble que je connaissais, cinq étages et garage faisant au total, ainsi qu'il était inscrit au Registre de la propriété (autre registre très bien tenu), 1 830 mètres carrés, ce qui, au prix actuel de 250 000 pesetas le mètre carré dans ce quartier en calculant au plus bas, donnait le chiffre confortable de 457 500 000 pesetas figurant à l'actif immobilisé de notre (si j'ose dire) société.

— Hum, que déduis-tu de tout cela, Viriato ? lui ai-je demandé après qu'il eut terminé.

Il a ouvert la bouche pour afficher à la fois sa perplexité et les aliments triturés en attente de déglutition, et a dit :

— Moi, rien. Et toi ?

— Pas davantage, ai-je répondu. Mais ne nous laissons pas troubler par ces informations. Elles prendront leur sens quand nous en serons au dénouement. Pour le moment, merci beaucoup. Tu as été aussi aimable qu'efficace. Si j'avais de l'argent, je te considérerais comme mon invité, mais tu sais comment vont les choses dernièrement à la boutique. Vraiment, tu ne crois pas que ça vaudrait la peine d'élargir notre activité ?

— Des avortements ?

— Non, je pensais à quelque chose de plus moderne : liposuccion, amniocentèse. Ou, pour le moins, un séchoir électrique.

— Ne me complique pas la vie, a-t-il rétorqué, j'ai assez à faire comme ça avec ta sœur, ma mère et mon traité. Allez, retourne au travail et n'exagère pas, je suis déjà bien bon de te laisser gagner ta croûte sur mon dos.

*

Je suis retourné à la boutique et j'ai profité du peu d'affluence des clients pour me payer un petit somme. Je me suis réveillé la bouche sèche et pâteuse, avec la sensation d'avoir été absent du monde un bon bout de temps. Dehors il faisait noir. Je suis sorti demander l'heure à un passant et j'ai découvert que je n'en avais pas dormi plus d'une. Il était tôt et l'obscurité devait être la conséquence des énormes nuages qui avaient envahi le ciel pendant que je dormais. Je me suis souvenu de Magnolio qui, en ce moment, montait la garde en plein air et j'ai souhaité que la pluie ne se mette pas à tomber ou que si, contrairement à ce souhait, cela se produisait, il ne décide pas d'abandonner son poste.

Vers six heures une cliente est entrée. C'était une jeune femme, plutôt laide, vêtue d'une robe chemisier d'une coupe très simple. Je lui ai adressé le meilleur sourire que me permettait ma bouche sèche et pâteuse et, après avoir passé le plumeau sur le fauteuil, je l'ai priée de s'asseoir en ployant obséquieusement l'échine. Elle a pris place et est restée à me regarder comme si elle avait oublié la raison de sa présence dans la boutique.

— Stylisme ? lui ai-je proposé.

— Ce que vous voudrez, a-t-elle répondu, l'air accablée.

— Confiez-vous à mes mains et, pour un prix très modique, même votre père ne vous reconnaîtra pas quand vous sortirez d'ici.

— Je n'ai pas de père, a-t-elle répondu, et personne ne me reconnaît jamais, à commencer par toi. Je suis Ivette Pardalot, la vraie fille de feu Pardalot. Tu m'as abordée en plein enterrement de mon père pour me débiter je ne sais quelles insanités.

— Excusez ma distraction inexcusable, me suis-je excusé. J'avais concentré toute mon attention sur votre voluptueuse chevelure, à laquelle, néanmoins, un traitement cosmétologique ne ferait pas de mal.

— Je m'en fiche, m'a-t-elle interrompu. Je sais trop que je ne vaux rien. Je veux dire, physiquement. A d'autres points, le panorama est différent. Je suis multimillionnaire, mais ce n'est pas mon seul attrait : je suis aussi une femme intelligente et j'ai une solide formation universitaire. Étant fille unique, mon père m'a préparée pour diriger ses entreprises quand il se retirerait, comme il vient de le faire de façon prématurée et involontaire. J'ai fait mes études dans plusieurs universités, ici et à l'étranger, je parle six langues, je peux aller seule par le monde et rien ne me fait peur ni ne me scandalise, sauf cette souris dégoûtante échouée sur ce pot de lait de beauté.

Elle a soupiré pendant que j'évacuais la souris à coups de balai puis a poursuivi en ces termes :

— Mais à quoi me servent toutes ces qualités ? Les hommes ne me regardent pas, ou alors, s'ils me regardent, ils s'en repentent aussitôt. Seul mon père me trouvait la plus charmante des femmes. Mais maintenant il n'est plus là et je reste seule. Avec mes millions, mes diplômes et mes six langues.

— Allons, ne dites pas ces choses-là.

— Ce que je dis n'a pas d'importance, a-t-elle répliqué. Ce qui compte c'est ce que disent les autres, ou ce qu'ils pensent même s'ils ne le disent pas. Toi, par exemple. La fausse Ivette est fausse, comme son nom l'indique, elle t'a menti, elle n'a pas hésité à te mettre dans le pétrin, et elle t'y mettra encore plus. Mais il suffit qu'elle te regarde pour que tu fondes. Pour moi, en revanche, tu ne bougerais pas le petit doigt, même si j'exécutais la danse des sept voiles à ton unique intention.

— Mademoiselle Pardalot, ai-je répondu après avoir attendu la fin de cette tirade et avant qu'elle ait pu mettre sa menace voilée à exécution, je ne sais si vos problèmes, que je comprends, vous ont laissé le loisir de m'observer. Si vous l'avez fait, vous aurez remarqué que je ne ressemble pas particulièrement à Tom Cruise, pour ne citer qu'un seul exemple de charme naturel. De plus, je suis dans la misère. Je l'ai toujours été et, au train où je vais, je le serai toujours. De sorte que si vous êtes venue chercher de la commisération, vous vous êtes trompée de lieu et de personne. A L'Artiste des Dames, on fait des shampoings, des coupes, des brushings, des mèches et des massages, et, d'une manière générale, on tire le meilleur parti du cuir chevelu de chacun, comme on peut et à la bonne franquette. Tout cela, j'en suis sûr, vous importe peu, car vous n'êtes pas venue me confier votre tignasse. Vous allez certainement dans les *salons de couaffure* les plus chers et les plus élégants de Barcelone, peut-être même que vous vous déplacez à Paris, Milan ou Londres pour une mise en plis, un crêpage ou une frange. Eh bien, mademoiselle Pardalot, laissez-moi vous dire une chose : ils ne font pas mieux. Et maintenant, si vous voulez parler de l'autre sujet, parlons-en.

Elle m'a inspecté sous toutes les coutures, comme si elle avait besoin de faire un effort pour assimiler ce dur propos, et, finalement, elle a dit :

— En tant qu'assassin présumé de mon père, tu pourrais me traiter avec plus de respect.

— Je ne l'ai pas tué. Et vous le savez. C'est pour cela que vous êtes venue.

— Non, a-t-elle répliqué. Je suis venue parce que, ce matin, un individu très bizarre, un certain Viriato, marié, pour plus de précision, à ta pétasse de sœur, est allé fourrer son groin dans le Registre du commerce, le Registre de la propriété, le Registre des marques et patentes, la Société générale des auteurs et autres centres d'inscription et d'enregistrement, dans le but non dissimulé de fouiner dans les sociétés de mon père, aujourd'hui les miennes. Naturellement, les fonctionnaires m'en ont informée sans tarder, au cas où je souhaiterais faire part de cette intrusion à la police ou, au contraire, ne pas faire part de cette intrusion à la police, c'est selon.

— Ah, ai-je dit.

— Je ne sais pas, a-t-elle poursuivi, si tu as réellement tué mon père ou non. Tant qu'on ne disposera pas de preuves irréfutables, j'ai décidé de ne pas porter de jugements précipités qui ne mèneraient à rien. Des incursions de ton beau-frère, je déduis que tu essayes de faire des investigations, et cela me laisse supposer que ce ne doit pas être toi l'assassin, bien que tes activités puissent correspondre à un autre objectif. Pratiquement et de façon provisoire, je considérerai en tout cas que tu n'es pas coupable et que tu as autant d'intérêt que moi à découvrir le vrai coupable. C'est pour cela que je suis venue.

— Pour me dire ça ?

— Pour te proposer une alliance.

— Je la vois déjà, votre alliance, ai-je répliqué. Je vous raconte ce que j'ai trouvé, vous me racontez ce que vous savez, et nous avançons ainsi à pas de géants sur le chemin de la vérité. Eh bien, non, mademoiselle Pardalot, pas d'alliance. Pas d'alliance, parce que si j'accepte, je vous raconterai ce que je sais, mais vous, vous ne lâcherez rien. Et quand je vous aurai tout dit, ou bien, dans le meilleur des cas, vous me balancerez quatre mensonges, ou bien, dans le pire, vous m'enverrez Santi pour qu'il m'élimine. Ou un autre Santi, si le Santi original est toujours dans l'unité des soins intensifs.

— Tu me sous-estimes, a-t-elle dit. Je ne venais pas pactiser avec toi. Je venais te proposer de l'argent en échange d'informations. Et je ne sais pas qui est Santi, ni ce qu'il fait dans l'unité des soins intensifs, bien que je puisse l'imaginer.

J'ai réfléchi quelques instants, appuyé sur le manche à balai. Puis j'ai dit :

— Gardez votre argent. Les informations dont je dispose ne le valent pas.

— Ça, c'est moi qui en déciderai, a-t-elle dit. Je ne

t'ai pas encore dit le genre d'informations que je cherche.

— Ah, ce n'est pas sur l'assassinat de votre père ?

— Si, également. Mais, pour le moment, je m'intéresse davantage à ce que tu peux me raconter sur Ivette. Pas sur moi, mais sur l'autre Ivette.

— Comment la connaissez-vous ? ai-je demandé.

— C'est moi qui pose les questions, a-t-elle répondu.

— Seulement si nous arrivons à une entente. Comment connaissez-vous Ivette ?

— Nous avons été à l'école ensemble quand nous étions petites. Nous étions amies. Nous n'avions pas de secrets l'une pour l'autre. Je voulais être mannequin et elle lieutenant dans la division cuirassée Brunete. Elle était folle amoureuse du général Tejero jusqu'au jour où elle a découvert qu'il était chauve. Comme tu vois, nous étions deux enfants. Je rêvais de ressembler à un modèle qui s'appelait Lauren Hutton, tu te souviens d'elle ? Elle faisait deux fois sur trois la couverture de *Vogue*, *Cosmopolitan* et *Vanity Fair*.

— Là où je vivais, en ces années heureuses, n'arrivaient que *El Caso* et *Cadeneta*, la revue du prisonnier modèle. Où étiez-vous à l'école, Ivette et vous ?

— Dans un pensionnat. De bonnes sœurs. Ça te semblera encore plus loin de ton monde.

— Oui, mais moins que vous ne l'imaginez. Parlez moi encore d'Ivette. Quel est son vrai nom ?

— Le vrai nom d'Ivette ?

— Oui.

— Ivette.

— Continuez, et parlez-moi aussi de vous.

— Ivette avait un an de plus que moi. Je l'admirais beaucoup. Au fond, je pensais qu'elle finirait par être mannequin, et pas moi. Ça s'est passé à peu près ainsi, bien qu'Ivette ne se soit jamais intéressée à la mode. C'est étonnant, parce qu'elle avait toutes les qualités requises et elle aurait gagné de l'argent. D'après ce qu'on disait, et qui était facile à voir, sa famille était pauvre, au moins selon les critères du pensionnat. Une année, elle n'est plus venue.

— Mais vous avez continué à vous voir.

— Peu, et toujours par hasard. Je ne savais pas comment la trouver et elle, qui savait comment me trouver, n'a jamais essayé. Pourtant nous nous rencontrions quelquefois dans la rue, dans les magasins, au cinéma ou dans des réceptions. Dans ces cas-là, elle se montrait très réservée sur sa vie. Elle ne m'a jamais dit ce qu'elle faisait, ni si elle avait un ami, ni rien de ce genre. Et puis je suis partie poursuivre mes études à l'étranger et nous ne nous sommes plus revues.

— Jusqu'au jour où…

Ivette Pardalot a souri aimablement pour la première fois et a hoché la tête.

— J'ai assez parlé. Si je te raconte tout, notre accord est à l'eau.

— Il n'y aura en aucun cas d'accord. Ne vous offusquez pas. Moi non plus je ne veux pas porter de jugements précipités. Je ne sais pas encore si je peux ou non vous faire confiance. L'autre jour on m'a mis une bombe, dont les effets sur la boutique sont encore visibles, et ce matin même quelqu'un m'a tiré dessus dans ma propre maison. Vous voyez que je n'ai que trop de motifs de ne pas faire confiance à la première personne qui m'aborde avec une proposition. Si vous souhaitez ma collaboration, il faudra d'abord démontrer que vous êtes de mon côté.

Je pensais qu'elle allait se fâcher, mais elle ne s'est pas fâchée.

— Je comprends ta position, a-t-elle dit, mais tu commets une erreur. Si tu changes d'avis, fais-le-moi savoir. Je ne te dis pas où ni comment : tu sais très bien t'y prendre quand tu veux entrer en contact avec les gens. Je te dois combien ?

– Rien. Je n'ai pas touché à un seul de vos cheveux.

– Tu as fait comme tous les coiffeurs. Et même si c'est vrai, tu as perdu beaucoup de temps avec moi. Tu ferais payer une cliente normale.

– Si elle était satisfaite, oui. Autrement, non.

En partant, sur le pas de la porte, elle s'est retournée pour me regarder dans les yeux et a dit :

– Les affaires de mon père n'étaient pas particulièrement claires, mais ça n'explique pas pourquoi on l'a tué. Si on avait voulu lui nuire, on aurait envoyé une dénonciation ou fait filtrer une information dans la presse. Beaucoup de monde aurait été impliqué dans des révélations sur les tripotages de la société, mais rien ne pouvait attirer autant l'attention qu'un assassinat. Si tu cherches un mobile, ne le cherche pas dans le Registre du commerce. Considère ce conseil comme un paiement en espèces. Et encore une chose : nous avons tous besoin qu'on nous aime et qu'on prenne soin de nous.

– Je ne vois pas à quoi correspond ce dernier point, ai-je dit.

– A rien, a-t-elle dit, c'est le pourboire.

*

Quand je suis sorti, le ciel était noir et, sur la droite, du côté du port, on pouvait percevoir des coups de tonnerre et autres phénomènes atmosphériques. J'ai dû faire une demi-douzaine d'établissements commerciaux (le vidéoclub de M. Boldo, le kiosque de M. Mariano, la mercerie de Mme Eulalia, l'agence de voyages Le Bison, la pharmacie du docteur Vermicheli) avant de trouver quelqu'un qui me prête un parapluie (tous arguant qu'ils avaient besoin du leur), muni duquel j'ai pris trois autobus pour me rendre là où Magnolio exerçait la surveillance dont je l'avais chargé. Une débauche d'éclairs a accompagné nos retrouvailles.

— Je vous suis bien reconnaissant d'être venu me relayer, a dit Magnolio, j'avais déjà le cœur tout chamboulé.

— Vous avez peur des orages, de leurs pompes et de leurs œuvres ? lui ai-je demandé.

— Non, monsieur. Mais j'ai rangé ma voiture dans la rue Bruc, et s'il pleut, elle peut être emportée par les eaux.

Je l'ai rassuré en lui affirmant que la rue Bruc disposait d'un système d'écoulement des eaux pluviales, même torrentielles, et je l'ai prié de me faire un résumé des événements de la journée.

De bon matin, a-t-il dit, il s'était posté devant la maison de Mlle Ivette et derrière le tronc noueux d'un vieux platane (que par erreur on appelle dans son pays bananier, vu qu'en espagnol banane se dit *platano*), de là, protégé de la curiosité des passants et des rayons du soleil par les épaisses frondaisons (de l'arbre noueux), il avait observé le porche de la maison de Mlle Ivette au fil des heures. Durant lesquelles, a-t-il ajouté, le mystérieux, menaçant et sûrement fictif personnage à la gabardine qui avait suivi Ivette n'avait pas donné signe de vie et, plus généralement, il ne s'était rien passé qui soit digne d'être mentionné. Si ce n'est, a poursuivi Magnolio, qu'à dix-sept heures et vingt-deux minutes Mlle Ivette était sortie de l'immeuble et avait pris la rue Mallorca jusqu'au Paseo de Gracia, puis le Paseo de Gracia en direction de la place de Catalogne. Comme il ne pouvait se mettre en contact avec moi pour prendre des instructions, avait continué de relater Magnolio, il avait décidé, de sa propre initiative, de la suivre, toujours en observant les précautions adéquates pour ne pas se faire remarquer de Mlle Ivette. Et comme il avait perdu un temps précieux à réfléchir et que ce quartier du centre contenait beaucoup d'obstacles sous la forme de passants et d'arbres noueux, il avait, entre-temps, failli perdre la trace de Mlle Ivette. Néanmoins, a dit Magnolio, Magnolio avait finalement réussi à l'apercevoir de nouveau au moment où Mlle Ivette en personne disparaissait dans l'escalier menant à la station de chemin de fer souterraine Place de Catalogne, située justement dans le sous-sol de la place de Catalogne, dont elle tirait son nom. Là (dans la station Place de Catalogne de la place de Catalogne), Mlle Ivette s'était dirigée vers un guichet d'information des usagers (du chemin de fer) et avait échangé quelques mots avec le préposé qui se tenait derrière. Puis elle avait consulté un tableau électronique indiquant les horaires, destinations et autres caractéristiques des chemins de fer. En dernier ressort, Mlle Ivette s'était dirigée vers un distributeur automatique de billets de chemin de fer (aux usagers) et avait examiné la liste des prix. Sa curiosité satisfaite, Mlle Ivette avait pris le chemin du retour (ou le trajet inverse) vers sa maison, toujours suivie de Magnolio, et elle y était rentrée à dix-sept heures et cinquante-cinq minutes, approximativement, non sans s'être pourvue de vivres dans une charcuterie. Après cette excursion à la place de Catalogne, il ne s'était plus rien passé, sauf qu'il commençait à tomber des grosses gouttes pendant qu'il parlait, a conclu Magnolio.

J'ai ouvert le parapluie et, comme il n'y avait pas moyen de tenir tous les deux sous son diamètre réduit sans recourir à des postures licencieuses, je lui ai dit de partir, non sans l'avoir auparavant félicité de l'habileté avec laquelle il avait accompli sa tâche et de la clarté de son rapport, et lui avoir recommandé de se présenter dans la boutique le lendemain matin à l'heure de l'ouverture, au cas où il y aurait autre chose à faire. Il m'a promis qu'il serait là et a pris ses jambes à son cou.

Les quelques piétons qui déambulaient encore l'ont imité dans sa fuite et je suis très vite resté seul, sans autre compagnie que celle de la circulation automobile. En prévision d'une attente prolongée sous la pluie, j'ai ramassé par terre un sac en plastique (il y en avait beaucoup), je l'ai ouvert sur les côtés et l'ai déployé sur le trottoir pour me protéger les fesses de l'humidité. Je me suis assis sur ce rudimentaire mais efficace tapis de bain, me suis adossé au tronc de l'arbre noueux, ai remonté les jambes pour être complètement abrité par le parapluie, et j'ai fixé mon attention sur la fenêtre de l'appartement d'Ivette. Au bout d'un moment, l'obscurcissement progressif du ciel produit par le coucher du soleil a cédé la place à l'éclairage public ainsi qu'à celui des vitrines et des enseignes lumineuses. Des lumières se sont allumées à beaucoup de fenêtres et de balcons. Plus tard, les magasins ont fermé leurs portes. La circulation automobile a fortement diminué et la pluie s'est ralentie. J'ai pensé à la pizzeria avec nostalgie et une faim de loup. Je serais volontiers entré dans n'importe lequel des cafés qui proliféraient dans ce secteur tertiaire (propice à l'oisiveté) de notre ville pour y faire l'acquisition d'un sandwich aux calamars et aux oignons, ou de toute autre spécialité, mais je n'étais guère en fonds et mon enquête pouvait se prolonger plusieurs jours, sinon plusieurs mois, avec l'accumulation subséquente de frais toujours difficile à affronter, surtout quand le capital initial est pratiquement égal à zéro.

A onze heures, plus ou moins, il a cessé de pleuvoir, les nuages se sont écartés et la lune s'est montrée dans le firmament. A la fenêtre de l'appartement d'Ivette, j'ai cru distinguer la silhouette de la partie supérieure d'Ivette. Puis cette silhouette a disparu et la silhouette de la partie inférieure d'Ivette est apparue. Un moment, j'ai pensé qu'Ivette voulait faire savoir à un observateur extérieur qu'elle était toujours entière, mais j'ai vite chassé cette idée absurde et déduit qu'elle devait être en train de faire de la gymnastique. Tandis que je résolvais cette énigme, les deux silhouettes complémentaires ont disparu et la lumière s'est éteinte, laissant la fenêtre dans l'obscurité. D'autres fenêtres ont fait de même. Passé minuit, il ne restait aucune lumière aux fenêtres de cet immeuble ni aux autres. C'était une nuit de recueillement. Même les cafés fermaient tôt leurs portes. Le calme régnant m'a communiqué un sommeil invincible. J'ai dormi un moment.

J'ai été réveillé par un grand bruit et une secousse qui m'ont fait rouler plusieurs fois sur moi-même et sur le trottoir. C'était un éternuement, par lequel mon organisme m'annonçait sa décision de se refroidir, due à la pluie, à la fraîcheur nocturne et au fait qu'on m'avait volé le sac en plastique pendant mon sommeil. Mais pas le parapluie, que j'avais pris la précaution d'accrocher par le manche à une branche de l'arbre haute et noueuse. L'aube pointait et les premiers autobus circulaient. Après avoir récupéré le parapluie, je suis monté dans un de ceux-ci pour prendre le chemin du retour à mon appartement.

Avant d'entrer, j'ai frappé à la porte voisine. Purines a ouvert et je lui ai demandé si, pendant mon absence, il s'était passé quelque chose qui soit digne d'être mentionné.

— Je n'ai rien vu qui te concerne, a-t-elle répondu. Toi, en revanche, te voilà transformé en saule pleureur. Trempé jusqu'aux os, les yeux cernés, pâle et grelottant. Tu es tombé dans la mer ?

— Ce n'est rien, Purines, ai-je voulu lui dire.

Mais un éternuement a démenti mon diagnostic en m'expédiant à l'autre bout du palier.

En conséquence de quoi elle m'a fait entrer chez elle, profiter de l'eau de la baignoire, qu'avait déjà utilisée un client et qui gardait encore sa chaleur et ses propriétés, pour prendre un bain de mousse, relaxant et prophylactique, et mettre des vêtements propres et secs, pendant qu'elle me préparait du thé. Le bain m'a revigoré, mais les vêtements qu'elle m'a prêtés m'ont légèrement alarmé quand je me suis vu dans la glace.

— Dis-moi, en quoi suis-je habillé ?

— En Bécassine ! m'a-t-elle crié de la cuisine.

— Qui c'est, celle-là ?

— Tu n'as pas besoin de le savoir ! Tes vêtements sont sur le séchoir et, avec cette humidité, ils ne seront pas secs avant plusieurs heures ! Et puis au moins, avec ceux que tu portes, tu ne pourras pas jouer les gros durs !

Comme pour rien au monde je ne voulais offenser Purines (ni abuser des points d'exclamation, que je déteste), je suis retourné me contempler dans la glace et me suis dit que de tout mal pouvait sortir un bien, car cet accoutrement était parfaitement indiqué pour réaliser mes plans. De sorte que j'ai bu trois grandes tasses de thé (je n'aime pas le thé) qui m'ont réchauffé le ventre mais n'ont pas trompé ma faim, puis, après avoir réitéré à Purines l'expression de ma gratitude et balayé la poussière de mon appartement, je suis allé à la boutique, où arrivait également Magnolio, avec une admirable ponctualité.

— Quelle charmante poupée vous faites, s'est-il exclamé en me voyant. Je ne vous connaissais pas ces goûts.

— Ne pensez pas à mal, ai-je dit. C'est un déguisement. Avez-vous pris votre petit déjeuner ?

— Oui, monsieur. Il était succulent.

— Ah, c'est pour ça que je vous vois si guilleret.

— Pour ça et pour une autre raison non moins importante, a dit Magnolio.

Et tout de suite, sur un ton confidentiel, il m'a raconté qu'il s'était levé de bonne heure, avait lavé la voiture et l'avait garée devant le portail de l'hôtel particulier de M. et Mme Arderiu dans l'espoir d'entrer en contact avec une des deux bonnes dominicaines desdits

M. et Mme Arderiu, car lors de son passage fugace dans celui-ci (l'hôtel particulier) quelqu'un lui avait dit que la personne chargée d'aller acheter le pain et les croissants pour le petit déjeuner de M. et Mme Arderiu était justement Raimundita pour qui Magnolio éprouvait, comme Magnolio lui-même me l'avait confessé précédemment, une attirance très conforme, par ailleurs, à nos intérêts. Le sort avait favorisé Magnolio et, vers six heures et quarante-huit minutes, Raimundita en personne était sortie avec un sac en toile, apparemment vide, dans lequel, selon tous les indices, confirmés par la suite, elle se proposait de mettre le pain et les croissants. Alors Magnolio était descendu de la voiture et, laissant la portière ouverte de même que le capot afin qu'elle puisse l'admirer dans sa totalité, il l'avait saluée avec douceur et sobriété, et il lui avait demandé où elle allait. Elle, qui, par hasard, portait un petit chaperon rouge pour se protéger de la fraîcheur matinale, avait répondu qu'elle se rendait à la boulangerie pour acheter du pain et des croissants à l'intention de ses maîtres (M. et Mme Arderiu) comme tous les matins à l'aube. Et n'avait-elle pas peur d'aller ainsi toute seulette dans ces rues solitaires, etc., etc. ? Non : elle ne prenait peur que quand elle voyait surgir sur son passage un nègre velu comme un singe, gros comme une citrouille et monté sur des échasses. Et lui : Qu'est-ce que tu vas imaginer, ma mignonne, je suis juste venu t'accompagner en voiture, au cas où il pleuvrait. C'est pour mieux te protéger, mon enfant.

— Ça vous ennuierait, l'ai-je interrompu, de garder vos images folkloriques pour une occasion meilleure et de me dire si vous avez pu découvrir quelque chose qui se rapporte à notre affaire ?

— Eh bien, en vérité, rien, a-t-il répondu, un peu vexé. Il n'était pas non plus question de brûler les étapes dès la première rencontre. J'ai seulement appris, en bavardant ainsi de choses et d'autres avec Raimundita, que M. et Mme Arderiu ne sont pas sortis hier soir et qu'ils ont reçu la visite de maître Miscosillas, avocat à la Cour, un monsieur d'âge mûr et aux cheveux gris qu'elle connaît pour l'avoir vu plusieurs fois chez eux. M. Arderiu et maître Miscosillas ont discuté un bon moment, seul à seul. M. et Mme Arderiu ont également reçu dans la journée la visite de Monsieur le Maire à propos d'un meeting préélectoral, mais ce fait n'est guère significatif, vu que tous les habitants de Barcelone ont reçu la même invitation pour le même meeting.

— C'est peu, en effet, ai-je admis, mais ce n'est pas mal. L'important est que, par Raimundita, nous ayons accès à la maison.

— Pardonnez, c'est moi qui y ai accès, m'a coupé Magnolio. Ma Raimundita n'est pas un passe-partout. Il est vrai qu'ainsi habillé, vous n'êtes pas un rival dangereux. Pourquoi m'avez-vous dit que vous vous êtes habillé comme ça ?

— Si je ne vous l'ai pas encore dit, ai-je répliqué, ce n'est pas maintenant que je vais le faire. Mais mon plan exige que j'abandonne la boutique pendant quelques heures et j'ai pensé que vous pourriez me remplacer.

— Moi, vous remplacer ? s'est exclamé Magnolio. Ça alors ! Je ne connais rien à la coiffure. Et les clients ne me connaissent pas, ils ne se confieront pas à mes mains : j'ai l'air d'un cannibale.

— Ne sous-estimez pas votre sex-appeal. Voyez les bons résultats que vous avez obtenus avec Raimundita.

Il a protesté un moment mais il a fini par céder, comme toujours. C'était vraiment une bonne pâte. Je me suis dit qu'à la place de Raimundita je n'hésiterais pas à me marier avec lui s'il me le proposait, ou même s'il ne me le proposait pas. Mais le temps passait et j'avais beaucoup à faire, aussi ai-je reporté ces considérations à une autre occasion, en me bornant à initier Magnolio aux secrets de la coupe, de la mise en plis et de la permanente, laissant pour plus tard les travaux plus sophistiqués.

— Faites attention aux oreilles, ai-je dit en manière de péroraison. Elles surgissent toujours là où on les attend le moins. Et surtout ne vous embarquez pas dans n'importe quoi : s'ils vous embêtent avec les teintures, mettez-leur de l'eau et dites-leur de revenir demain. La liste des prix est sur le mur, mais elle n'est qu'indicative. Essayez de faire payer le double et n'acceptez pas moins de la moitié. Les pourboires sont pour vous.

— Et soixante pour cent de la recette.

— Vous êtes fou ? Trente, au maximum.

— Disons fifty-fifty, et n'en parlons plus.

— D'accord.

*

Par précaution, j'ai décidé de ne pas rendre le parapluie (le ciel restait couvert) avant mon retour et, ainsi nanti mais sans prendre de petit déjeuner, je me suis dirigé vers la place de Catalogne pour me poster devant la bouche de la station souterraine de chemin de fer Place de Catalogne où, d'après le récit de Magnolio, Ivette était entrée la veille au soir. Pour éviter d'être vu d'elle quand elle arriverait, j'ai fait semblant d'examiner avec minutie (et persistance) une vitrine du grand magasin El Corte Inglés, le reflet dans la glace teintée me permettant de surveiller la bouche de la station sans attirer l'attention des voyageurs pressés (de prendre le train) qui y pénétraient en se pressant. La place était très animée, de même que le magasin où une foule, toute à la fièvre des achats, se bousculait pour entrer et sortir.

L'attente est devenue pénible. Sans savoir que le thé

est diurétique, j'en avais bu trois pleines tasses chez Purines. Dans les circonstances présentes, ce problème, en soi perturbant, était aggravé par une tenue vestimentaire dont la manipulation ne m'était pas familière et par l'affluence des touristes qui, sous prétexte de photographier tel ou tel édifice, prétendaient meubler le vide insupportable de leurs albums-souvenirs avec mes fréquentes tentatives pour me soulager. Nous étions occupés à ces escarmouches quand j'ai vu Ivette traverser le boulevard de San Pedro en se dirigeant vers la station et vers moi. Je me suis frayé un passage à la pointe du parapluie et l'ai suivie dans l'escalier, à brève distance pour ne pas la perdre et en me fiant à mon déguisement pour qu'elle ne me reconnaisse pas quand bien même elle me verrait, car je suis convaincu que les femmes (quoiqu'elles le nient) s'attachent surtout, chez les hommes, à l'habillement et la coiffure. D'ailleurs Ivette marchait vite et sans défiance. Elle jetait de temps en temps un coup d'œil à sa montre et pressait le pas. En passant devant un kiosque, elle a acheté un journal. Je la suivais de très près dans la station, sans prêter attention aux changements opérés dans cette noble enceinte, naguère musée de la saleté et aujourd'hui centre étincelant de l'oisiveté, de la culture et des communications, pourvu de commodités gastronomiques aussi diverses que riches en matières grasses. J'étais si près d'elle que nous avons failli nous heurter quand elle s'est arrêtée devant le distributeur automatique afin d'acheter un aller-retour pour Mataró. Mon pécule ne me permettait qu'un aller simple, nanti duquel et toujours sur les talons d'Ivette j'ai obtenu l'accès au quai et ensuite au train de banlieue qui s'y trouvait. Je n'y étais pas sitôt monté que les portes se sont fermées et que le train a démarré. Il s'en était fallu d'un poil.

A cette heure-là le train n'était pas plein, pourtant il

n'y avait aucune place libre dans le wagon et personne ne m'a cédé la sienne malgré le bain de mousse, mon accoutrement et mon attitude réservée. Ce détail, s'ajoutant au fait que je n'avais pas reçu un seul compliment galant de toute la journée, m'a fait penser que si je me trouvais soudain, par quelque caprice génétique, transformé en femme, les choses n'iraient pas mieux pour moi, car la vie n'offre jamais de seconde chance ; et même si elle en offrait une, celle-ci ne nous servirait à rien, vu que nous sommes toujours les mêmes et personne d'autre.

Et ainsi appuyé à la porte, bercé par ces considérations philosophiques, je me suis endormi pendant que le train roulait dans le sous-sol de la ville. Au sortir du tunnel, la lumière du jour m'a réveillé. Ivette était toujours sur son siège, plongée dans la lecture du journal. Par la vitre j'ai vu défiler le paysage, à travers le reflet de mon visage brouillé. Le train passait le long d'un mur continu d'environ deux mètres de haut, entièrement couvert de graffitis colorés. Par-delà le mur, on voyait des entrepôts en brique rouge, vides et délabrés. Les murs de ces entrepôts étaient également couverts de graffitis. Il n'y avait pas un centimètre de mur sans graffiti. J'ai salué respectueusement le zèle et la constance d'une génération qui se consacre à peinturlurer la totalité du trajet de Gibraltar à la frontière française. Sur la chaîne de monticules aux douces ondulations, des blocs de logements destinés à la reproduction et à l'élevage des gens pauvres et honnêtes violentaient l'horizon. Du linge séchait à toutes les fenêtres. Au bout d'un moment nous avons aperçu la mer. Comme le ciel continuait d'être opaque, la plage était déserte. J'ai détourné mon regard, car la mer me déprime. La montagne aussi. D'ailleurs tous les paysages me dépriment. Tout ce qui est à plus de dix mètres de distance me met mal à l'aise. Par chance, de l'autre côté de la voie, défilaient la route et plus loin l'autoroute. Cela m'a un peu distrait. Les entrepôts vides ont cédé la place à des terrains vagues et des monceaux d'ordures. Puis sont apparus les grands ensembles urbanistiques au milieu des espaces verts. Tantôt des grandes barres d'appartements, toutes pareilles, tantôt des petites maisons basses, également pareilles, disposées à la file ou au contraire suivant un ordre capricieux, comme si l'organisation générale du territoire s'était ajustée à plusieurs plans, tous différents entre eux, tous mauvais et tous abandonnés en cours de réalisation. Dans les espaces non construits, où il y avait jadis des vergers en terrasses avec des figuiers et des amandiers ainsi qu'une route sinueuse qui montait le long du versant pour atteindre une tour de guet ou un ermitage, il y avait maintenant du gazon, des palmiers, des puits en stuc et des tuyaux d'arrosage, dans une tentative de transformer ce qui avait été naguère une honnête banlieue en une Californie au rabais.

J'ai été tiré brutalement de cette contemplation apathique par Ivette, qui s'est levée, s'est dirigée vers la porte du wagon et est sortie au moment où le train venait de s'arrêter dans une gare située avant Mataró, nommée Vilassar. J'ai dû sauter comme une grenouille avant que la porte ne se referme et que le train ne continue son voyage avec moi dedans, et elle dehors et derrière.

Dans la gare, ouverte sur la plage dont je foulais le sable, le vent qui soufflait a failli emporter ma coiffe. J'ai rajusté les brides et suivi Ivette qui avait emprunté un passage souterrain tapissé de sable et de salpêtre. Nous sommes ressortis sur le quai d'en face. Un autre passage ayant les mêmes caractéristiques nous a permis de traverser la route sans arrêter la circulation ni être tués par elle.

Ivette suivait le bas-côté de la route en s'arrêtant de

temps à autre, comme si elle savait où elle voulait aller mais pas comment y aller et cherchait un point de référence ou d'orientation. Au tournant du premier carrefour s'ouvrait une petite place inhospitalière exposée au vent de la mer, au bout de laquelle stationnait une file de taxis, portières ouvertes et chauffeurs dehors, bavardant entre eux. Ivette est montée dans le premier taxi, lequel a tout de suite démarré pour prendre une rue montante, perpendiculaire à la route. Comme je n'avais pas d'argent pour faire suivre son taxi par un autre taxi (avec moi dedans), il m'a fallu noter le numéro de la plaque minéralogique, celui de la licence, et les caractéristiques du véhicule utilisé par Ivette, et attendre qu'il revienne à la station avec ou sans elle.

Pour tromper mon attente, j'ai fait un tour sur la petite place et dans ses environs immédiats. Il y avait quelques grandes maisons neuves à côté d'autres plus anciennes, d'un seul étage. Ces dernières, qui, à en juger par quelques indices spécifiques, avaient dû être occupées autrefois par un forgeron, un cordonnier et un charpentier, abritaient maintenant une agence immobilière, une boutique de souvenirs et un boui-boui dont le nom était Au Joyeux Café Arrosé. Comme l'activité économique de l'agglomération était centrée sur les mois d'été, tout, en dehors de la saison, semblait le résultat d'un grave malentendu.

Dans le boui-boui, j'ai demandé qu'on me donne quelque chose pour deux cents pesetas, somme qui correspondait à mes possibilités. On m'a servi un sachet de copeaux de Porex qui avaient le goût de boulettes de poulet frit, je les ai trouvés délicieux. Je suis ressorti sur la petite place. Le taxi n'était pas de retour. Un Arabe qui arrosait consciencieusement les plantes m'a permis d'étancher ma soif au tuyau. Après quoi je me suis assis à l'ombre d'un arbre pour m'abriter du vent humide et parfois chargé de sable, jusqu'au moment où le taxi qui avait emmené Ivette est revenu. Je me suis alors approché du chauffeur, je lui ai demandé d'où il venait et il m'a répondu : de la résidence. Ne voulant pas éveiller ses soupçons, je n'ai pas posé d'autres questions.

J'ai pris la rue montante perpendiculaire à la route, par où le taxi était parti et revenu, et j'ai demandé au premier passant que j'ai rencontré comment on allait à la résidence. Mais c'était un étranger aussi perdu que moi. Finalement, une dame m'a dit qu'il fallait continuer de gravir cette rue ou route secondaire comme je le faisais déjà.

— Au premier tournant, vous trouverez l'Institut de formation professionnelle. Continuez. Ensuite vous trouverez le grand ensemble El Garrofer. Continuez. Ensuite vous trouverez le Centre d'assistance primaire. Continuez. Quelques kilomètres plus haut, vous trouverez la piscine municipale et le complexe sportif. Continuez encore un kilomètre, toujours en montant, et vous verrez la résidence.

Encouragé par cette perspective, j'ai remercié la dame de son amabilité et de sa précision, et j'ai entrepris l'ascension d'un bon pas.

*

Par le nom que tout le monde lui donnait (la résidence) et par sa situation privilégiée, en haut de la colline, entourée de pins et dominant le panorama, je m'étais fait à l'idée que je me dirigeais vers un hôtel de luxe. Mais lorsqu'après une marche de trois quarts d'heure je me suis arrêté, suant et éreinté, devant la grille, je me suis aperçu que cette dénomination recouvrait un triste asile de vieillards.

Avant que mes yeux s'habituent à la pénombre du hall, j'ai perçu l'odeur pour moi si familière de chou bouilli, de désinfectant répandu partout et de matières fécales. Puis j'ai distingué un comptoir vide, un socle portant l'effigie polychrome de Songoku et un pot de chambre en faïence oublié dans un coin. J'avais contemplé un décor semblable pendant trop d'années successives pour avoir envie de m'y introduire à nouveau de ma propre volonté, aussi ai-je tourné les talons en direction de la porte, décidé à prendre la poudre d'escampette. J'en ai été dissuadé par une voix mi-joviale, mi-comminatoire qui provenait de la zone la plus obscure du hall.

— Tu cherches quelqu'un, ma chérie ?

J'ai essayé d'improviser une réponse évasive, mais j'ai juste réussi à articuler une espèce de gargouillement. La personne qui me questionnait s'est manifestée en chair et en os : c'était une infirmière en blouse blanche, portant un stéthoscope et une matraque. A son âge, à sa manière de se comporter et à ses biceps, j'ai supposé qu'il s'agissait de l'infirmière chef. A la sueur déjà copieuse de mon ascension est venue s'en ajouter une autre, froide celle-là, et d'égale pestilence.

— Ne te frappe pas, ma chérie, a-t-elle ajouté en s'apercevant de mon trouble. Il est naturel de ressentir un peu d'appréhension quand on franchit ce seuil pour la première fois et, qui sait, la dernière, hein ? Mais il n'y a pas de raison de s'alarmer. On raconte un tas de choses sur ces résidences, hélas, ma chérie… et toutes fausses, crois-moi, toutes fausses… Oh, quels jolis petits habits t'ont mis tes parents pour t'abandonner ici. Sais-tu s'ils sont déjà passés à la caisse ?

Elle m'a caressé le menton et j'ai eu l'impression que ses canines étaient démesurément longues, mais c'était peut-être une illusion d'optique provoquée par la lumière incertaine et la digestion des pseudo-boulettes de poulet. A tout hasard, j'ai fait un pas en arrière. I'infirmière a continué de sourire.

– Tu ne parais pas avoir l'âge requis pour… a-t-elle dit. Mais bien sûr, nous pouvons toujours faire une exception.

– Je ne suis pas ici pour moi, ai-je réussi à prononcer.

– Oh, pardonne-moi, ma chérie, a ri l'infirmière. Une erreur humaine tout à fait compréhensible : l'habillement, le comportement atrabilaire, les traits physiognomoniques, tout faisait penser à une démence sénile précoce… Enfin, laissons cela, et venons-en au but de ta visite. Un proche parent ? Un être très cher à qui tu souhaites ménager de longues années de bien-être dans une joyeuse compagnie ? Oui, ma chérie, oui. Rien n'est assez beau quand on aime vraiment et qu'on est fatigué de tout supporter, n'est-ce pas ? La vieillesse est un chemin de croix. Ton mari, peut-être ? Je vois ça d'ici. Inutile de me raconter. Pauvre petite, comme tu as dû souffrir ces derniers temps. Ou peut-être depuis longtemps, peut-être depuis la nuit de tes noces. Les hommes sont des animaux, ma chérie. Des animaux, et irrationnels, en plus. A part leur machin, à quoi servent-ils ? Mon maître le disait toujours. Ne te marie pas, Maricruz, me disait-il, mais si tu te maries, ne te marie surtout pas avec un homme. Mon maître était un monsieur, un grand médecin ; et avec un grand machin. Le docteur Sugrañes, éminent psychiatre, spécialiste de la réhabilitation des psychopathes à tendances délinquantes, jouissant aujourd'hui d'une heureuse retraite, président à vie de la Fondation Sugrañes, et dont j'ai eu la chance d'être la disciple fervente. Tu as certainement entendu parler de lui.

J'ai fait une génuflexion respectueuse, puis j'ai dit, en forçant ma voix pour lui donner un timbre féminin et un léger accent rural :

– Faites excuses, j'suis qu'une pauvre bourrique, mais j'venions pas pour une admission, j'venions faire visite à un parent. Le pauvre vieux, il a perdu la boule, mais, allez savoir, vous savez… Si vous m'permettez d'entrer… J'lui apporte des Kinder Surprise dans mes culottes, mais j'avions ben peur qu'ils soyent fondus par c'te chaleur.

L'infirmière chef a pincé les narines et détourné son regard avec un dégoût évident.

— Allons, ce n'était pas la peine de me faire perdre mon temps pour ça, a-t-elle dit en indiquant une porte au fond du hall. Vas-y toute seule. A cette heure-ci, tu les trouveras tous ensemble dans le jardin.

Un escalier doublé d'une rampe menait à un jardin sans arbres ni herbe, recouvert de canisses, où une vingtaine de loqueteux de l'un et l'autre sexe, les uns debout et les autres assis, tous décatis, contrefaits et stupéfaits, bavaient et batifolaient. Dans un coin, à l'écart du groupe, j'ai vu Ivette en compagnie d'un infirme. Afin de pouvoir l'observer à ma guise et sans attirer les soupçons, j'ai choisi un pauvre homme qui dormait sur une chaise longue attachée au mur, en pyjama rayé, un bonnet de papier enfoncé jusqu'aux yeux. La saleté de son pyjama et la concrétion calcaire de sa morve laissaient entendre que personne ne perdait pour lui son temps, son argent ni son affection. J'ai traîné une chaise en fer couverte de rouille (d'urine) jusqu'à l'endroit où il gisait, je me suis assis et j'ai composé une image assez vraisemblable de l'abnégation filiale. Inutile de préciser que de telles précautions étaient parfaitement sans objet, parce que nul ne prêtait attention à personne ni à rien, qu'il n'y avait pas d'infirmières pour veiller sur les patients et qu'Ivette n'avait de regard que pour l'être décharné en compagnie de qui elle était. Un examen de ce dernier m'a indiqué qu'il ne s'agissait pas vraiment d'un vieillard mais d'une personne d'âge moyen gravement malade. En des temps pas si lointains il avait dû être beau et vigoureux, deux qualités qu'il avait troquées aujourd'hui pour un visage ravagé, des yeux fiévreux, une peau jaunâtre et un corps brisé, prisonnier d'une chaise roulante. Son expression semblait éveillée, tantôt fâchée, tantôt inquiète. Il écoutait en silence ce qu'Ivette lui racontait puis prononçait des phrases courtes. Au bout d'un moment, il a laissé retomber sa tête sur sa poitrine et émis ce qui ressemblait à des sanglots ou des soupirs. Ivette l'a chapitré. Elle semblait dire : ne te laisse pas vaincre par le découragement. Ou peut-être : ne te laisse pas encore vaincre par le découragement. Mais on devinait que dans ses yeux brillaient également des larmes. Finalement, ils ont tous deux rapproché leurs têtes et ont chuchoté pendant quelques minutes, au terme desquelles Ivette a dit adieu à l'infirme et s'est dirigée d'un pas vif vers la sortie. L'invalide l'a suivie des yeux et, quand elle s'est retournée avant de descendre l'escalier pour lui adresser un salut de la main, il a haussé la voix pour lui dire :

— Rappelle-toi ce que tu m'as promis. En aucun cas, c'est bien clair ? En aucun cas.

Elle a fait oui de la tête, a souri et l'a salué de nouveau, mais il a pris un air distrait, comme s'il n'avait pas la force d'affronter la séparation. Toute cette scène avait été aussi émouvante qu'apparemment improductive pour mes investigations.

J'ai refoulé mes propres larmes et me suis levé dans l'intention de suivre Ivette. Mais, au moment où je m'apprêtais à lui emboîter le pas, le petit vieux en pyjama dont le corps subclaquant m'avait servi d'abri pour épier la rencontre d'Ivette et de l'infirme s'est réveillé et, s'accrochant à un pli de ma jupe, a tiré dessus avec une énergie inattendue en grognant :

— Peut-on savoir ce que tu fous près de moi ? Espèce de salope. Et moche, avec ça.

J'aurais reconnu cette voix n'importe où, mais je ne

pouvais en croire mes oreilles. J'ai scruté sa figure, il a examiné attentivement la mienne, et nous avons tous les deux ouvert démesurément la bouche. Le petit vieux en pyjama rayé a été le premier à recouvrer le don de la parole et s'en est servi pour s'exclamer :

– Putain de bordel de merde. Cette fois, j'ai vraiment des hallucinations.

Ce à quoi, ayant vaincu en partie ma stupéfaction initiale, j'ai répondu d'une voix douce :

– Vous ne pouvez savoir combien je suis ravi de vous revoir, commissaire Flores. Surtout en des circonstances aussi heureuses pour vous.

*

Mes relations avec le commissaire Flores remontent à des temps si lointains que l'on pourrait dire sans crainte d'exagérer qu'elles font désormais partie de l'Histoire de l'Espagne, à supposer qu'il y ait place dans l'Histoire de l'Espagne pour de tels détails, aussi petits que misérables, chose qui reste à voir. Les causes et les circonstances de notre première rencontre se perdent dans les replis les plus obscurs de ma mémoire, mais non ses effets. A l'époque je n'étais qu'un simple apprenti pickpocket et lui un débutant dans ce qui devait être une brillante carrière au service de la loi et de l'ordre. Le destin nous avait réunis, sans que j'aie rien fait pour cela, et transformés en un duo inséparable. A défaut de meilleur mentor, c'est lui qui m'a enseigné tout ce que je sais : l'efficacité du travail (qui ne remplace jamais autre chose), l'importance d'être honnête (seulement si on est idiot), la transcendance de la vérité (ne jamais la dire), l'abomination de la trahison (et son rendement), et la véritable valeur des choses (appartenant à autrui), de même que, subséquemment, le bon usage de la teinture d'iode pour badigeonner les blessures, plaies, hématomes, griffures et excoriations. Dans son ombre, j'ai appris à être rigoureux dans la planification de mes actes, prudent dans leur réalisation, méticuleux dans la dissimulation postérieure de toutes traces. En vain : si habile que je sois, ce savoir a été de peu de poids face à sa sagacité, à ses connaissances pratiques, à sa science et à l'avantage que lui donnaient les nombreux moyens mis à sa disposition et l'absence de contrôle et de scrupules. Il m'a toujours piégé et ne s'est jamais laissé piéger par moi, parvenant même en certaines occasions, par de fausses promesses, à se servir de mes efforts et de ma personne à son seul profit pour me laisser ensuite le bec dans l'eau. Je me demandais parfois si un tel acharnement, une telle animosité ne cachaient pas en fait, dans le fond de son âme, une vague affection refoulée, mais après avoir soupesé avec soin tous les indices à la lumière des théories les plus sérieuses concernant les actes manqués et autres impairs, j'avais fini par conclure qu'il n'en était rien. Maintenant encore, revenu sur le droit chemin, et dans une conjoncture bien différente, je ne pouvais marcher dans une rue obscure et silencieuse sans avoir peur d'entendre le bruit de ses pas dans mon dos.

— Pourquoi es-tu venu ? Qui t'envoie ? Ne me raconte pas de salades ou je te pète la gueule, hein ? a-t-il dit.

J'ai fait le geste d'esquiver le coup et de filer. Dans ses jeunes années, le commissaire Flores, convaincu de l'importance de cultiver le corps et l'esprit, aimait pratiquer une forme de pugilat fondée sur la passivité de l'adversaire, dans laquelle nous avions brillé bien des fois. Aujourd'hui que je le voyais avancé en âge, privé de tout pouvoir juridictionnel, débilité, moribond et assujetti à sa chaise par une lanière en cuir, le souvenir du passé m'inspirait encore de la peur.

— Une seule visite, a-t-il poursuivi, une seule visite pendant toutes ces années… et il fallait que ce soit toi.

– Ne vous faites pas d'illusions, ai-je répondu, je ne suis pas venu pour vous voir. Je ne savais pas que vous finissiez vos jours ici. Si je l'avais su, je ne serais pas venu.

Le commissaire Flores a haussé ses épaules décharnées et craché sur son genou.

– Moi non plus je ne voulais pas venir, mon garçon. Je me suis fait avoir. Écoute plutôt : un jour, j'étais dans mon bureau, quand quatre types de Madrid sont entrés. Des amis, qu'ils disaient. Des camarades. Ils causaient comme s'ils savaient tout mieux que tout le monde. En les entendant, je me disais : Putain, ces types, ils enculent tous les jours le ministre et le ministre les encule tous les jours. Tu sais comment fonctionnent ces choses-là, à Madrid. On ne s'était jamais rencontrés mais dès qu'ils m'ont vu ils m'ont tutoyé. Voilà où on en est arrivé, que je me suis dit. J'avais déjà fait part de mon sentiment à Carrero Blanco d'abord, à Arias Navarro ensuite, et pour finir au Roi. Autant pisser dans un violon. Ces types m'ont montré le Journal officiel, ils m'ont cité je ne sais quels règlements faits par des pédés pour des pédés. Ils m'ont dit : Nous avons trouvé un endroit idéal pour ta retraite, mon vieux. Tu y seras divinement bien. Tu peux dire que t'as le cul bordé de nouilles. Ils m'ont dit : Un endroit fait exprès pour toi, bordel. Le paysage, les gens, tout. Air pur, petits oiseaux, et toi peinard, mon vieux, relax. Connecté au monde entier par satellite, et plus de soucis pour ta prostate. Le service, de première, un médecin toujours de garde et balèze, et les infirmières, putain, des gonzesses en string. Bon, je t'emmerde pas ? Tiens, ramasse-moi cette pierre.

– Pourquoi la voulez-vous ?

– Allons, sois bon garçon et donne-la-moi.

– Je ne vous le donnerai pas si vous ne me dites pas pourquoi vous la voulez.

– Pour la balancer sur la gueule de ce cadavre ambulant. Allons, mon garçon, qu'on puisse rigoler un peu. T'aurais pas une clope planquée, par hasard ?

– Continuez de me raconter ce qu'ils vous ont dit.

D'un ongle long, crasseux et cassé, il s'est gratté les joues sèches, creuses, qui, avec une barbe clairsemée et négligée, lui donnaient un aspect patibulaire, tout en poursuivant :

– Ils m'ont dit : Mon vieux Flores, le moment est venu pour toi de quitter le service actif. Mais ça ne signifie pas végéter, bordel. Tu n'as pas de famille ni personne pour s'occuper de toi. Va dans cet hôtel que nous t'avons trouvé et écris tes mémoires, putain. Avec tout ce que tu as vu et entendu, tu sortiras un best-seller et tu te feras des couilles en or. Et moi : Putain, je ne sais pas si je saurai. Et eux : Mais c'est rien, tu fais trente pages, ce qui te passe par la tête ; ensuite des crève-la-faim s'occupent de mettre les virgules à leur place et nous t'obtenons le prix Planeta. Cinquante millions et tout ce qui va avec. Allons, donne-moi cette pierre. T'aurais pas une clope ? Bref, ils m'ont présenté des papiers à signer et je les ai signés. Je les avais à peine signés qu'ils m'ont empoigné tous les quatre pour m'amener ici. Et j'y suis toujours, bordel. On ne me laisse pas sortir. On ne veut pas me donner de papier et de crayon. Ils disent que c'est parce que l'angoisse de la page blanche pourrait me relâcher les sphincters. En plus, ils m'ont volé mon identité : ils m'ont pris mon arme, mes papiers et mon uniforme. Et ces salopes d'infirmières, comme elles savent que je ne peux pas me défendre, elles s'adressent à moi en catalan. Même pour aller aux chiottes, il faut leur demander la permission : *Que puc anar a l'excusat ?* Eh bien non, monsieur ! L'Alcazar ne se rend pas. Je fais tout sur moi : pipi et caca. Et le 1er avril, je me fous à poil. Avec tout ça, je ne sais plus depuis combien d'années je suis ici. Mais tu ne m'as toujours pas dit pourquoi tu es venu.

– J'ai un problème, commissaire, et votre aide serait la bienvenue.

Il a soupiré, baissé la tête, plissé ses yeux rougis, et son nez long, effilé et tordu s'est déplié comme la trompe d'un moustique.

– Hélas, a-t-il gémi, je ne peux plus aider personne.

– Moi, si, vous pouvez m'aider, ai-je répondu. Vous voyez cet homme ?

J'ai indiqué l'infirme qui venait de recevoir la visite d'Ivette. Le commissaire Flores a fait oui de la tête.

– Je voudrais savoir qui il est, depuis combien de temps il se trouve enfermé dans cet asile, ce qu'il faisait avant et quels liens l'unissent à la fille qui était avec lui il y a quelques minutes. Vous l'avez certainement remarquée. Elle est du genre que vous aimiez, du temps où vous étiez encore bon à quelque chose.

– Tu parles, j'ai toujours bonne vue. Suffit que se pointe une paire de fesses et je la bouffe des yeux, je rate jamais une gonzesse. Mais pour tout le reste, je ne sais rien. Je ne fraye pas avec cette racaille, ni cette racaille avec moi. Évidemment, je pourrais enquêter. Pour ça, je ne crains personne : j'étais le meilleur. Je le suis toujours, couilles mises à part.

– Alors démontrez-le, commissaire, lui ai-je suggéré. Mais avec beaucoup de tact. Nul ne doit savoir que quelqu'un s'intéresse à cet individu. C'est capital, vous comprenez ?

Il a posé sur moi un regard aqueux où, à la malice, s'ajoutait la lueur évanescente de l'idiotie.

– Bien sûr, a-t-il bafouillé. Mais moi, en échange, qu'est-ce que j'y gagnerai ?

– Je connais du monde, dehors. Des gens influents. Le maire de Barcelone et moi, sans aller plus loin, on est comme les deux doigts de la main. Je pourrais tirer quelques fils pour qu'on revoie votre cas.

– Je ne te crois pas.

– A votre guise, ai-je dit. Je vais vous laisser un numéro de téléphone. C'est un café. Demandez le monsieur du salon de coiffure et on me préviendra. Au cas où vous trouveriez quelque chose et où vous voudriez me le raconter. Et si vous ne trouvez rien ou si vous n'avez pas confiance en moi, alors ne m'appelez pas et bonsoir. S'il y a du nouveau, je vous appellerai.

Il a plissé un œil jusqu'à ce qu'il ne reste qu'une fente.

– C'est bien vrai que tu pourrais me sortir d'ici ? a-t-il demandé pendant que j'écrivais le numéro de téléphone sur le pan de sa veste de pyjama. Bah, je ne te crois pas. Tu ne peux rien faire, et si tu pouvais, tu ne le ferais pas. N'essaye pas de m'entuber.

– Personne ne peut vous entuber, commissaire Flores, ai-je répondu en me levant et en le quittant, laissant sa réplique en suspens dans sa bouche édentée.

En sortant, j'ai cherché l'infirmière chef et lui ai annoncé que peut-être je reviendrais, peut-être pas.

– Vous gâtez trop mon oncle, ai-je ajouté, et je l'ai trouvé très gros. Mettez-le à la diète, et s'il proteste, de la poigne.

A l'extérieur de la résidence le ciel s'était dégagé et, avec le soleil à son zénith, il fallait chercher son ombre sous ses semelles. J'ai refait le chemin dans l'autre sens, cette fois tout en descente, jusqu'à la gare. Des pêcheurs à la ligne s'étaient installés sur la plage. Ils se protégeaient du vent avec des cirés, et chacun avait trois ou quatre cannes plantées devant lui dans l'espoir que plusieurs poissons mordraient en même temps. Pendant que j'attendais le train, ils n'ont pas eu une touche.

Je suis monté sans billet dans le wagon de queue et me suis posté près de la dernière porte pour pouvoir descendre au cas où le contrôleur se pointerait. Dans le wagon précédent il y avait un gitan, cheveux bouclés et longues pattes, qui jouait de l'accordéon pour ne pas laisser les voyageurs lire en paix. Au premier arrêt le gitan est descendu de son wagon pour monter dans le mien et s'est mis à jouer de l'accordéon avec brio. Ce devait être un étranger, car, au lieu d'un paso doble, il jouait une chanson bizarre et mélancolique. Ou alors il jouait un paso doble, mais mal. Je lui ai proposé de passer la casquette s'il me payait le billet quand se présenterait le contrôleur. Il a accepté et, comme le contrôleur ne s'est pas montré de tout le trajet et que les gens sont généreux, les affaires se sont révélées bonnes. Quand nous sommes descendus à la station Place de Catalogne, il m'a proposé de nous associer de façon permanente.

— Je joue, tu passes la casquette et tu dis la bonne aventure. Ce que tu tires de la voyance est pour toi. Ce qui est dans la casquette, pour moi.

Il parlait en faisant traîner les s ou les r, selon sa fantaisie.

— Et qu'est-ce que j'y gagne ? ai-je demandé.

— La protection d'un homme, a-t-il répondu.

Je lui ai dit que j'avais d'autres projets. Et des moutards. Nous nous sommes dit adieu et j'ai couru prendre l'autobus, car il se faisait très tard.

A la boutique j'ai retrouvé Magnolio calme et maître de la situation. Il m'a dit qu'au début il avait été un peu nerveux avec les premières clientes et qu'il avait commis quelques « estropiages », ainsi qu'il les a qualifiés lui-même. Mais ensuite il avait réussi à prendre les choses calmement et, à la cliente numéro 12, il se sentait déjà un professionnel accompli.

— La cliente numéro 12 ? ai-je dit. Mais il en est venu combien ?

— Vingt-deux.

— Ne dites pas de bêtises, l'ai-je repris. Il ne vient pas vingt-deux personnes dans l'année entière.

– Et pourtant il en est bien venu vingt-deux. Voyez la caisse et vous serez convaincu.

J'ai ouvert la caisse enregistreuse, elle débordait de billets. Après les avoir comptés, nous avons procédé au partage convenu. Puis j'ai dit à Magnolio que je n'avais plus besoin de lui et qu'il pouvait s'en aller. Magnolio avait l'air réticent.

– Voyez-vous, a-t-il fini par dire en toussotant, pendant que vous tardiez à revenir, je réfléchissais… La coiffure, ça me va bien… tandis que tous ces problèmes pour garer la voiture et avec les feux de croisement…

– Très bien, l'ai-je coupé. J'ai vos coordonnées. Je vous contacterai si nécessaire.

– Non, écoutez, a insisté Magnolio, je me suis dit… Je sais m'y prendre pour les mises en plis, et aussi pour parler aux dames. Naturellement, nous ajusterions le pourcentage au rendement de chacun. Mais si vous avez envie de jouir d'une retraite anticipée…

– Ça, c'est le comble, me suis-je exclamé. Je vous permets de rester ici en qualité d'apprenti et vous prétendez me retirer celle de titulaire. Comment osez-vous ? Vous êtes un moins-que-rien et un paltoquet.

– Mon père possédait un zébu.

– Je vous parle du métier.

– Bon, bon, ne vous fâchez pas, je m'en vais. Mais appelez-moi si vous changez d'avis. Avec moi les affaires feraient un bond, et Raimundita pourrait m'aider.

– C'est ça, amenez aussi votre petite amie. Allez, ouste, dégagez. Et si je vous vois rôder dans le quartier, je vous dénonce comme sans-papiers.

*

On comprendra aisément que les prétentions inadmissibles de Magnolio m'avaient mis dans une colère épouvantable. Mais pas assez pour me couper l'appétit, si bien que je me suis fait un bon de caisse de mille pesetas, j'ai pris l'argent en liquide et me suis installé dans le café du coin avec l'intention d'engloutir un sandwich aux calamars et aux oignons. A peine y avais-je mordu que j'ai dû revenir en courant à la boutique car, à travers la vitrine, je voyais des clientes s'agglomérer devant et se battre entre elles. Lesquelles, en me voyant accourir, tout charme et tout sourire, m'ont demandé si Magnolio pouvait s'occuper d'elles ; et comme je leur répondais que non, que Magnolio n'avait été qu'un épisode passager qui ne se reproduirait pas mais que j'étais là pour les servir, elles sont toutes parties. Cela m'a permis de manger le sandwich en paix mais m'a plongé dans une grande perplexité.

A six heures et demie, Cándida est venue. Mue par sa bonté naturelle (et son inconscience), elle avait fait le tour de tous les hôpitaux de Barcelone en s'enquérant de Santi, le perfide réceptionniste. Elle avait fini par le trouver au Can Ruti et un interne l'avait rassurée sur son état : il n'était pas grave et dans deux ou trois jours, lui avait dit l'interne, Santi pourrait reprendre ses activités criminelles. Une blessure par balle, lui avait-il expliqué, était une plaisanterie en comparaison de la salmonellose qui lui donnait tant de travail. Si, plutôt que d'ingérer une mayonnaise douteuse, les gens se tiraient une balle, ce serait la belle vie, avait dit en conclusion le bon docteur. J'ai reproché son imprudence à Cándida, mais je n'ai pu faire moins que de la remercier de l'intérêt qu'elle montrait pour mes affaires. Elle m'a répondu que, mes affaires, elle s'en tamponnait le coquillard, mais que le sort de ce jeune homme charmant et infortuné avait éveillé son instinct maternel.

Nous avons continué à bavarder (sans qu'aucune cliente vienne nous en empêcher) jusqu'à l'heure de la fermeture, et elle est repartie chez elle, et moi à la pizzeria où j'ai été reçu avec un mélange justifié d'estime et d'aigreur. Je me suis excusé en alléguant des imprévus et des engagements, et j'ai promis de ne plus jamais modifier ni mes habitudes, ni mon horaire, ni mon régime.

— On verra bien, a dit Mme Margarita. Depuis que tu sors avec cette nana de magazine, personne ne te reconnaît plus.

— Si vous voulez parler de mon habillement, il s'agit d'un camouflage, lui ai-je dit.

6

Encore une fois, mon appartement avait été mis sens
dessus dessous. Purines, à qui j'ai demandé si elle
savait quelque chose, m'a dit qu'elle avait entendu des
bruits vers le milieu de la matinée mais qu'elle avait
préféré, par prudence, ne pas approfondir. Je lui ai
rendu le costume et elle m'a restitué mon vêtement sec
et repassé (il était en fibres), et nous avons réintégré
nos logis respectifs. Après inventaire du mien, j'ai
constaté que seul manquait le Beretta 89 Gold Standard
calibre 22 de Santi. J'ai regretté de l'avoir mal caché,
pas tellement parce que je souhaitais garder un pistolet
(ils me font peur) mais à cause des empreintes digitales
ou autres indices qui auraient pu être révélés par une
expertise. En revanche, ils n'avaient pas trouvé la
bague sertie de brillants de Reinona que j'avais noyée
dans la masse cyclopéenne du pudding de Viriato.
Je l'en ai extraite, l'ai glissée dans ma poche et suis ressorti.

Il y avait encore de la lumière dans l'atelier de l'horlogerie de M. Pancracio. J'ai frappé quelques coups à
la vitrine et M. Pancracio a répondu à mon appel,
m'a reconnu, a tiré le verrou et m'a fait entrer.

M. Pancracio était un petit vieux menu et humble.
Il avait une minuscule boutique, très propre et bien ran-
gée, pleine de coucous qui, toutes les demi-heures,

l'obligeaient à s'enfuir sur le trottoir. M. Pancracio avait consacré sa vie à l'horlogerie mais, dans les dernières décennies, avec l'apparition des montres à quartz, son activité avait beaucoup diminué. Il n'avait plus de pièces à changer, ni de rouages à ajuster et à huiler pour qu'ils fonctionnent avec une parfaite précision. Désormais son travail consistait à remplacer des piles mortes et des bracelets déchirés, et à aider les demeurés à changer l'heure deux fois par an, à la date requise. Cependant, comme il était veuf, que ses enfants avaient émigré en Amérique et qu'en outre il était de mœurs frugales, le peu qu'il gagnait avec l'horlogerie lui suffisait pour vivre dignement. Et il se faisait quelques extra comme receleur pour avoir de quoi parier dans les combats de chiens.

– Une dame qui désire rester dans l'anonymat m'a prié de mettre en vente cette bague sertie de brillants d'une grosseur, d'une perfection et d'un voltage incomparables.

M. Pancracio a ajusté sa loupe et examiné rapidement la bague de Reinona.

– Des tessons de bouteille, a-t-il conclu, en jetant le bijou sur le comptoir et en plantant sur moi son œil qui, vu à travers la loupe, semblait tout petit et très lointain, comme s'il l'avait laissé à la maison.

– Impossible, ai-je expliqué, la dame en question appartient à l'une de nos plus illustres et anciennes familles. Et je sais qu'elle a besoin de cet argent de toute urgence.

– Même pas du verre, fiston, a insisté doucement M. Pancracio. Des bouteilles en plastique. C'est marqué là en toutes lettres : eau minérale, emballage recyclable. J'aurais bien voulu te rendre service, mais les Polonais avec qui je suis en affaires n'ont aucun sens de l'humour. Tu la reprends ou je la jette moi-même à la poubelle ?

Je suis revenu dans mon appartement avec la camelote, je me suis servi un verre d'eau du robinet, je me suis laissé choir tout habillé sur le sommier et j'ai laissé passer plusieurs heures à contempler les fissures du plafond et à essayer de mettre de l'ordre dans les événements du jour. Le timbre de l'interphone m'a tiré de cette béatitude. J'ai répondu, mécontent et étonné : je n'attendais pas de visite ce soir-là. Une voix chantante m'a dit être Raimundita, bonne de M. et Mme Arderiu, et objet des attentions de l'ambitieux Magnolio. Je l'ai fait entrer et, une minute plus tard, elle était soumise à un examen oculaire sévère, dont je n'ai pas retiré une impression défavorable. Elle avait une figure, un comportement et des gestes gracieux, sans perdre pour autant le maintien propre à sa condition de femme de chambre (de bonne maison), et elle semblait avoir un caractère agréable. Elle montrait beaucoup de dents blanches quand elle ouvrait la bouche, et ses lèvres dessinaient une moue sympathique quand elle la fermait. Devant moi, et ne se souciant pas de mon regard scrutateur, elle alternait les deux positions de la bouche (ouverte et fermée) comme le font habituellement les gens en parlant. Et, dans le cas présent, pour me dire qu'elle me priait de l'excuser d'être venue m'importuner à cette heure tardive, mais qu'il s'agissait d'une affaire importante.

— J'ai déjà dit à Magnolio que je me suffis largement à moi-même pour tenir le salon de coiffure, ai-je dit d'un ton tranchant.

— Ah, mais non, monsieur, ce n'est pas pour ça, s'est empressée de dire Raimundita. Je viens de la part de ma maîtresse, Mme Reinona, pour vous demander de rendre la bague sertie de brillants que Mme Reinona vous a laissée en dépôt. Mme Reinona vous a dit qu'elle enverrait quelqu'un la chercher quand elle en aurait besoin. Maintenant Mme Reinona en a besoin et ce quelqu'un, c'est moi.

– Ah, la bague, ai-je murmuré comme si j'avais du mal à me souvenir de ce bijou que je venais de faire estimer et qui était encore dans ma poche. Et elle ne vous a pas dit pourquoi elle la veut justement maintenant ?

– Mme Reinona m'a dit de vous demander la bague, pas de vous donner des explications, a répliqué Raimundita.

– C'est vrai que ce n'est pas de mon ressort, ai-je admis. Si je vous ai posé la question, c'est parce que je crois savoir qu'il y a quelques années un incident s'est produit chez M. et Mme Arderiu, concernant le vol d'un bijou. Les soupçons étaient retombés sur la cuisinière, bien que tout ait été finalement éclairci à la satisfaction générale.

– Oui, a reconnu Raimundita, je connais l'histoire, mais seulement par ouï-dire. A l'époque je n'étais pas encore entrée au service de M. et Mme Arderiu.

– Bien, ai-je dit, d'ailleurs tout ça ne nous concerne pas.

Je lui ai donné la bague et lui ai demandé comment elle comptait retourner chez M. et Mme Arderiu en portant sur elle un objet d'une telle valeur. Sa pigmentation s'est légèrement colorée et elle a avoué que Magnolio l'attendait en bas pour la reconduire en voiture.

– Il n'a pas voulu monter parce qu'il dit que vous avez une dent contre lui, a poursuivi Raimundita. Lui, en revanche, il a beaucoup d'affection et d'admiration pour vous. Et aussi un peu de peine, parce qu'il vous voit seul et très paumé. Ne lui dites pas que je vous ai dit ça.

– Ne vous inquiétez pas, ai-je dit.

Et, immédiatement, cette déclaration ayant amolli ma fermeté, j'ai ajouté :

– Dites à Magnolio que s'il veut toujours, je l'attends

demain matin au salon de coiffure. Qu'il soit ponctuel, car les clientes le réclament. Nous verrons pour le pourcentage.

Après son départ, j'ai repris ma position et mon activité (contempler le plafond) antérieures, sans me déshabiller, en quoi j'ai bien fait car le timbre de l'interphone n'a pas tardé à retentir de nouveau. C'étaient, m'ont-ils dit, les deux agents de la police (nationale et régionale) qui m'avaient rendu visite l'avant-veille dans l'intention de m'arrêter pour le vol de la bague de Reinona trouvée en ma possession. Ils sont montés et ont exhibé un mandat d'amener en bonne et due forme.

— On va fouiller votre gourbi jusqu'à ce qu'on trouve la bague, a dit l'agent que l'autre, lors de leur visite précédente, avait appelé Baldiri. Si vous nous dites où elle est cachée, ça nous épargnera la corvée de la chercher et on en fera état dans le procès-verbal.

— Comme constituant un bon point pour vous, a précisé l'autre.

— Épargnez-vous la perquisition et les bavardages, ai-je dit. La bague n'est plus en ma possession.

— Alors on vous arrête tout pareil, pour dissimulation de preuves, a dit Baldiri.

— En vertu de la loi en vigueur, a précisé l'autre.

Ils m'ont mis les menottes et m'ont emmené au commissariat. Là, Baldiri s'est éclipsé, l'autre est entré avec moi et m'a laissé aux mains d'un fonctionnaire en civil. Celui-ci m'a lu deux ou trois fois le mandat d'amener et m'a demandé si j'avais été informé de mes droits de citoyen et de détenu. L'agent a dit qu'il m'avait cité les extraits appropriés du Code pénal, du Code de procédure pénale et la jurisprudence de base, et il est reparti poursuivre sa ronde de nuit. Le fonctionnaire en civil a ouvert une fiche, a pris mes empreintes digitales et m'a photographié de face et de profil avec un Polaroid.

— Avant d'être conduit en cellule, m'a-t-il dit, vous

pouvez effectuer un appel téléphonique. S'il s'agit d'un appel longue distance ou d'un téléphone rose, vous devrez payer avec votre carte VISA.

Je l'ai remercié, tout en déclinant la proposition : je ne voulais pas impliquer dans cette affaire des gens qui n'avaient aucun lien avec elle, et encore moins ceux qui étaient directement liés à l'histoire de la bague. Il serait toujours temps de répartir les responsabilités. En revanche, l'intervention de la police, même timide et tardive, ouvrait de nouvelles perspectives que je brûlais d'explorer.

*

La cellule du commissariat, lieu jadis fréquenté par moi avec assiduité, reflétait maintenant l'évolution du pays : vaste, bien ventilée, bien éclairée, et pourvue d'une paillasse ergonomique. J'ai dormi un moment. Un agent est venu me réveiller avec délicatesse, je lui ai demandé l'heure, il était trois heures cinq.

— Ton avocat est là, il a déposé la caution et il est en train de faire tout un cirque au commissaire, m'a-t-il informé.

Je n'ai pas pipé mot. Dans l'entrée du commissariat se tenait le monsieur d'âge mûr aux cheveux gris dont j'avais eu le plaisir de faire la connaissance chez M. et Mme Arderiu. Malgré l'heure, il était impeccablement habillé et chaussé. Dans la main gauche, il tenait une serviette de crocodile et de cadre supérieur. Je n'ai pas lu d'amour dans son regard.

— Allons-y, a-t-il dit.

— Depuis quand êtes-vous mon avocat, monsieur Miscosillas ? lui ai-je demandé.

— Depuis que quelqu'un me paye pour l'être, a-t-il répliqué, et tant que durera la provision qu'on m'a versée.

Je ne m'attendais pas à ce qu'il soit plus explicite ni plus aimable. En réalité, je voulais seulement savoir si son nom était bien Miscosillas.

Après avoir fait nos adieux au commissaire et à tous les agents du commissariat, nous sommes sortis, maître Miscosillas et moi. Maître Miscosillas m'a indiqué une voiture sombre (BMW Z3) stationnée à quelques mètres du commissariat.

— On vous attend, a-t-il dit.

— Vous ne venez pas ?

— J'ai ma moto.

Il s'est éloigné sans rien dire de plus (pas même bonne nuit) et j'ai marché jusqu'à la voiture sombre en suivant ses instructions. Quand je suis arrivé à la hauteur de la voiture, je me suis rendu compte qu'elle n'était pas sombre, mais claire, et qu'elle paraissait sombre parce qu'il faisait encore nuit. Une femme dont le visage ne m'était pas inconnu était assise à la place du conducteur. Il n'y avait personne d'autre à l'intérieur de la voiture, ni à l'extérieur. La femme a mis le moteur en marche, fait des gestes impératifs et s'est exclamée :

— Je suis Ivette Pardalot. Cesse de me regarder comme un idiot.

— Ah, oui, bien sûr. Je vous ai tout de suite reconnue.

— Ça suffit. Monte.

Je suis monté. Elle portait un pantalon à pattes d'éléphant et un simple jersey à manches courtes.

— Pourquoi t'a-t-on arrêté ? a-t-elle questionné.

— Si vous avez su que j'étais arrêté, vous devez aussi savoir pourquoi, ai-je répondu.

— Ne fais pas le malin avec moi, a-t-elle répliqué. Un contact a informé Miscosillas de ton arrestation et Miscosillas m'en a informée. Vu ton lien avec l'affaire, tout ce qui t'arrive me concerne. Mais si tu ne veux pas me dire la raison de ton arrestation, ne me la dis pas. Je m'en fiche.

— Mais alors, pourquoi…?

— Pourquoi je t'ai fait remettre en liberté?

— Oui.

— Tu ne vas pas prétendre que je réponde à tes questions quand tu refuses de répondre aux miennes. Borne-toi à me dire merci et à mettre ta ceinture de sécurité : je conduis comme une folle.

C'était vrai. Nous avons parcouru la moitié de la ville à la vitesse du son sans respecter ni feux ni signaux. Par chance la voiture était de bonne fabrication et Ivette Pardalot conduisait comme ce qu'on appelait, dans mes années fleuries, un as du volant. Elle a arrêté la voiture dans la rue Ganduxer, une rue résidentielle, large et bordée d'arbres. La porte du garage s'est ouverte toute seule quand Ivette a actionné le dispositif prévu pour, nous sommes entrés, elle a éteint le moteur et nous sommes descendus de la voiture. Un ascenseur en laiton doré, avec moquette noire, miroir au plafond et musique harmonieuse, nous a hissés jusqu'à une antichambre austère, décorée de panoplies et de bois de cerf. Je lui ai demandé où nous étions.

— Chez moi. Tu as peur?

— J'ai toujours peur, lui ai-je répondu.

— Les domestiques ne sont pas là, a-t-elle dit. Ce matin, je les ai tous renvoyés, ou je leur ai donné un congé, je ne me souviens plus. Demain, je les rengagerai. Cette nuit, je voulais être seule.

— Dans ce cas je m'en vais, ai-je annoncé.

— Seule avec toi, a-t-elle dit. Suis-moi.

Elle s'est mise en marche sans regarder derrière elle et je suis resté, dubitatif, dans l'antichambre.

— Puis-je savoir où vous m'emmenez? ai-je demandé.

— Au lit, a-t-elle répondu sans daigner tourner le cou

210

pour me regarder. C'est pour ça que j'ai payé la caution et que je t'ai sorti de taule.

Elle avait raison. Je l'ai suivie dans un couloir large et somptueux. Elle s'est arrêtée un instant devant une porte à deux battants fermée, a inspiré profondément et l'a ouverte. Cette fois elle n'a pas allumé de lampe. La lumière du couloir permettait de voir un lit ancien, grand, à l'ornementation quelque peu surchargée, avec des balustres et des griffes d'aigle en guise de pieds. Bref, un meuble extravagant. La grimace du Christ en croix accrochée au-dessus de la tête du lit semblait refléter la même opinion. En entrant, j'ai remarqué que l'air de cette chambre était imprégné d'une odeur douceâtre, comme du caramel mâchouillé. Ivette gardait un silence tendu. Pour le rompre, j'ai dit :

— C'est votre chambre ?

— La sienne, a-t-elle rectifié. Celle de mon défunt père.

— De Pardalot ?

— Oui. Ma chambre est dans une autre aile. La maison est grande. Nous vivions ensemble, mais indépendants. Voilà sa chambre et son lit. Le lit dont je parlais tout à l'heure. Tu ne pensais quand même pas que je t'invitais dans le mien ?

— Absolument pas. Et votre mère ?

— Ma mère et mon père se sont séparés il y a bien des années. Ma mère a quitté Barcelone. J'étais en pension et la ville n'avait aucun attrait pour elle. Des amis lui conseillèrent un exil confortable à Paris ou à Londres, mais elle préféra s'établir à Jaén, où elle réside toujours. Mon père s'est remarié plusieurs fois, mais autant de mariages, autant d'échecs.

Tout en débitant son histoire familiale, elle était entrée dans cette chambre triste et avait allumé les bougies d'un chandelier. La lueur vacillante des bougies améliorait son aspect, mais il y avait dans ses yeux des éclairs de démence. Elle s'est assise sur le bord du lit et m'a fait signe de l'y rejoindre.

– Je crois qu'il ne vaut mieux pas, me suis-je excusé. Je peux avoir attrapé des morpions en cellule.

Ivette Pardalot a haussé les épaules et fixé son regard sur le mur tapissé de soie cramoisie.

– Mon père, a-t-elle dit, fut un homme très malheureux. Pour cette raison, il rendit ma mère malheureuse, et tous deux me rendirent encore plus malheureuse. Toute une famille catalane plongée dans le malheur, par la faute d'un seul individu. Cet individu est toujours vivant. Et même s'il a payé une partie du mal qu'il nous a fait, il lui reste encore une lourde dette à solder.

– Écoutez, ai-je dit en profitant d'une pause dans sa dissertation, je suis coiffeur, pas psychiatre. Pour moi, ça n'a pas de sens d'alimenter ses rancœurs quand il est trop tard pour arranger les choses. C'est déjà assez difficile de gagner sa croûte quotidienne, de se battre contre les ennuis de santé et d'essayer de se payer un peu de bon temps quand l'occasion s'en présente. Vous êtes jeune, intelligente, riche et, à la lumière de ces bougies, vous semblez presque jolie. Si vous le vouliez, vous pourriez vous payer n'importe quoi : un mari, un amant, un gigolo. Et même plusieurs, si vous aimez la foule. Une vie sentimentale satisfaisante n'implique pas nécessairement qu'on décroche à chaque fois le gros lot. Vous n'avez pas vu s'accoupler les escargots et autres fossiles dans les documentaires de la télévision ? Quand on les voit, on se dit : Moi, je ne le ferai pas avec celle-là. Mais eux, ils semblent heureux. C'est la seule chose qui compte, et tout le reste, c'est perdre son temps. Je sais bien que ces conseils sont banals. Ils ne couvrent en aucun cas le montant de la caution et les honoraires de l'avocat. Si je savais comment solder le reste de la dette, je le ferais sans renâcler et sans tarder, mais je n'ai rien et je ne crois pas que j'aurai davantage à court, moyen ou long terme. Je vous ai déjà dit que je vous trouve attirante, et je vous trouverais plus attirante encore si, au lieu de vous faire du mauvais sang, vous égayiez un peu cette triste figure. Il est même possible que je ne refuse pas une partie de jambes en l'air, mais certainement pas dans ce décor effrayant. Seulement je vous préviens : si vous prétendez faire de moi l'instrument de votre vengeance, la réponse est non. Cherchez-en un autre.

Un long silence a suivi ce discours plein de bon sens. Dans la quiétude de la nuit, on entendait le lointain tic-tac d'une pendule, le grincement des poutres, le murmure du vent et la douloureuse décuvaison des âmes bénies du purgatoire.

– Je croyais, a dit Ivette d'une voix rauque, à peine perceptible au milieu de tout ce vacarme, que tu avais envie de résoudre l'affaire.

– L'affaire, non, ai-je répondu, *mon* affaire, oui. Je n'appartiens à aucune couche sociale. Que je ne suis pas riche, ça saute aux yeux, mais je ne suis pas non plus un indigent ni un prolétaire, ni un membre stoïque de la classe moyenne qui passe son temps à se plaindre. Par droit de naissance, j'appartiens à ce qu'on appelle ordinairement la racaille. Nous sommes un groupe nombreux, discret, très ferme dans notre absence de convictions. Par notre travail silencieux et constant, nous contribuons à l'immobilisme de la société, les grands changements historiques glissent sur nous, nous ne voulons pas nous faire remarquer et nous n'aspirons ni au respect ni à la reconnaissance de ceux qui sont au-dessus de nous ou même de nos égaux. Nous n'avons pas de traits distinctifs, nous sommes experts dans l'art de la routine et du bousillage. Et si nous sommes prêts à affronter des risques et des épreuves pour satisfaire nos besoins mesquins et pour suivre ce que nous commandent nos instincts, nous savons aussi résister aux tentations du démon, du monde et de la logique. En résumé, nous voulons qu'on nous fiche la paix. Et comme je ne crois pas que cet exposé soit suivi d'un débat, je rentre chez moi, pour me reposer. Si on m'arrête encore, inutile de m'envoyer votre avocat. Inutile aussi de me raccompagner jusqu'à la porte, je trouverai le chemin tout seul.

Je lui ai tendu la main pour lui montrer que je ne lui en voulais pas. Pour la même raison, certainement, elle l'a acceptée.

— Je vois, a-t-elle dit, que je me suis trompée à ton sujet. Je ne pensais pas que tu interpréterais un geste d'amitié en termes purement monétaires. C'est moi la coupable de ce malentendu : ayant trop d'argent, je ne mesure pas la valeur de ce que je donne et je calcule mal l'effet de la générosité sur les âmes sordides. J'apprendrai. Pour le reste, ne te fais pas de souci : je n'ai pas l'intention de te présenter la facture pour mon intervention et je n'ai pas besoin de tes services pour mener mes plans à bien ni pour soulager mes démangeaisons. Nous aurions pu terminer mieux, mais au moins nous sommes-nous compris. Si tu veux, je t'appelle un taxi.

— Merci, ai-je répondu. Notre ville jouit d'un réseau d'autobus incomparable.

J'ai parcouru le couloir dans l'autre sens en prenant soin d'éteindre l'éclairage sur mon passage, de sorte que j'ai laissé la maison plongée dans l'obscurité, à part le reflet orangé lointain de la chambre à coucher et la légère luminescence dégagée par l'ascenseur, quand celui-ci est arrivé à mon appel et que j'en ai ouvert les portes en douceur. Je les ai laissées se refermer. La lumière de l'ascenseur s'est réduite à une raie verticale qui a rapidement disparu, de haut en bas, avalée par la ligne horizontale du sol.

Pendant un long moment il ne s'est rien passé. Si,

me croyant parti, Ivette faisait quelque chose, ce n'était pas quelque chose que mes oreilles pouvaient percevoir, compte tenu de la distance séparant la lugubre chambre à coucher de la ténébreuse antichambre. Je suis devenu très nerveux. Finalement la clarté des bougies s'est agitée, une ombre a dansé sur les murs du couloir et Ivette est sortie, le candélabre à la main, comme un fantôme. Situation fatale si elle s'était dirigée vers moi, mais elle a pris la direction contraire. Pour la suivre en silence, j'ai enlevé mes chaussures et les ai laissées près de l'ascenseur dans l'intention de les récupérer en partant, car je n'avais (et n'ai toujours) que cette paire. Au bout de ce profond couloir, Ivette est entrée dans une pièce et en a refermé la porte en me laissant dans le noir. Je me suis plaqué contre le mur de droite pour ne pas me heurter au mur de gauche et j'ai progressé avec une lenteur exaspérante. Un petit trait de lumière électrique a filtré par la partie inférieure de la porte qu'Ivette venait de fermer. J'ai collé mon oreille à cette fente et j'ai perçu un murmure. J'ai supposé qu'Ivette était en train de faire ce que font les femmes, selon ce que je crois avoir compris, quand elles sont trop agitées pour dormir et que personne n'est là pour les voir manger, mais je me trompais, car j'ai immédiatement entendu sa voix, claire et sans hésitation, dire :

— C'est moi. Tu dormais ? Excuse-moi… Oui, le cornichon est parti… Non, le cornichon se montre réticent à collaborer. Oui, je ne le lui ai même pas demandé. Je l'ai juste tâté… Mais, non, tâté verbalement, gros bêta. Oui, bête à manger du foin, comme tu disais… Ça ne fait rien : il finira par coopérer et sans prendre un sou… Non, non, pas d'argent, mais j'ai laissé entendre que je pourrais coucher avec lui si on tombait d'accord… Oui, avec le cornichon. Non, gros bêta, je plaisantais… Mais non, gros bêta… Et puis qu'est-ce que ça peut te faire ? Oh... oh... oh... Non, gros bêta, je ne suis pas toute nue... Un jersey sans manches, avec des fronces, de chez Sonia Rykiel... Demain ? Je ne sais pas. Il faut que je regarde mon agenda... Non, ne m'oblige pas à décider maintenant. Je tombe de sommeil, gros bêta. Rappelle-moi si tu veux. Sinon, c'est moi qui appellerai. Bonne nuit. Dors bien.

Elle a raccroché (je suppose) et j'ai battu en retraite à l'aveuglette (chose toujours difficile ; et encore plus dans le noir ; essayez si vous ne me croyez pas) au cas où elle partirait de ce côté, mais elle a dû prendre un autre chemin ou rester là où elle était, car la lumière s'est éteinte et il ne s'est plus rien passé. Je suis encore demeuré un temps dans le couloir, dans l'espoir de nouveaux événements, jusqu'au moment où je me suis rendu compte que je m'endormais, moi aussi, comme le gros bêta. Je suis revenu à l'endroit où m'attendaient mes chaussures, j'ai appelé l'ascenseur, je suis descendu sans problème dans l'entrée et j'ai gagné la rue. Le matin s'était levé sur la ville et la circulation était intense. Je suis allé à l'arrêt de l'autobus. Ce que j'avais dit à Ivette sur nos transports publics de surface était une fanfaronnade. Enfin, l'autobus est arrivé, je suis monté dedans, j'ai réussi à m'asseoir. Je me suis aperçu que je tenais encore mes chaussures à la main. On ne peut pas avoir la tête à tout.

*

Magnolio m'a trouvé devant le salon de coiffure, étalé sur le trottoir où je m'étais endormi sans m'en rendre compte au moment où j'allais ouvrir. Craignant le qu'en-dira-t-on, il m'a fait entrer dans la boutique en rampant et m'a mis la tête sous le robinet du lavabo.

— J'ai été arrêté cette nuit, ai-je dit en me réveillant,

pour que Magnolio ne se fasse pas des idées indignes sur mon compte, et je n'ai pratiquement pas fermé l'œil. Ni la nuit d'avant. A dire vrai, je me réjouis de vous avoir réembauché comme subalterne intérimaire, car ce matin, pendant que vous vous occuperez de la clientèle, je prendrai un repos mérité dans un coin.

— Ah, non, monsieur, a répondu Magnolio, je venais précisément vous dire de ne pas compter sur moi ce matin. On m'a proposé un petit boulot de chauffeur et je n'ai pas pu refuser. Je viendrai cette après-midi.

— Quoi ! C'est le deuxième jour, et ça commence déjà, ai-je rugi, justement courroucé.

Il a promis que cela ne se reproduirait plus et il est parti. Je me suis remis la tête sous le robinet. Quand je me suis réveillé, l'eau m'entrait par une oreille et me ressortait par la bouche. J'ai fermé le robinet, épongé l'eau répandue par terre et mis la cuvette à sécher. Il était presque neuf heures et demie, et la boutique était toujours fermée. Une honte. J'ai couru à la porte, retourné la pancarte qui portait d'un côté : FERMÉ MOMENTANÉMENT, et de l'autre : OUVERT EN PERMANENCE, et j'ai remonté le rideau confectionné quelque temps auparavant de mes propres mains avec les restes d'un tablier que m'avait donné Mme Pascuala de la poissonnerie (quand elle se faisait encore des illusions sur notre avenir) et que j'avais embelli en y ajoutant (avec des agrafes) un froncis et accroché à une tringle au-dessus de la vitre de la porte dans le but de préserver le mobilier des rayons du soleil, non sans savoir parfaitement que la boutique était orientée au nord, mais en prévision des changements climatiques qu'annonçaient régulièrement les mouvements écologistes. Cela fait, je me suis assis et j'ai attendu.

Deux heures de calme total se sont écoulées. Puis soudain, sans crier gare, quatre agents de la police municipale sont entrés dans la boutique et se sont mis à tout chambouler. J'allais de l'un à l'autre, le peignoir à la main, au cas où l'un d'eux souhaiterait une coupe, un rasage ou une friction, mais ils se sont eux-mêmes chargés, par la bouche de leur chef, de m'enlever mes illusions concernant leurs intentions :

— Inspection de routine. Vous allez recevoir incessamment sous peu la visite d'un personnage important. Remettez-nous les objets tranchants et pointus.

Ils se sont emparés des ciseaux et du peigne, et ils sont sortis pour céder la place à une équipe de télévision. Je crois avoir déjà décrit la configuration et la taille du salon de coiffure, mais il n'est pas inutile de rappeler à l'oublieux lecteur qu'une personne d'envergure standard pouvait, si tel était son caprice, se placer au centre du local et, rien qu'en étendant les bras, s'écornifler les ongles contre la peinture des murs : image qui permet de comprendre que l'espace n'était pas illimité. Mais je n'avais pas non plus de raisons de faire mauvais accueil à des gens qui venaient peut-être tourner la campagne publicitaire de Freixenet ou repérer des intérieurs pour un long métrage ; aussi ai-je sorti sur le trottoir les meubles et les ustensiles de la boutique à mesure qu'y entraient les caméras, les projecteurs, les grues et un nombre indéterminé d'individus dont la fonction consistait à prendre acte de tout ce qui n'allait pas.

— Putain, on ne peut pas travailler comme ça, putain. Et à toute vitesse, en plus. Ils nous font vraiment chier.

J'ai expliqué à la dame qui me passait une éponge humide sur le visage pour éliminer les brillances que mes cernes étaient dus au fait que j'avais été arrêté la veille au soir, que je n'avais pratiquement pas fermé l'œil de la nuit, ni de la précédente, et que mon assistant s'était absenté pour cause de force majeure. La maquilleuse m'a répondu qu'elle n'était pas là pour faire la conversation et que, si je voulais dire quelque chose, je n'avais qu'à m'adresser au réalisateur. Le réalisateur m'a dit de me reboutonner, de ne parler que si on m'en donnait l'ordre exprès et de ne regarder les caméras sous aucun prétexte. Je lui ai dit que j'essaierais de faire de mon mieux et lui ai demandé si on pouvait me communiquer le scénario, vu que j'avais été arrêté la veille au soir et que je n'avais pratiquement pas pu fermer l'œil. Il m'a flanqué une gifle, m'a planté à l'endroit qui lui semblait le meilleur (pour le cadrage) et a donné l'ordre d'allumer les projecteurs, produisant ainsi chez moi une cécité temporaire. J'essayais de dissimuler mon trouble sous un rire de stentor, comme je l'avais vu faire à nos meilleurs présentateurs, quand j'ai entendu une voix ferme mais non dénuée d'affection dire :

– Comment allez-vous ?

– Mal, ai-je répondu. J'ai été arrêté hier soir et je n'ai pratiquement pas fermé l'œil de la nuit, ni de la précédente.

– D'accord, a dit la voix ferme et affectueuse, mais tout ça, je m'en tape. Je suis le maire de Barcelone et je fais ma campagne électorale. Vous savez : plaisanter comme un crétin avec les marchandes de légumes, inaugurer un chantier de démolition ou montrer que je bouffe une paella dégueulasse. Aujourd'hui je dois me farcir ce quartier de merde. On est en direct ? Ah, mais voyons, vous auriez dû me le dire.

– Mais vous êtes super, Monsieur le Maire, a dit le réalisateur.

– Je ne suis pas inscrit sur les listes électorales, l'ai-je prévenu.

– Tant mieux, tant mieux, a répliqué Monsieur le Maire. Mon parti et moi, nous prêtons une attention toute particulière au vote indépendant.

Du néant extérieur est arrivée la voix impérieuse du réalisateur :

– On t'a dit de ne pas regarder la caméra, connard ! Et ne parle pas ! Monsieur le Maire, faites votre laïus, on est très en retard sur l'horaire.

Monsieur le Maire s'est éclairci la gorge, m'a regardé bien en face comme si c'était à moi qu'il parlait et a dit :

– Bonjour, chers concitoyens et concitoyennes. Je suis candidat à être ce que je suis, c'est-à-dire maire. Depuis quatre années à la tête de la mairie, je me propose de mener à bonne fin mon programme, qui consiste à rester quatre ans de plus à la tête de la mairie. C'est pour cela que je te demande ton vote. Nous sommes chez un marchand de légumes ?

– Non, Monsieur le Maire. C'est un salon de coiffure. Madame, Monsieur, vous qui souhaitez une coupe informelle mais élégante, qu'attendez-vous ? Venez sans perdre un instant à…

– Dites donc, c'est mon spot, pas le vôtre, m'a interrompu le maire.

Puis, en fixant son regard sur moi, il s'est exclamé :

– Eh, mais je vous ai déjà vu : vous êtes l'assassin présumé de feu Pardalot.

– Oui, Monsieur le Maire, et je profite de la présence de la télévision pour réaffirmer mon…

– Ne m'embrouillez pas, mon vieux, ne m'embrouillez pas, je suis en pleine campagne, a dit le maire. On ne peut pas avoir la tête en deux endroits à la fois. Déjà que, personnellement, j'ai du mal à l'avoir en un seul. Et cette paella, elle vient, oui ou non ?

Avant que la réponse ait eu le temps d'arriver, les projecteurs se sont éteints d'un coup et j'ai constaté que ma cécité temporaire était en réalité permanente. Monsieur le Maire a demandé si nous avions déjà fini.

– Pas encore, Monsieur le Maire, a répondu le réalisateur. On n'a même pas commencé. C'est une panne d'électricité.

– Ah, et est-ce que c'est bon, ou mauvais, pour la ville ? a questionné Monsieur le Maire.

– Tout ce que je sais, c'est qu'on va avoir un foutu retard, a dit le réalisateur. Eh là ! vous autres, que quelqu'un aille demander dehors si tout le quartier est concerné.

L'opérateur, l'ingénieur du son, le chef de la production, deux électriciens et l'infortuné du clap sont allés voir, et ils sont revenus en disant qu'ils n'avaient recueilli aucune explication, mais que tout le quartier se trouvait sans lumière. Et sans gaz. Monsieur le Maire m'a pris par le bras et m'a emmené dans un coin.

– A vrai dire, nous n'avons pas passé un mauvais moment, chez vous, l'autre nuit, vous vous souvenez, quand Reinona est arrivée et que je me suis caché dans le cabinet de toilette avec votre voisine. Nom d'un chien, quelle bonne femme. Évidemment, notre conversation s'en est trouvée interrompue. Entre vous et moi, je veux dire. Si ma mémoire ne me trompe pas, j'étais venu vous demander qui avait tué Pardalot et vous ne m'avez pas répondu. Par manque de temps, je suppose, ou d'intérêt. Mais voici maintenant une excellente occasion de reprendre la discussion. Il y a un café en face. Je vous invite à prendre un cappuccino.

J'ai accepté, enchanté, et nous sommes allés au café où nous nous sommes assis, Monsieur le Maire et moi, à une table du fond pour pouvoir parler tranquillement et ne pas être vus de la rue par les passants, tandis que la vaillante équipe de la télévision et la suite de Monsieur le Maire dépensaient les deniers publics dans les machines à sous. Monsieur le Maire a commandé un cappuccino pour lui et rien pour moi, et il m'a dit :

– La campagne électorale, faut-il le préciser, a le vent en poupe : d'après les sondages, et pour peu que je parvienne à faire monter un peu le taux d'abstention, je serai élu avec la voix de ma femme et la mienne.

Mais un nuage menace cette éclatante victoire. Pardonnez ce langage pompeux qui sent les meetings : je veux dire que l'affaire Pardalot pourrait porter préjudice à mon image.

— Seriez-vous mêlé à l'affaire ? ai-je demandé.

— Et pas qu'un peu, mon vieux, a répondu Monsieur le Maire. Maintenant que nous ne sommes plus en direct, je peux bien vous le dire. Voyez-vous, il y a des années de ça, quand je ne me consacrais pas encore entièrement à la politique, nous fîmes, Pardalot et moi, quelques affaires lucratives dont je préférerais aujourd'hui qu'elles ne sortent pas au grand jour. Il reste de ces affaires quelques documents, je ne dirais pas compromettants, mais quand même légèrement embarrassants. Les documents en question se trouvaient entre les mains de Pardalot, lequel, il faut le dire à sa décharge, n'en a jamais fait état ni menacé de faire mauvais usage, de son vivant et encore moins après sa mort. Vous me suivez ? Parce que c'est maintenant que vient la partie la plus gratinée de cette histoire. L'autre jour, aux environs de minuit, j'étais en train de travailler en ma qualité de maire de cette cité à l'hôtel de ville, quand je reçus un mystérieux appel téléphonique. Après que la standardiste l'eut passé à mon secrétaire et celui-ci à moi, j'entendis une voix étrange, certainement déformée par un mouchoir, qui me disait : Je suis désolé, Monsieur le Maire, mais la machine à café ne marche pas.

— Mais non, voyons, ça c'est ce que vient de dire le garçon.

— Ah, oui, je m'emmêle souvent dans mes idées. C'est un phénomène parapsychologique. Où en étions-nous ?

— Le téléphone, une voix, un mouchoir.

— C'est ça : j'entendis une voix déformée par un mouchoir. Ensuite, quand la personne qui m'appelait eut arrêté de se moucher, je reconnus la voix de Pardalot, qui disait : Salut, le maire, c'est Pardalot. Vous me suivez ?

– Oui.

– C'est Pardalot, me dit Pardalot – a poursuivi Monsieur le Maire –, et je t'appelle de mon bureau du Filou Espagnol, dénomination commerciale, vous vous en souvenez, de la société de Pardalot, pour t'annoncer une mauvaise nouvelle, me dit Pardalot. Tu te rappelles ces papiers dont je viens de vous parler ? Eh bien, ils ont disparu, me dit Pardalot. Pardalot faisait référence, bien entendu, aux documents compromettants qui se trouvaient entre les mains de Pardalot, mais Pardalot les appelait simplement « ces papiers », au cas où il y aurait des écoutes téléphoniques. Moi, naturellement, je m'exclamai en poussant une exclamation, et je lui demandai comme s'était produite la disparition de « ces papiers » qui me compromettaient personnellement, et qui donc les avait fait disparaître, et dans quel but, ce à quoi Pardalot répondit qu'il ne voulait pas le dire au téléphone au cas où il y aurait des écoutes téléphoniques. Je crois que c'est moi qui lui avais parlé, auparavant, de cette histoire d'écoutes. Bref, le fait est que Pardalot ne voulait pas le dire au téléphone, comme je l'ai déjà dit, et que, pour cette raison, il me pressait de le rejoindre le plus tôt possible dans son bureau du Filou Espagnol pour pouvoir parler sans être écoutés ou du moins sans être écoutés téléphoniquement. Afin que je ne sois pas reconnu en ma qualité de maire de cette cité par le vigile de garde à l'entrée, Pardalot me suggéra d'utiliser la porte du garage. Du garage, on pouvait accéder aux bureaux du Filou Espagnol en empruntant un escalier de secours sans passer devant le vigile, comme vous le savez d'ailleurs parfaitement. Pardalot lui-même, me dit Pardalot, se chargerait de débrancher l'alarme et d'interrompre l'enregistrement du circuit fermé de télévision. Je lui dis que j'avais encore quelques dossiers municipaux urgents à expédier, mais que je serais là à deux heures, et Pardalot me dit d'accord, et qu'il attendrait jusqu'à ce que j'arrive. Après quoi nous raccrochâmes, au cas où il y aurait des écoutes téléphoniques. Apportez-moi donc un Actimel.

Le garçon est parti et Monsieur le Maire a poursuivi son récit dans les termes suivants :

— Mes prévisions avaient été optimistes et je n'arrivai dans les locaux du Filou Espagnol qu'à trois heures moins le quart. La porte du garage était fermée mais le mécanisme de fermeture devait être dérangé, car il s'ouvrit par une simple pression sur la porte proprement dite, exercée de cette main-là, ou de l'autre, je ne m'en souviens plus maintenant. J'entrai dans le garage, je glissai sur le cambouis qui couvrait le sol, je gâchai définitivement mon costume, je trouvai l'escalier, je montai. L'alarme ne se déclencha pas, exactement comme Pardalot me l'avait annoncé. J'allai jusqu'à son bureau. La lumière était allumée. J'appelai Pardalot à voix basse : Pardalot, tu es là ? Personne ne répondit, pas même Pardalot. Il se passait quelque chose d'anormal.

— Mon Dieu, mon Dieu, mon Dieu, a dit le garçon, incapable de réprimer son émotion.

— Attendez plutôt la suite, a dit Monsieur le Maire.

Il a fait une pause pour siffler la bouteille d'Actimel que le garçon lui avait servie pendant qu'il racontait son histoire, s'est essuyé les lèvres et le menton avec une serviette en papier, a mis la serviette dans sa poche pour la recycler et a continué en disant :

— J'entrai dans le bureau de Pardalot, et Pardalot était là, écroulé sur sa chaise, pâle, immobile, criblé de balles. Je voulus lui porter les premiers secours, mais je ne pus pas : je ne disposais même pas d'un thermomètre. Pardalot, tu vas bien ? lui ai-je demandé. Pas le moindre grognement. Cette attitude obstinée confirma mes soupçons : il était mort et, vu sa position et la disparition de l'arme qui avait causé sa mort, cette mort ne pouvait être attribuée à un suicide. Elle n'avait pu venir que de la main d'un autre. Cela, je le déduisis seul. Sans perdre un instant, je repartis par où j'étais venu. Personne ne m'avait vu. Je rentrai chez moi et je bus d'un trait une bouteille d'Actimel. Ou alors je viens d'en boire une et je confonds. Peu importe. Ce qui importe, c'est que dans mon trouble j'avais oublié d'effacer les empreintes digitales laissées par moi sur les poignées des portes et autres composantes du mobilier de bureau qui meublait les bureaux. Pour l'instant, la police n'est pas venue me chercher. Je suppose qu'ils attendent le résultat des élections. Si je suis réélu, il sera bien temps pour eux de sonner l'hallali. Sauf si...

— Sauf si, avant cette date, ils découvrent le véritable coupable, ai-je complété.

— Exactement, a dit Monsieur le Maire.

*

J'aurais aimé poser à Monsieur le Maire quelques questions pertinentes, mais j'en ai été empêché par la présence massive du réalisateur de la télévision et de son équipe qui venaient nous annoncer le rétablissement du courant électrique et, subséquemment, la reprise de la campagne électorale. Nous nous sommes levés, Monsieur le Maire a apposé sa signature sur le livre d'or du café à côté de celles de champions de catch qui l'avaient fréquenté dans les années cinquante, et il est parti en me laissant l'honneur de payer l'Actimel. Quand je les ai rejoints, ils étaient en train d'entrer dans le vidéoclub de M. Boldo, où la police municipale venait de confisquer tous les films pornographiques. Interpellé par moi, le réalisateur de la télévision m'a informé qu'ils avaient finalement renoncé à tourner dans ma boutique, attendu que ce lieu était décidément trop cradingue, même pour des élections municipales, et plus encore maintenant, après les ravages causés par l'équipe de la télévision et ses appareils. J'ai cherché la patrouille de la police municipale pour récupérer les ciseaux et le peigne, mais on m'a dit qu'elle était partie au marché de San Antonio pour y vendre les films confisqués dans le vidéoclub de M. Boldo. J'ai tenté d'approcher Monsieur le Maire, mais celui-ci avait retrouvé sa condition de maire et, juché sur le comptoir du vidéoclub de M. Boldo, baigné par la lumière des projecteurs, il niait être impliqué dans quelque assassinat que ce soit et demandait les suffrages de ses concitoyens.

Je suis revenu à la boutique, j'ai empoigné le balai et la pelle à poussière, et j'ai passé le temps qui me séparait du déjeuner à batailler avec le tapis de cendres, de mégots, de récipients en plastique et autres détritus que l'équipe de la télévision avait laissés comme seul souvenir de son passage. J'ai fermé la boutique et me suis dirigé de nouveau vers le café dans l'intention de commander un sandwich aux calamars et aux oignons, et de profiter de cette pause alimentaire pour réfléchir aux révélations de Monsieur le Maire. Mais Dieu avait décidé que, là encore, je ne pourrais pas tenir mes résolutions. Car à peine avais-je occupé ma place habituelle, près de la vitrine, et appelé le garçon que j'ai vu du coin de l'œil une forme humaine qui, de la rue, m'adressait des signaux désespérés. Même à travers la crasse, j'ai reconnu Ivette. Pas Ivette Pardalot, chez qui j'avais passé une partie de la nuit précédente, mais la fausse (quoique également authentique) Ivette, à qui, pour éviter des confusions aux lecteurs, j'ai pensé un moment attribuer un petit nom affectueux (par exemple « Poupée »), idée que j'ai pourtant immédiatement repoussée du fait de l'état déjà avancé de mon récit. Je me suis levé, suis sorti précipitamment de la salle et lui ai demandé la cause de sa présence en ces lieux et de ses signaux désordonnés, à quoi Ivette m'a répondu par ces mots :

— Il est arrivé une chose terrible. Il faut que tu m'aides.

Je lui ai proposé d'entrer dans le café. Elle a hésité quelques instants et s'est finalement laissé conduire à l'intérieur du café et à ma table. Le garçon s'est précipité pour prendre la commande (au lieu de me faire attendre une demi-heure, comme il en a l'habitude) et je lui ai demandé un sandwich aux calamars et aux oignons pour moi et un autre pour Ivette, en pensant que quelque chose de bon et de nutritif lui remonterait le moral. Pendant ce temps, elle s'était mise à pleurer à chaudes larmes. Je ne l'avais jamais vue aussi désespérée. Je me serais levé et, faisant le tour de la table d'abord et de sa taille (avec mes bras) ensuite, j'aurais versé dans ses oreilles des mots de tendresse et de réconfort, si je n'avais pas craint que mon geste puisse être mal interprété par le garçon, par les autres consommateurs, par les curieux qui s'étaient amassés de l'autre côté de la vitre pour assister à la scène, et plus particulièrement par Ivette elle-même. De sorte que, changeant de tactique, je suis resté debout devant ma chaise, j'ai posé les mains sur la nappe et lui ai demandé de s'expliquer, tout en ébauchant le sourire compréhensif et cynique de l'homme qui a beaucoup vécu et est revenu de tout, mais qui ne dédaigne pas pour autant d'aider le faible et de se battre pour une bonne cause. Ai-je réussi à transmettre à Ivette ce message muet, ou a-t-elle pensé que les contractions de ma physionomie étaient dues à un spasme ? Elle ne me l'a pas dit. En revanche, elle a dit :

— Ils l'ont enlevé.

Je lui ai demandé qui avait été enlevé et où, et elle a répondu :

— Mon père chéri et infirme. Je ne sais pas qui, ni pourquoi. Ça s'est passé dans la résidence où il était entré il y a quelques années à la suite d'une maladie rénale qui l'a rendu infirme. Comme mon père n'avait que moi au monde et que je ne pouvais lui prodiguer les soins nécessaires, j'ai cherché une résidence agréable et je l'y ai fait admettre.

Je lui ai demandé qui pouvait avoir intérêt à enlever un infirme et elle a répondu qu'elle l'ignorait, mais qu'au cours de sa dernière visite à la résidence, sise dans le village côtier et voisin de Vilassar, elle avait remarqué (mine de rien) la présence nouvelle dans ladite résidence d'une mégère pathétique et repoussante, dont les traits ne lui avaient pas semblé tout à fait inconnus et à qui elle n'avait pas prêté sur le moment davantage attention, mais à laquelle, plus tard (maintenant, a-t-elle dit) et à la lumière de ce qui s'était passé, elle attribuait la responsabilité de l'enlèvement ou une complicité dans celui-ci, vu que tout, dans cette mégère, lui avait inspiré méfiance, aversion et dégoût.

J'ai interrompu son explication pour lui dire que ce mystérieux personnage n'était autre que moi-même, qu'elle avait une manière très particulière de flatter la vanité des hommes et que je ne m'étonnais plus de ce que, en dépit de ses indiscutables charmes personnels, sa vie sentimentale n'ait pas été jusqu'à maintenant des plus satisfaisantes. Remise de sa surprise initiale devant la révélation de ma véritable identité féminine, elle a demandé pourquoi je l'avais suivie jusque là-bas. Je lui ai expliqué que je l'avais fait dans le but de la protéger.

— Eh bien, tu as commis une énorme bêtise, a-t-elle dit, car quelqu'un a dû te suivre *jusqu'à* Vilassar et *dans* Vilassar. C'est la seule manière d'expliquer que l'endroit où vivait mon père, tenu secret jusqu'à hier, ait été découvert par les ravisseurs.

Une telle chose n'était pas possible, ai-je rétorqué. Personne ne m'avait suivi, non seulement parce que je m'étais déguisé avec un tel art qu'elle-même ne m'avait pas reconnu (malgré notre relation), mais aussi parce que j'avais fait le chemin entre la gare et la résidence sous le soleil, à pattes, et la dernière partie à quatre pattes, et que cette méthode, plus que toute autre forme de dissimulation, était efficace à cent pour cent pour se débarrasser de la plus adroite des filatures.

— Laisse-moi vérifier quelque chose, ai-je dit avant, une fois de plus, de demander et d'obtenir la permission d'utiliser, en payant, le téléphone du café.

Ivette m'a donné le numéro de téléphone de la résidence et je l'ai composé.

Il a fallu un certain temps pour localiser le commissaire Flores, car le matin même, comme m'en a informé la téléphoniste de la résidence, le commissaire Flores était entré à l'infirmerie de ladite résidence avec la tête ouverte par un coup de bâton.

— Par ta faute, espèce d'ordure, a rugi le commissaire Flores en personne quand la communication téléphonique a été établie avec lui.

Je l'ai laissé parler un moment, si l'on peut appeler parler le catalogue désordonné et parfois répétitif de gros mots, insultes, jurons, obscénités, malédictions et menaces, le tout entrecoupé de fragments de *Cara al Sol*, qu'il a eu à cœur de m'offrir jusqu'à ce que je l'interrompe pour lui dire que j'appelais d'un téléphone public et que s'il voulait se défouler, qu'il le paye de sa poche. Il est revenu à la raison et je lui ai exposé le motif de mon appel.

— Tu parles, a-t-il dit, c'est justement parce que j'ai voulu enquêter, comme tu me l'avais demandé, que je suis dans l'état où je suis. Un martyr de l'amitié.

J'ai insisté pour qu'il me raconte ce qui s'était passé. Il m'a raconté que, la veille, il s'était mêlé à un chœur de petits vieux qui jouaient aux cartes et, avec l'habileté et la subtilité d'un homme qui a passé la moitié de sa vie à interroger des gens de psychologies très diverses, il avait tenté de recueillir quelques renseignements sur l'infirme, objet de mon intérêt. Sur le moment, il avait seulement réussi à savoir qu'il (l'infirme) s'appelait Luis ou Lluís Biosca et que ce n'était probablement pas son vrai nom, car un des petits vieux affirmait avoir vu les initiales A.T. brodées sur les mouchoirs de batiste, les chemises en fil et (à l'heure des chiottes) les caleçons du dénommé Biosca. Personne ne connaissait la nature du mal dont il souffrait, bien que ce soit là un sujet de conversation extrêmement fréquent entre les pensionnaires, car le dénommé Biosca (ou A.T.), tout au long des quatre années qu'il avait passées à la résidence, s'était toujours montré d'une réserve qui frisait l'exagération. Et très poli, très apprécié des autres, à la différence du commissaire Flores, à qui les petits vieux avaient indiqué qu'il n'était pas utile, pour poser des questions, de dire aux gens qu'il allait leur flanquer une bonne raclée et de leur expédier des coups de pied dans les parties sensibles. C'était peut-être pour cela, avaient ajouté les petits vieux, que l'infirme recevait fréquemment la visite d'une fille drôlement bien roulée, alors que lui, le commissaire Flores, nul ne venait jamais le voir. Personne d'autre que cette fille drôlement bien roulée ? avait demandé le commissaire Flores. Non, lui avaient répondu les petits vieux, durant toutes ces années, seule cette fille drôlement bien roulée avait rendu visite à l'infirme et lui avait prodigué gâteries et attentions, pour ne pas parler du baume que constituait sa présence, un véritable régal pour la vue fatiguée des petits vieux, de l'avis des petits vieux eux-mêmes. Et c'était tout pour le moment, a dit le commissaire Flores, et cela resterait certainement tout à l'avenir, car l'infirme avait été enlevé ce matin même.

– Peut-être à cause de vos questions intempestives, ai-je suggéré.

– Non, imbécile, a répliqué le commissaire Flores. Les deux choses n'ont rien à voir entre elles. Une minute après, ces petits vieux ne se rappelaient même pas m'avoir parlé. Et puis un enlèvement comme celui-là ne se prépare pas en quelques heures.

– Parce qu'il était comment, cet enlèvement?

– Remarquable, a répondu le commissaire Flores. Je n'y ai pas assisté, car j'étais ici, à l'infirmerie, mais un malade qui y est entré dans la matinée avec la colique m'a tout raconté. Après ça, profitant d'une absence de l'infirmière, j'ai consulté le fichier de l'infirmerie. Il n'y a aucune fiche au nom de Biosca, ni d'une personne dont les initiales seraient A.T. Or il est impossible qu'au cours de toutes ces années Biosca ne soit pas une seule fois passé par l'infirmerie. La fiche a sûrement été éliminée, et je suis sûr qu'elle a également disparu des archives centrales. Ah, et on m'a dit que sa chambre est occupée depuis quelques heures par un fou qui jure à qui veut l'entendre qu'il est là depuis le mois d'octobre. Quelqu'un est décidé à effacer toute trace de ton infirme, fiston, et il le fait plutôt bien.

– Mais pourquoi? ai-je demandé. Pourquoi se donner tout ce mal pour effacer les traces du dénommé Biosca?

– Afin qu'un coco dans ton genre ne les suive pas pour le libérer. Il ne s'agit pas d'un enlèvement improvisé, ni d'un travail d'amateurs. Évidemment, ils ne pouvaient pas prévoir que je serais là.

– Que voulez-vous dire? ai-je demandé en subodorant, dans son ton, une intention cachée.

– Je veux dire que rien n'échappe à ton vieil ami commissaire.

231

– Commissaire, y a-t-il quelque chose que vous ne m'avez pas dit ?

Le commissaire Flores a émis quelques toussotements machiavéliques et bronchiteux.

– Peut-être, a-t-il dit. Peut-être que je sais quelque chose qui pourrait t'aider à retrouver ton infirme. A propos, comment va mon affaire ?

– Bien, commissaire. Ça roule.

– Ce n'est pas suffisant, fiston. Tu as déjà parlé à Monsieur le Maire ?

– Oui, bien sûr. Et il m'a dit que c'était comme si c'était fait. Ce sont ses propres paroles : Comme si c'était fait, mon garçon, voilà ce qu'il m'a dit. Mais surtout, pas de malentendus : ce sera pour après les élections.

– Et s'il les perd ?

– Il ne les perdra pas, commissaire. Le dépouillement est truqué.

– Voilà qui me rassure, a soupiré le commissaire. L'absence de liberté, il faut la conquérir tous les jours, fiston.

– Je prends note, commissaire, mais dites-moi ce que vous avez à me dire.

– Ah, non. Sans garanties, je ne donne rien.

– Commissaire, ai-je répondu, ça fait un bail qu'on se connaît. Vous savez que vous pouvez avoir autant confiance en moi que moi en vous. La promesse tient toujours : vous m'aidez à résoudre cette affaire, et je vous aide à sortir de l'asile. Mais question garanties, je ne peux vous en donner aucune. Et donc le mieux est que vous gardiez votre secret, si vraiment secret il y a, et vous resterez à pourrir là où vous êtes. Après tout, pourquoi devrais-je bouger le petit doigt pour vous ? Vous ne valez plus un clou, commissaire. Vous n'êtes qu'un vieux déchet fétide qui ne sait rien de rien. Et je vais raccrocher.

– Attends !

— Je n'ai plus de pièces, commissaire.

— Parmi les ravisseurs, il y avait un nègre. Ça te sert à quelque chose ?

— Comment avez-vous dit ?

— Un individu très grand, noir, habillé en chauffeur. Il était avec deux hommes, dont l'un était encapuchonné. Je ne les ai pas vus, mais on me l'a raconté. Tous les pensionnaires avaient été consignés dans leurs chambres sur ordre de l'infirmière chef, mais l'un d'eux a réussi à mater la scène à travers les persiennes. Qu'est-ce que tu dis de cette information ? Autrefois, elle m'aurait valu une promotion.

— Et aujourd'hui aussi, mais seulement dans mon estime. Le coup que vous avez reçu, c'est à cause de cette histoire ?

— Non. Ils m'ont pris en train de tricher au croquet, et un petit vieux m'a flanqué un coup de son maillet. Neuf points de suture et la piqûre contre le tétanos. Tu te rends compte, me frapper en toute impunité. Moi qui ai présidé des courses de taureaux ! Nous ne sommes rien, fiston.

— Vous, vous n'êtes rien, ai-je répondu tout en reposant le combiné du téléphone sur sa fourche.

*

Je suis retourné auprès d'Ivette qui, mi-impatiente, mi-dégoûtée, attendait le résultat de mes investigations et je lui ai dit :

— Voilà. Je n'ai commis aucune faute. L'enlèvement a été planifié avec minutie et exécuté avec précision, et il est tout à fait étranger à ma prudente incursion. Mais pour l'heure il ne s'agit pas de délimiter les responsabilités, il s'agit de s'y retrouver dans cet embrouillamini, et pour cela j'ai besoin que tu m'éclaires sur quelques points. Par exemple, comment s'appelle ton père ?

– Luis ou Lluís Biosca, a répondu Ivette.

– Certainement pas, ai-je dit. Biosca est le pseudonyme sous lequel tu l'as inscrit à la résidence de Vilassar. Mais son véritable nom correspond aux initiales A.T. brodées sur ses mouchoirs, ses chemises et ses caleçons.

– C'est vrai, a reconnu Ivette avec un soupir. Mon père avait l'habitude, au demeurant ringarde, de faire broder ses initiales sur son linge. Il aurait été plus prudent de nous en défaire quand il est entré à la résidence de Vilassar, mais nous n'avions pas d'argent pour renouveler toute sa garde-robe, c'est pourquoi je lui ai permis de continuer à se servir de l'ancienne, convaincue que personne ne se rendrait compte d'un détail aussi insignifiant. Maintenant je comprends mon erreur, car ce sont les détails insignifiants qui attirent le plus l'attention des gens stupides.

– Une résidence à l'écart de la ville, un faux nom, ai-je dit, et en quel honneur? En définitive, qui est A.T.?

– Agustín Taberner, a répondu Ivette.

Ce nom me disait quelque chose. J'ai fait un gigantesque effort de mémoire, au terme duquel je me suis tapé le front du plat de la main. En entendant la tape, le garçon est accouru pour me demander ce qu'il me servait. Je lui ai expliqué que j'avais fait le geste conventionnel (et passé de mode) de la personne qui, après avoir longuement cherché, se souvient soudain d'un fait oublié, et j'ai profité de l'occasion pour lui demander des nouvelles des sandwichs aux calamars et aux oignons commandés il y avait plus d'une demi-heure. Il est reparti en grommelant et en chassant avec sa serviette les mouches dans ma direction, tandis que, renouant les fils de la discussion interrompue, je m'exclamais :

– J'y suis, maintenant! Agustín Taberner, *alias* le

Gaucho, était le troisième associé de Pardalot et de Miscosillas, d'après les informations recueillies par mon beau-frère Viriato sur le Registre du commerce de Barcelone il y a quelques jours.

— Tout juste, a confirmé Ivette.

— Mais que lui est-il arrivé ? ai-je insisté. Que fait-il, infirme et enfermé dans une résidence pour invalides, sans autre contact avec le monde extérieur que les visites sporadiques de sa fille ? Pourquoi ton père, c'est-à-dire Agustín Taberner, *alias* le Gaucho, ne figurait-il plus parmi les actionnaires de la dernière société, intitulée Le Filou Espagnol, qui est précisément celle dont j'ai visité et cambriolé le siège ?

— Mon pauvre père, a dit Ivette, est tombé malade peu avant la constitution de la société Le Filou Espagnol.

— Cette circonstance n'aurait pas dû l'empêcher de continuer à participer aux activités de la société, ai-je objecté. Dans notre économie de libre marché, beaucoup d'associés capitalistes sont impotents. Dans l'économie de planification centralisée, je ne sais pas.

Ivette m'a regardé avec des yeux vitreux, comme si son esprit s'était égaré dans le labyrinthe de mes questions ou dans celui de ses angoisses. A l'évidence, il lui était douloureux de parler de son père, comme toutes les personnes qui ont connu le leur (ce qui n'est pas mon cas), aussi ai-je gardé un silence respectueux.

— Pardonne-moi, a-t-elle dit après une longue pause, j'ai tant pleuré que j'en ai la bouche, le cerveau et le maquillage desséchés. Je vais aux toilettes une minute.

Appeler « toilettes » le pissoir marécageux et plein de miasmes de ce café m'a fait comprendre à quel point les événements récents l'avaient affectée et m'a envahi d'une vague de compassion. J'ai essuyé une petite larme avec le dos de la main, je me suis mouché dans la nappe pour dissimuler ce symptôme de faiblesse et les humeurs désagréables qui l'accompagnaient, et j'ai repris mon attitude hiératique initiale. C'est dans celle-ci qu'Ivette m'a trouvé à son retour, et elle a dit :

— Me voilà plus calme. Et pendant que je me calmais, j'ai réfléchi et j'ai décidé de te raconter la vérité, malgré toute la douleur qu'elle me cause. Mon père était un jeune homme de bonne famille de Barcelone. Il fit son droit et, après avoir terminé ses études sans avoir passé un seul examen, il se consacra aux affaires. Avec deux vieux amis de même condition sociale et morale, et avec l'argent de leurs familles respectives, ils fondèrent une société. L'Espagne traversait alors ce qu'on a appelé par la suite la « transition » pour désigner le passage d'un régime politique à un autre plus présentable, mais plus difficile à affronter. Le passé était lourd, le présent agité, l'avenir incertain. A la faveur de la confusion, dans laquelle plus d'un malchanceux perdit des plumes, les audacieux firent fortune. Ce fut le cas de mon père et de ses associés. Puis vinrent les crises cycliques, et les affaires subirent des hauts et des bas. Pour éviter des problèmes, il fallut dissoudre la société et en créer une autre, puis une troisième. Comme il est fréquent dans les moments d'incertitude, il y eut des divergences entre les associés. Quelqu'un accusa mon père de déloyauté, ou de détournements. Les deux choses étaient vraies. Mon père se vit obligé de céder ses actions à la société pour leur valeur nominale et de se retirer. Le chagrin, s'ajoutant à la perte de son patrimoine, fut probablement la cause de sa maladie.

— Et ensuite ?

— Les associés restants créèrent une nouvelle société, intitulée Le Filou Espagnol, et retrouvèrent la prospérité avec la reprise économique, a poursuivi Ivette, mais mon père resta en marge. Ruiné, malade et à la merci de ses anciens associés qui conservaient des documents compromettants, il ne lui restait plus qu'à disparaître définitivement de la scène. D'où le changement de nom et la résidence de Vilassar. Durant un temps, le système a bien fonctionné. Mon père était tranquille, et il était à l'abri. Mais maintenant, tout s'est effondré.

– Pas par ma faute, en tout cas, mais par la tienne. Un infirme est un poids encombrant. Personne n'enlèverait un invalide pour l'échanger contre de l'argent alors qu'il peut enlever une personne en bonne santé. Et toi tu n'as pas un radis. S'ils ont enlevé ton père précisément maintenant, c'est parce qu'ils veulent l'échanger contre quelque chose, et ça ne peut être que le dossier bleu que tu as volé. Tu n'as plus qu'à attendre qu'ils prennent contact avec toi. Alors tu leur livreras le dossier bleu, et tu verras, ils te rendront ton père, avec la chaise roulante et tout.

– Ne sois pas naïf, a répliqué Ivette. Si je leur livre le dossier bleu, jamais je ne reverrai mon père en vie. Ceux qui le tiennent en leur pouvoir sont les mêmes que ceux qui ont tué Pardalot et, à plusieurs reprises, attenté à ta vie et à ton salon de coiffure. Non, non. La seule solution est de trouver mon père et de le récupérer avant de rendre le dossier bleu. Et pour ça, j'ai besoin de toi. Tu es le seul à pouvoir m'aider. Je n'ai que toi.

– D'accord, l'ai-je interrompue, inutile de continuer à me passer de la pommade. J'essayerai de t'aider. En fin de compte, moi aussi je suis impliqué dans cette histoire.

– Oh, merci, mon amour, s'est exclamée Ivette en battant des mains. Je savais que tu ne me décevrais pas. Si tout finit bien, je te promets que cette fois…

– Ne te force pas, Ivette, ai-je dit. Dans la vie, on m'a promis beaucoup de choses, ou une seule chose beaucoup de fois, mais après, à l'heure de la vérité, ou bien la promesse se révèle un mensonge ou alors on me paye en monnaie de singe. Ça m'est égal. J'ai perdu la foi, l'espérance et l'enthousiasme. Je t'aiderai, mais pas pour la raison que tu crois. Et maintenant, écoute-moi bien : lorsque les ravisseurs prendront contact avec toi, fais semblant d'accepter toutes leurs conditions et conviens d'un rendez-vous dans un lieu public, mais n'y va pas. Appelle cet endroit au téléphone, excuse-toi de n'avoir pu venir et donne un nouveau rendez-vous pour plus tard et ailleurs. Fais ce qui te viendra à l'esprit pour gagner du temps, mais en prenant soin d'avoir toujours des témoins. Évite les endroits sombres et solitaires. Si, au matin, tu n'as pas de nouvelles de moi ni de ton père, téléphone à la police et raconte-lui tout. Et dis-moi où je peux trouver tout de suite Magnolio.

Elle m'a répondu qu'elle ne le savait pas avec certitude, mais qu'elle avait un numéro de téléphone où elle pouvait laisser un message quand elle avait besoin de ses services. Elle a écrit ce numéro sur une serviette, puis elle est partie en hâte, au cas où les ravisseurs l'appelleraient. C'est alors seulement que le garçon est arrivé avec les deux sandwichs aux calamars et aux oignons.

— C'est raté, me suis-je exclamé, en faisant référence à l'absence de celle qui aurait dû manger la part qui lui revenait mais n'avait pu le faire parce que les sandwichs étaient arrivés trop tard.

— Tout vient à point à qui sait attendre… a répondu le garçon en indiquant à la fois la porte par où Ivette venait de sortir et les succulents sandwichs qui flottaient chacun dans une mer d'huile rance.

— Dans ce cas, si je dois, comme je le crains, payer les deux, tu m'en enveloppes un pendant que je liquide l'autre et que je donne un coup de téléphone.

Tout en portant de féroces coups de dents à mon sandwich, j'ai composé le numéro de Magnolio qu'Ivette venait de me donner, et une voix de basse, avec un fort accent étranger, m'a répondu :

– Allô ?

– Bonjour, ai-je dit. Je suis un ami et, à l'occasion, l'employeur d'un chauffeur nommé Magnolio, et je voudrais lui laisser un message. Vous le verrez aujourd'hui ?

– Sûrement, a répondu la voix. Magnolio fait un saut ici toutes les après-midi vers sept heures et demie, au cas où il y aurait des appels ou du courrier.

– Alors je préfère lui donner le message personnellement, si vous êtes assez aimable pour m'indiquer votre adresse.

Coinçant le reste du sandwich entre mes mâchoires, j'ai noté sur la serviette les coordonnées que m'a communiquées mon interlocuteur. Puis j'ai raccroché, terminé le sandwich, glissé l'autre dans ma poche et payé. Après quoi j'ai demandé au garçon une douzaine de serviettes en papier et son stylo, parce que je devais prendre quelques notes.

– Le stylo, je te le rendrai. Les serviettes, non.

– Bon, a-t-il dit, je te les donne parce que tu es un mec balèze : d'abord tu es comme cul et chemise avec Monsieur le Maire, et maintenant tu fais pleurer cette gonzesse comme on n'en voit que sur les pubs. Et moi qui te prenais pour un demeuré !

J'ai utilisé les heures d'inaction de l'après-midi (toutes) pour écrire sur chaque serviette les données en ma possession concernant l'affaire Pardalot, en les groupant par rubriques et sous-rubriques : le vol des documents, l'assassinat, la bague de Reinona, les mésaventures de Santi, les malheurs d'Ivette, les malheurs d'Ivette (un seul intitulé et deux Ivette), l'enlèvement de l'infirme, etc., etc. J'aurais rempli davantage de serviettes, mais le garçon de café ne m'en avait donné que sept. Vers six heures et quelques (minutes), j'ai téléphoné du café à Ivette. Les ravisseurs l'avaient appelée et elle leur avait fixé rendez-vous à neuf heures au José Luis, un endroit central et fréquenté à cette heure-là par des gens rangés. Je lui ai réitéré mes instructions et mes conseils, j'ai raccroché et suis revenu dans la boutique. Là, j'ai relu ce que j'avais rédigé, j'ai plié les serviettes que j'ai numérotées de 1 à 7 et je les ai mises dans ma poche. A huit heures et demie, j'ai fermé la boutique et suis parti.

Dans le vidéoclub de M. Boldo j'ai rencontré M. Boldo qui s'arrachait les quatre cheveux de son crâne et donnait d'autres signes de désespoir. Il avait le cœur brisé de ne pas avoir récupéré les films (cochons) saisis par la police municipale, dont la location composait 95 % de ses recettes brutes et nettes (il ne les déclarait pas), et leur restitution par voie judiciaire lui semblait impossible, vu qu'ils étaient pour la moitié piratés et pour l'autre moitié tournés par lui-même. Je lui ai exprimé de brèves condoléances et exposé l'objet de ma visite.

— Je vous fais dépositaire d'un papier en forme de mémorandum ou de bordereau. Les informations qu'il contient sont de caractère strictement confidentiel, car elles pourraient compromettre de manière irréparable d'importantes personnalités. Pour cette raison, les informations qui figurent sur le vôtre sont fragmentaires. Ce n'est qu'en joignant ces informations aux informations contenues dans les autres mémorandums que l'on peut obtenir une vision d'ensemble et donner un sens auxdites informations. En aucun cas les informations contenues dans ce mémorandum ne doivent être rendues publiques, ni même lues par vous, sauf s'il m'arrive un malheur. Un vrai malheur, pas une banale anicroche. Dans ce cas, si vous apprenez qu'il m'est arrivé un malheur, remettez sans délai le mémorandum à mon beau-frère Viriato et répétez-lui ce que je viens de vous dire. Vous avez compris ?

— Plus ou moins.

Je lui ai donné le mémorandum qui portait le numéro 3 et je suis reparti distribuer les six autres. Le pharmacien a reçu le numéro 5. Mme Piñol, de la librairie-papeterie La Chouette (son mari, M. Mahmoud, n'était pas là), le numéro 1. Et ainsi de suite. Je répétais le même discours à chacun des dépositaires. J'ai dû donner le dernier (le numéro 2) à Mme Pascuala, de la poissonnerie, car il n'y avait plus d'autre établissement de confiance ouvert à cette heure-là. Elle m'a écouté en silence, s'est essuyé les mains sur son tablier et a glissé le mémorandum dans son corsage.

— Je ne devrais pas le faire, a-t-elle dit, mais je le ferai parce que j'ai le cœur plus large que le vaste océan.

A huit heures vingt, j'avais terminé la distribution. Je me suis rendu au foyer des retraités pour voir si j'y trouverais Viriato en train de faire sa partie de dominos. J'ai eu de la chance, il était là. Je l'ai mis au courant des mémorandums et l'ai instruit de ce qu'il devrait faire s'ils finissaient par lui revenir.

— Monsieur le Maire te recevra si tu lui dis que tu viens de ma part. S'il perd les élections, donne-les-lui quand même. Le salon de coiffure est en ordre, et les comptes à jour. Si je fais défaut, il y a un garçon qui a des dispositions et l'envie de travailler, et il ne demande pas la lune. Il s'appelle Magnolio. Et pense à ce que je t'ai dit à propos du séchoir électrique : on ne peut pas continuer comme ça un jour de plus.

Viriato a acquiescé à tout sans prêter la moindre attention à mes paroles et il est revenu à sa partie. Je me suis posté à l'arrêt de l'autobus.

*

Ce soir-là les autobus ne fonctionnaient pas avec leur régularité proverbiale et le quartier où je me rendais n'était ni central ni bien desservi, ce qui fait que je suis arrivé un peu tard au lieu où, selon ce qu'on m'avait dit au téléphone, devait se rendre Magnolio. Enfin, après plusieurs changements, je me suis retrouvé devant ce qui s'est révélé être un bar dont la porte en bois portait, inscrits au spray et en filigrane, les mots suivants :

AUBERGE MANDANGA
CUISINE ZOULOUE TYPIQUE

Rien ne le différenciait d'autres bars de même (lamentable) nature, à part cette inscription et sa clientèle composée exclusivement de Noirs. Aucun de ceux-ci, quand je suis entré, n'était Magnolio. Plusieurs haut-parleurs diffusaient des musiques différentes et un téléviseur installé sur une console transmettait, par pur hasard, une interview de Monsieur le Maire qui ne semblait guère susciter l'intérêt des rares consommateurs. Des fanions et un grand poster de Whitney Houston décoraient les murs, ainsi qu'une étagère avec des pots de terre ornés de frises et de dessins géométriques, en tout point semblables à ceux de La Bisbal ou d'une autre ethnie. Je me suis accoudé au comptoir sur lequel une ardoise annonçait, écrit à la craie :

PLAT DU JOUR
CARBONADE DE ZÈBRE

– Elle est vraiment de zèbre ? ai-je demandé à la personne qui est venue m'accueillir.

C'était un homme aux formes enveloppées et d'âge avancé. Il avait la peau d'un noir luisant mais mat, comme de la bakélite, et ses cheveux, ses sourcils, sa barbe épaisse et frisée étaient d'une blancheur de neige. Du fait de cette singularité et d'une expression bienveillante et malicieuse, il semblait être un amalgame des trois rois mages.

– De zèbre ? a-t-il répondu. Non, bien sûr. De canasson. Mais sans la peau, la différence ne se remarque pas. Goûtez-y. Nous avons aussi un succédané de testicules de singe. Qu'est-ce que vous buvez ?

– Qu'est-ce qui va bien avec la carbonade ?

– Le Pepsi-Cola, a-t-il répondu.

Et, sans attendre ma réaction, il a levé la tête vers le plafond et crié :

– Loli, une carbonade, une ! Et un Pepsi à la tireuse !

– Dites donc, ai-je dit, cet endroit me plaît.

L'homme du comptoir a eu un sourire de satisfaction et a dit :

– Il vous plaira encore plus quand vous le connaîtrez à fond. Outre les consommations, nous avons un ciné-club et d'autres activités culturelles : conférences, séminaires, présentations de livres. Samedi prochain se tiendra une table ronde sur la position du missionnaire, mythe et réalité. Et après le colloque, bal populaire. Entrée libre. Vous êtes cordialement invité.

– Merci, ai-je dit, mais là où je vis et travaille, ce n'est pas la porte à côté. A vrai dire, je suis venu parce que je cherche un ami, du nom de Magnolio. Je vous ai appelé cette après-midi à son sujet.

– Ah, oui, c'est moi qui ai pris la communication, a dit l'homme du comptoir en s'essuyant la main sur son tablier et en me la tendant. Je suis le gérant : Juan Sebastián Mandanga, pour vous servir.

– Enchanté. Je suis coiffeur.

– Bon métier. Moi, comme vous voyez, je sers l'honorable clientèle. Et ma femme est à la cuisine, comme le commandent les bons préceptes, a-t-il dit avec un sourire débonnaire.

Puis, revenant à l'objet de ma présence en ces lieux, il a ajouté :

– Magnolio n'est pas encore passé. Il fait tous les jours un saut par ici, comme je vous l'ai dit, entre sept heures et demie et huit heures, pour voir s'il a des messages et tailler une bavette avec la compagnie. Mais depuis qu'il sort avec Raimundita on le voit moins. Cette fois, on dirait bien qu'il est mordu. De toute manière, il passera à un moment ou un autre. Le bar est aussi un point de rencontre pour les gens qui cherchent du travail. Dites-moi, vous ne seriez pas inspecteur de quelque chose ?

– Non.

L'homme du comptoir a disparu derrière un rideau en serpillière et est revenu au bout d'un moment nimbé d'une épaisse vapeur. Dans une main il portait un plat rempli d'espèces de cailloux et dans l'autre un gobelet en plastique plein d'un liquide sombre où flottait un glaçon. Il a posé les deux choses devant moi et dit :

– Je ne disais pas ça en l'air. Notre situation, y compris la mienne, n'est pas de tout repos. Parfois, on n'a pas le choix, vous comprenez ce que je veux dire. Ici, tous autant que nous sommes, nous avons fait des choses qui ne sont pas dans le manuel de savoir-vivre. Par nécessité, vous comprenez ce que je veux dire. Comme nous disons dans notre pays, personne ne met les pieds dans une bouse s'il peut l'éviter. Magnolio est un brave garçon. Je ne sais pas ce qu'il a fait, mais c'est un brave garçon.

J'ai acquiescé de la tête juste au moment où la silhouette dégingandée de Magnolio faisait son entrée dans la salle. Pour mauvaise qu'elle soit, sa vue ne l'a pas empêché de me repérer (naturellement, puisque j'étais blanc) avant même d'avoir franchi le seuil. Il s'est arrêté net, il a eu une mimique de contrariété sans équivoque, il a esquissé un mouvement de recul comme s'il se disposait à battre en retraite et, finalement, se sachant le centre de l'attention des clients dont son arrivée avait interrompu les mornes distractions, il a haussé les épaules et est venu me rejoindre au comptoir.

– Ce monsieur, a dit l'homme du comptoir en me désignant de la pointe de sa barbe, dit qu'il est un de tes amis.

Magnolio a hoché la tête en signe de confirmation désolée.

– Comment m'avez-vous dégoté ? m'a-t-il demandé ensuite.

Je le lui ai dit et Magnolio s'est exclamé :

– Je ne vous dois aucune explication. Ni à vous ni à personne.

– Oh, oh, *excusatio non petita, accusatio manifesta*, a dit l'homme du comptoir en pointant un doigt vers Magnolio. Dans quels sales draps t'es-tu fourré, fils ?

– Je n'ai rien fait de mal, monsieur Mandanga, a dit Magnolio.

– Trahison, délation et collusion, ai-je dit, ça vous paraît peu ?

– Pardi, les charges sont graves, a murmuré M. Mandanga. Vous pouvez les établir ?

– Seulement par hypothèses, ai-je répondu, mais très solides. Vous semblez être un homme équitable. Écoutez-moi, et vous en jugerez par vous-même.

– Attendez, a dit M. Mandanga, je vais avertir ma femme. Loli !

Traversant le rideau en serpillière, une Noire dodue, en blouse et tablier, un foulard multicolore noué sur la tête, est sortie de la cuisine. M. Mandanga me l'a présentée et elle m'a tendu une main large, forte et mouillée.

– Comment avez-vous trouvé la carbonade ? a-t-elle demandé.

Je lui ai dit qu'elle était très bonne (ce qui était la pure vérité) et, sans autres formalités, j'ai commencé mon récit en ces termes :

– Si vous n'y voyez pas d'objections, je remonterai au soir qui a suivi la réception donnée chez M. et

Mme Arderiu en l'honneur de Monsieur le Maire de notre ville, dont le prétexte était le début de la campagne, et le but manifeste de collecter des fonds destinés à ladite campagne. Ce soir-là, c'est-à-dire celui qui a suivi la réception, un monsieur d'âge mûr et aux cheveux gris dénommé Miscosillas, avocat connu dont le cabinet est situé sur la Diagonale, rendit une nouvelle visite à M. et Mme Arderiu. Magnolio lui-même me l'a rapporté, vu que cela lui avait été rapporté par Raimundita, qui fait partie de la domesticité de M. et Mme Arderiu, déjà cités, et que Magnolio était allé chercher le soir ci-dessus mentionné, à des fins qui tiennent autant de la galanterie que de l'espionnage. Mais Magnolio ne m'a pas tout rapporté de ce que Raimundita lui avait rapporté. Car Raimundita, qui n'a rien d'une idiote, avait écouté la conversation entre maître Miscosillas et M. et Mme Arderiu, et elle avait fait à Magnolio un compte rendu exhaustif de ladite conversation.

— Ne mêlez pas Raimundita à cette affaire, a dit Magnolio.

— C'est vous qui l'y avez mêlée, en la rendant complice involontaire d'une action vile. Ce que Raimundita avait saisi chez M. et Mme Arderiu et rapporté ensuite à Magnolio, c'est qu'à la racine de l'assassinat de Pardalot il y avait le puissant intérêt que portaient certains à trouver l'endroit où vivait un homme infirme, dénommé Agustín Taberner, *alias* le Gaucho, et sa fille, un ancien modèle de lingerie féminine, dénommée Ivette. Magnolio fit parler Raimundita et conçut ensuite un plan qui devait lui procurer de superbes bénéfices. Le même soir ou le lendemain, il alla voir maître Miscosillas et lui dit qu'il connaissait le lieu où vivait l'homme dont il savait de bonne source qu'ils le recherchaient. Il connaissait ledit lieu parce que Ivette, qui est très snob, contractait, quand elle était en fonds, les services de Magnolio pour se faire véhiculer jusqu'à la résidence de Vilassar et s'en faire ramener, résidence où elle cachait depuis plusieurs années son père infirme, s'épargnant ainsi les désagréments vexatoires des Chemins de Fer espagnols et le contact avec la plèbe, toujours pénible, et plus particulièrement durant les mois d'été. En se servant de Magnolio, Ivette ne croyait pas mettre son secret en danger, puisqu'il n'existait et ne pourrait jamais exister aucun contact entre un chauffeur noir de quatre sous et le cercle huppé des Arderiu, des Pardalot et des Miscosillas. Et en effet, il n'y en aurait jamais eu aucun, si l'assassinat de Pardalot et l'enquête ultérieure habilement menée par moi ne nous avaient pas jetés dans les bras les uns des autres, au sens figuré s'entend, au moins en ce qui me concerne. C'est bien ainsi que cela s'est passé, Magnolio ?

– Je ne l'admets ni le nie, a répliqué l'accusé, mais supposons que les choses se soient passées ainsi · et alors ? Nous vivons tous au gré de l'herbe que nous broutons, comme les gnous. Et vendre une information n'est pas moins licite que servir des aliments périmés comme le fait M. Mandanga, ou bousiller les cheveux des dames avec de l'eau de Javel comme vous le faites.

– Nous n'entrerons pas dans ce débat, a dit M. Mandanga, avant d'avoir éclairci quelques points essentiels de cette histoire. Par exemple : qui est Agustín Taberner, *alias* le Gaucho, et qui est cette Ivette, cause de tout ce remue-ménage ?

– Deux écervelés, ai-je dit. Agustín Taberner, *alias* le Gaucho, a été l'associé fondateur, avec Pardalot et Miscosillas, de diverses sociétés à la légalité douteuse et au rendement juteux, remplacé ensuite dans le triumvirat par Ivette Pardalot, que vous ne devez pas confondre avec la fille d'Agustín Taberner, *alias* le Gaucho, également prénommée Ivette.

– Je dois être un peu obtuse, a dit Mme Loli, mais je

247

ne comprends pas très bien. Pourquoi Miscosillas et les autres voulaient-ils connaître le domicile d'Agustín Taberner, *alias* le Gaucho ?

— Je ne le sais pas avec exactitude, ai-je dit, je ne dispose que de quelques conjectures. Dans cette affaire, plusieurs histoires anciennes se mélangent à d'autres récentes. Mais quelle que soit la cause de l'enlèvement d'Agustín Taberner, *alias* le Gaucho, une chose est certaine : sa vie est en danger. Et une autre encore : Magnolio sera pour une bonne part le responsable moral de ce qui arrivera.

Nous avons tous regardé Magnolio en attendant une réfutation énergique de mes accusations, mais celui-ci, confronté à la description objective des faits (et de ses fautes), se taisait en fixant la pointe de ses gros souliers. Quand, finalement, il a relevé la tête, nous avons pu voir deux larmes épaisses comme deux gouttes de pétrole couler sur ses joues.

— Tout ce qu'a exposé cet homme, a-t-il dit d'une voix entrecoupée, est la vérité. J'ai honte. J'ai toujours essayé de me conduire en me conformant à la loi de la jungle, mais, cette fois, je me suis laissé mener par l'ambition. J'avais besoin de l'argent. Ne m'obligez pas à dire pourquoi. Les fins pour lesquelles j'en avais besoin étaient bonnes, mais les moyens pour l'obtenir ont été mauvais. Je le comprends, je me repens, et je ferai ce que je pourrai pour réparer mes sottises.

— Le repentir est bon, quand il est sincère et porte en soi la volonté de réparer, a dit M. Mandanga, mais le tien sera de peu d'utilité pour Agustín Taberner, *alias* le Gaucho.

En entendant ces mots, Magnolio s'est dressé de toute sa haute taille, a ôté sa casquette de chauffeur, l'a portée à sa poitrine comme s'il voulait s'en servir pour réprimer les battements de son noble cœur, et s'est exclamé :

– Nous pouvons essayer de le sauver.

– C'est presque impossible, ai-je dit. Ils le tiennent certainement sous bonne garde. Et, de plus, nous ne savons pas où ils l'ont emmené.

– Ah, a répliqué Magnolio, moi je le sais.

Nous l'avons regardé, surpris, et Magnolio, tout heureux de voir sa personne être l'objet d'une telle attente, nous a expliqué que, dans la matinée qui avait suivi la nuit amère de la trahison, lui, Magnolio, et maître Miscosillas étaient allés dans la voiture de Magnolio prendre un troisième individu, encapuchonné, et que tous les trois s'étaient ensuite rendus à la résidence de Vilassar, d'où ils avaient emmené le père d'Ivette dans un lieu sûr. Là, maître Miscosillas avait réglé la somme convenue à Magnolio, en lui enjoignant en même temps de ne rien révéler à personne de ce qu'il avait vu car, s'il le faisait, la police le tiendrait pour complice d'un enlèvement et, vu sa couleur, lui attribuerait les plus noirs desseins.

– Mais maintenant, a conclu Magnolio, je suis prêt à courir n'importe quel risque pour me réhabiliter à vos yeux, et aux yeux de M. Mandanga et de son épouse qui ont été pour moi comme mon père et ma mère, et aux yeux de Mlle Ivette qui m'a si souvent procuré du travail et fait confiance, et surtout aux yeux de mes ancêtres, car je suis animiste, raison pour laquelle, si vous le souhaitez, je vous mènerai gratuitement dans ma voiture à la cachette où ils tiennent enfermé Agustín Taberner, *alias* le Gaucho, mais seulement jusqu'à la porte. Cependant je dois vous prévenir qu'il s'agit d'un endroit dangereux en même temps que sinistre, ayant pour nom et toponyme Castelldefels, en catalan château des Douleurs.

J'ai accepté le risque, M. Mandanga et son épouse, Mme Loli, ont félicité Magnolio pour ce changement d'attitude, louable preuve de droiture, et moi-même pour mon intrépidité, et, sortant tous les deux de derrière le comptoir, ils nous ont serrés dans leurs bras en nous rappelant que, la semaine suivante, commençait un cycle Truffaut, après quoi ils ont refusé de me faire payer la carbonade et le Pepsi-Cola en disant que c'était un cadeau de la maison.

7

Il était minuit passé quand nous nous sommes mis en route, Magnolio et moi, et la circulation étant rare sur le périphérique de Dalt (ouvrage d'art), nous avons parcouru beaucoup de distance en un temps très court. Un temps suffisant, cependant, pour que Magnolio puisse me faire le récit de ce qui s'était passé en ce début de matinée où, ainsi qu'il avait commencé de nous le raconter dans le bar, Magnolio avait pris dans sa voiture, au carrefour de la Diagonale avec la rue Montaner, maître Miscosillas et un autre individu petit de taille et rondouillard de constitution que Magnolio m'a dit avoir immédiatement reconnu, car il avait le visage couvert d'un capuchon et parlait, quand il parlait, avec la voix déformée par un subterfuge qui, en la rendant semblable à celle de Donald, faisait gagner à son propriétaire en mystère ce qu'il perdait en dignité. D'ailleurs les deux ravisseurs s'étaient peu parlé pendant le voyage, sans doute pour ne pas alerter le chauffeur (Magnolio) sur la perfidie de leurs intentions. Et ainsi, avec les vicissitudes propres à la circulation à cette heure de la journée, décrites par Magnolio avec un luxe de détails que je me permets d'omettre ici, ils étaient arrivés tous les trois devant la grille de la résidence de Vilassar déjà connue du lecteur attentif. Magnolio aurait préféré rester dans la voiture, a poursuivi Magnolio, et il l'avait fait savoir à ses accompagnateurs, mais l'encapuchonné lui avait ordonné de les accompagner au cas où il y aurait un colis à se coltiner. Telle était bien l'expression crue qu'il avait employée, a bien précisé Magnolio. Une fois à l'intérieur de la résidence, une virago faisant fonction d'infirmière chef était venue à leur rencontre. Elle devait avoir été avisée préalablement et sa complicité avait dû être achetée, car elle avait annoncé que tout était prêt, comme convenu, elle avait glissé dans une poche de son uniforme le chèque qu'ils lui avaient remis et conduit les trois hommes par un couloir jusqu'à une chambre dans laquelle dormait un infirme sur une chaise roulante. A côté de la chaise roulante de l'infirme était posée une valise fermée qui contenait, d'après ce qu'avait dit l'infirmière chef, les vêtements et autres affaires, également de l'infirme. L'infirme, toujours selon l'infirmière chef, avait été préparé pour le voyage, et elle voulait dire par là, cette fois selon Magnolio, qu'elle lui avait administré une potion qui l'avait laissé groggy. Après ce conciliabule, ils avaient sorti l'infirme et son bagage de la résidence pour mettre l'infirme dans la voiture et la chaise roulante ainsi que la valise de l'infirme dans le coffre, et ils étaient repartis avec l'infirme et les affaires de l'infirme. Après un parcours dont Magnolio m'a de nouveau longuement narré tous les incidents, ils étaient arrivés aux portes d'une villa située dans une zone résidentielle de Castelldefels où nous arrivions précisément à notre tour au moment où Magnolio en était à cet endroit de son récit.

Nous avons quitté l'autoroute dite de Castelldefels à la hauteur d'un parking-caravaning, grill, station-service et centre d'exposition et de vente de meubles de jardin appelé Le Gay Pirate, nous avons fait le tour de deux ou trois ronds-points et, après plusieurs vaines tentatives de Magnolio pour s'orienter, nous nous sommes retrouvés en train de rouler dans des rues bordées de villas que je n'aurais pas hésité à qualifier « de rêve » si beaucoup d'entre elles n'avaient pas été détruites par le marteau-piqueur du progrès pour laisser la place à des immeubles d'habitation, plus grands et plus en harmonie avec le goût actuel pour l'entassement. Nul être humain, nulle machine ne bougeait alentour, et rien pas même le murmure cadencé des vagues marines se brisant sur le sable de la plage proche, pas même le ferraillement lointain d'un train de marchandise, n'est venu rompre le silence quand Magnolio a éteint le moteur, après avoir arrêté la voiture à un coin de rue.

— C'est celle-là, a-t-il dit en indiquant une villa composée d'un rez-de-chaussée et d'un étage, en forme de triangle scalène, avec des murs blancs, des volets verts et un toit de tuiles décolorées, entourée d'un jardin lui-même ceint d'une clôture en ciment chaulé d'à peine un mètre et demi de haut. Je vous accompagnerais volontiers mais, comme vous le voyez, il n'y a pas d'endroit où stationner.

— Ne vous posez pas de problèmes de conscience, Magnolio, lui ai-je dit. Cette affaire ne vous concerne pas et vous avez fait ce que tout honnête homme aurait fait dans les mêmes circonstances, voire davantage. En réalité, cette affaire ne concerne qu'un certain nombre de personnes avec lesquelles vous et moi n'avons rien à voir, rien à cirer. Notre affaire à nous, cher Magnolio, c'est la survie, et notre survie ne passe pas par Castelldefels. Et si vous vous demandez pourquoi, avec de telles pensées, je m'occupe de ce qui ne devrait pas me regarder, je vous répondrai que je n'en sais rien. Il doit bien y avoir une raison, ou peut-être y suis-je poussé par un instinct quelconque. Je suppose que Mlle Ivette y est pour quelque chose. Et maintenant, permettez que ce soit moi qui vous pose une question capitale : y a-t-il un chien ?

– Je n'en ai flairé aucun ce matin, a répondu Magnolio.

Je suis descendu de voiture sans ajouter un mot, Magnolio a démarré et disparu. Les pétarades de la voiture une fois éteintes, je me suis approché prudemment de la villa. La grille n'était pas plus haute que la clôture et elle était fermée par un simple loquet : la villa avait été bâtie à une époque lointaine où seuls quelques artisans comme moi attentaient à la propriété d'autrui. De la grille à la maison courait un sentier dallé ; le reste du jardin était tapissé de gazon avec, çà et là, des massifs de fleurs. Un amandier, un citronnier et un palmier barbu complétaient la population botanique du terrain. Sur le côté droit de la maison, je veux dire sur *ma* droite, on apercevait le début ou la fin d'une piscine vide et crevassée, depuis longtemps en désuétude ; à l'opposé, un garage. Par-derrière, la villa donnait sur une autre villa identique à celle décrite dans ce même paragraphe. Cette seconde villa était plongée dans l'obscurité ; la première laissait filtrer une lumière à travers les volets entrouverts d'une fenêtre du rez-de-chaussée. Craignant qu'une sentinelle ne soit postée à cette fenêtre, j'ai préféré passer par le jardin de l'autre villa, que je supposais désert. Il ne l'était pas : à peine avais-je enjambé la clôture et fait quelques mètres à quatre pattes sur le gazon, que j'ai entendu un halètement et vu à quelques centimètres de moi les crocs d'un terrible mastiff, pour la description duquel je m'en remets à la définition de cette race par le Dictionnaire de l'Académie royale espagnole : « Chien de grande taille, gros, à la tête ronde et aux oreilles petites et tombantes, yeux brillants, dents fortes, cou épais et court, poitrail large et robuste, mains et pieds robustes et nerveux, poil long, légèrement laineux. Très courageux et fidèle, il est le meilleur pour la garde des troupeaux. » La langue baveuse qui pendait d'un côté de la gueule et un collier sur lequel on pouvait lire son nom (Churchill) accentuaient son aspect effrayant. Je me voyais déjà mangé. Pourtant, au bout de quelques secondes, tandis que le cruel prédateur se délectait de la prolongation de mon agonie, je me suis souvenu que je portais dans la poche de ma veste le sandwich aux calamars et aux oignons qu'Ivette n'avait pas consommé à midi. J'ai porté lentement ma main à la poche, j'en ai tiré le paquet, j'ai enlevé le papier journal qui servait d'emballage et, en douceur, j'ai lancé le sandwich dans la gueule ouverte du fauve. Lequel a refermé sa gueule, mastiqué, avalé, puis fixé sur moi un regard plus morose que féroce et ouvert de nouveau la gueule. J'ai fermé les yeux. Quand je les ai rouverts, le mastiff avait toujours la gueule ouverte. Au bout de quelques secondes il a émis un sobre renvoi, fermé la gueule, fait demi-tour et disparu.

Après cette aventure éprouvante pour les nerfs, je n'en ai plus eu d'autres avant d'arriver à la porte de derrière de la première villa, objet de mon incursion, dans laquelle Agustín Taberner, *alias* le Gaucho, était présumément séquestré, et qu'à partir de maintenant, pour plus de concision, j'appellerai simplement « la villa ». La porte de derrière (de la villa) était en bois, avec un panneau vitré à la moitié supérieure, ce qui m'a permis, en regardant au travers, de distinguer dans l'ombre une cuisine. La porte était fermée, mais seulement par une espagnolette, et un enfant aurait pu l'ouvrir avec une sucette. En un clin d'œil, j'étais à l'intérieur. Une fois là, j'ai refermé la porte, je me suis relevé, car marcher à quatre pattes présente beaucoup d'inconvénients et aucun avantage, et j'ai reconnu le terrain avec prudence et méticulosité. Dans un placard j'ai trouvé plusieurs bouteilles de whisky, de gin et de rhum, des boîtes de cacahuètes grillées, un pot de café lyophilisé, un paquet de sachets de thé, du sel et du sucre ; dans le réfrigérateur, des canettes de tonic, de bière et de jus de tomate ; dans le congélateur, des cubes de glace et une bouteille de vodka couverte de givre. Dans les armoires il y avait des verres, des coupes, des assiettes, des cuillers et des cure-dents ; sur une étagère, un bougeoir portant une bougie à demi consumée, une boîte d'allumettes et plusieurs de préservatifs. De toute évidence, ce n'était pas là une habitation familiale. Les foyers de la cuisinière étaient froids. En palpant meubles et objets, je me suis rendu compte que les uns et les autres étaient recouverts d'une couche considérable de poussière. J'ai mangé une poignée de cacahuètes, pris une petite cuiller et le bougeoir, allumé la bougie avec une allumette, et je suis sorti par une autre porte conduisant à l'intérieur de la villa.

Là, l'obscurité n'était pas totale, car la porte entrebâillée d'une chambre laissait passer une mince lumière qui éclairait un large espace sans meubles. J'ai supposé que la chambre et la lumière étaient celles que j'avais vues de la rue à travers les volets. De cette chambre, outre la lumière susmentionnée, sortaient les suaves accords d'une partition classique que j'ai tout de suite reconnue : *Only You*, un des grands succès des Platters. Sur ma gauche il y avait une autre porte. Je l'ai ouverte et, dans l'ouverture, j'ai passé la tête et le chandelier. Cela m'a permis de contempler une pièce sans ventilation où s'entassaient des objets destinés jadis aux loisirs et aujourd'hui à l'oubli : bicyclettes, parasols, chaises longues, raquettes, une table de ping-pong. Tout était cassé et pourri, et la pièce sentait le moisi et le caoutchouc pourri. Une autre porte m'a révélé un lavabo, un miroir et une cuvette de W.-C. Au fond de l'espace vide, j'ai trouvé la porte principale de la villa. Elle était fermée à clef. J'ai tourné la clef pour libérer la serrure et l'ai mise dans ma poche, pour laisser la voie libre en cas de besoin.

Cela fait, je me suis approché de la porte entrouverte de la chambre éclairée. J'ai seulement pu voir un grand canapé, couvert d'une housse blanche, et le bord d'un meuble également protégé par une housse. La chanson s'est achevée et l'on n'a plus entendu que le frottement du saphir sur le sillon vide du disque. Puis l'aiguille du pick-up a grincé, a été soulevée sans précautions, et le disque est allé se briser contre le mur en mille morceaux qui sont retombés sur le canapé couvert de la housse. Apparemment, il n'avait pas été au goût de l'auditeur. Pour ne pas dénoncer ma présence dans le silence qui a suivi cette exécution, je suis resté immobile jusqu'au moment où l'aiguille a de nouveau grincé et où la voix bien timbrée de Carlos Gardel chantant *El viejo frac* a retenti. J'ai profité de ce tube pour reprendre mes activités.

Ce que je cherchais, à savoir l'escalier menant à l'étage, se trouvait au fond de l'espace vide, sur la droite. Je suis monté sur la pointe des pieds et j'ai débouché dans un couloir sur lequel donnaient plusieurs portes. J'ai écouté à l'une, puis à l'autre, jusqu'au moment où j'ai entendu un discret toussotement. J'ai essayé de tourner la poignée et elle n'a pas cédé. J'en ai déduit que c'était là que se trouvait enfermé Agustín Taberner, *alias* le Gaucho. J'ai posé le bougeoir par terre, j'ai sorti de ma poche la petite cuiller que j'avais prise dans la cuisine, et j'ai ouvert. J'ai ramassé le bougeoir, je suis entré en refermant la porte derrière moi et j'ai murmuré :

— Ne parlez pas fort.

La silhouette d'un homme s'est agitée sur sa chaise roulante.

— Qui êtes-vous ? a-t-il questionné dans un chuchotement.

— Le coiffeur.

— Ah, et qu'est-ce que vous faites avec un bougeoir à la main ?

257

— Je suis venu vous tirer de là.

— Je ne vois pas le rapport.

— Moi non plus, ai-je admis.

Contre l'un des murs latéraux de la chambre, il y avait un lit étroit et nu. Des morceaux de mousse rongés et répugnants débordaient d'une déchirure du matelas. A l'autre bout de la chambre, un ahuri me regardait, un bougeoir à la main : c'était mon reflet dans la glace d'une armoire. Un rai de lumière venant de la rue entrait par la fente que laissaient les volets d'un vasistas. J'ai essayé en vain d'ouvrir les volets bloqués par l'action du temps. Je suis revenu près de l'infirme.

— Pourquoi faites-vous ça ? a-t-il demandé.

— Pour votre fille, ai-je répondu, en optant pour la version abrégée de mes motivations.

— Hé, ne mêlez pas Ivette à cette histoire sordide, a-t-il dit.

— Et vous, ne soyez pas naïf : c'est Ivette qui vous y a mis, monsieur le Gaucho. Vous êtes argentin ?

— Non. On m'appelait le Gaucho parce que je dansais le tango mieux que personne.

— Eh bien, vous auriez mieux fait de moins danser et de ne pas devenir infirme. Dites-moi comment nous allons sortir d'ici, maintenant ?

— Un peu de respect. Je suis infirme parce qu'on m'a brisé les jambes. En plus de ma maladie des reins. Je suis estropié à vie.

— Qui vous a brisé les jambes ? Pardalot ?

— Évidemment.

— Vous les aviez tellement escroqués que ça ?

— Plutôt.

— Et Miscosillas ?

— Non. Lui, c'est un avocat minable, l'homme de paille de Monsieur le Maire. Ne serait-il pas plus indiqué que nous allions parler de tout ça dans une brasserie ?

– Facile à dire, ai-je répliqué. Mais si nous descendons l'escalier avec la chaise roulante, vous allez vous recasser les jambes, et les bras en prime.

– Vous avez raison, a-t-il admis. Portez-moi sur votre dos. Je pèse peu et vous semblez costaud.

– C'est le rembourrage de ma veste. Je ne vais pas vous transporter à califourchon jusqu'à Barcelone sur l'autoroute de Castelldefels.

L'infirme a médité quelques instants puis a dit :

– J'ai trouvé. Descendez-moi d'abord, et descendez ensuite la chaise.

– Ce n'est pas une mauvaise idée, ai-je reconnu.

J'ai ouvert la porte. Les accords d'une mélodie triste (*Tombe la neige*, ou une autre d'Adamo que je confonds toujours avec *Tombe la neige*) sont parvenus à nos oreilles. Laissant la porte ouverte, j'ai réussi, au prix de gros efforts et d'une perte de temps considérable, à soulever l'infirme de sa chaise et à l'installer sur mon dos chétif. Il s'agrippait férocement à mon cou. Pour ne pas être asphyxié et avoir les mains libres, je lui ai dit de se charger du bougeoir. C'est dans cet équipage que nous sommes sortis de la chambre. Nous avons fait quelques pas, mes genoux ont flanché et nous nous sommes écroulés tous les deux par terre. Par chance la voix du chanteur inspiré a couvert le bruit de nos têtes cognant contre le plancher.

– Je n'en peux plus, ai-je murmuré en haletant. J'ai toujours été souffreteux. Et je n'ai pratiquement pas dormi depuis plusieurs nuits.

– Dans ce cas, j'étais mieux séquestré qu'ainsi.

– Taisez-vous et ne bougez pas. Je reviens tout de suite, ai-je dit.

J'ai récupéré à tâtons la bougie qui était tombée du bougeoir et s'était éteinte, je l'ai rallumée avec une allumette. En bas, le silence s'est fait de nouveau et, un instant plus tard, est venu le bruit du disque se brisant en mille morceaux contre le mur. Tout de suite après, Aznavour a chanté en espagnol *Elle va mourir la mamma*. Je suis retourné dans la chambre et j'ai ouvert l'armoire à glace. Comme je l'avais prévu, j'y ai trouvé de la literie. J'ai pris une couverture et suis revenu avec elle près de l'infirme, qui gisait toujours à terre et qui sanglotait.

– Eh bien, qu'est-ce qui vous arrive, maintenant ? Vous vous êtes fait mal ?

– Non, c'est à cause de la chanson, a-t-il répondu.

*

Profitant de l'état de langueur mélancolique dans lequel le souvenir de temps plus heureux avait plongé Agustín Taberner, *alias* le Gaucho, je l'ai installé sur la couverture et l'ai traîné jusqu'à l'escalier en tirant sur celle-ci avec une relative facilité, mon expérience m'ayant appris que par cette méthode simple, et en vertu de Dieu sait quelles lois de la mécanique, des gringalets peuvent déplacer des pianos et des réfrigérateurs. Évidemment les marches présentaient des difficultés supplémentaires.

Cependant l'habileté, le courage et un certain nombre d'offenses à nos postérieurs respectifs nous avaient déjà permis de descendre la première volée, quand nous avons été arrêtés par le bruit de légers coups frappés à la porte d'entrée de la villa. La musique empêchait la personne, quelle qu'elle soit, à qui s'adressait cet appel de l'entendre. Le nouveau venu a donc essayé d'ouvrir la porte d'entrée de l'extérieur et il y est parvenu dès la première tentative, vu que j'avais, peu de temps auparavant, libéré la serrure. La silhouette d'un homme s'est dessinée dans l'encadrement de la porte d'entrée. Pour que le nouveau venu ne nous découvre pas, je me suis aplati contre le sol en nous abritant, l'infirme et moi, sous la couverture, de manière à former une masse assez grosse mais, me semblait-il, peu visible dans la pénombre qui régnait. Au même instant la chanson (d'Aznavour) qui avait retenti jusqu'à maintenant s'achevait, et le bruit de la porte refermée par le nouveau venu est devenu nettement perceptible. De la chambre éclairée, une voix bizarre a demandé :

– Qui est là ?

– C'est moi, a répondu le nouveau venu.

La voix du nouveau venu me rappelait quelque chose mais, sur le moment, je n'ai pas su à qui l'attribuer. L'autre voix était impossible à identifier, car elle était déformée par le subterfuge déjà employé en d'autres occasions par l'encapuchonné.

– Comment es-tu entré ? a demandé ce dernier.

– La porte était ouverte, a répondu le nouveau venu.

– Hum, a dit l'autre voix, je jurerais l'avoir fermée à clef.

– Et pourtant la clef n'était pas dessus, a répliqué le nouveau venu. Mais ça n'a pas d'importance. J'ai la mienne.

Aussitôt dit, aussitôt fait, avec une clef que le nouveau venu a sortie de sa poche et y a remise ensuite ; après quoi il s'est dirigé vers la chambre éclairée et est resté adossé au chambranle de la porte en contemplant les morceaux de disques épars sur le sol. La lumière venant de la chambre éclairée formait, à contre-jour, un halo autour des cheveux gris du nouvel arrivant. J'ai reconnu ainsi maître Miscosillas, lequel a demandé :

– Qu'est-ce que tu faisais ? Tu écoutais de la mauvaise musique d'hier, d'aujourd'hui et de toujours ?

– Oui, et je cassais ces disques obscènes, a répondu la voix déformée. Tu as vu la fille ?

– Non, a répondu maître Miscosillas, le nouveau venu. Je l'ai attendue au José Luis où elle m'avait donné rendez-vous, mais elle n'est pas venue. J'y étais quand elle m'a appelé et donné rendez-vous dans un autre bar, et ensuite dans un autre. Au quatrième bar je me suis découragé et je suis venu ici.

– Pouah, tu es un idiot, a dit la voix déformée (et irritée).

– Pourquoi ça ? a demandé sans s'émouvoir maître Miscosillas.

– Je t'expliquerai plus tard. Pour le moment, chut. Quelqu'un frappe à la porte.

– Ne t'inquiète pas. C'est Santi. Il est venu avec moi mais nous avons laissé la voiture un peu loin, et le pauvre est en capilotade depuis qu'il est sorti de l'Unité des Soins intensifs.

– Tu n'aurais pas dû l'amener, a dit la voix. Il est de plus en plus maladroit. Physiquement et mentalement périmé, comme ces disques. Va ouvrir, qu'est-ce que tu attends ?

Maître Miscosillas a obéi et Santi, anciennement vigile et présentement infirme, lui aussi, du fait de la balle reçue dans mon appartement, a effectué son entrée en clopinant entre deux béquilles. Maître Miscosillas a refermé la porte à clef et rangé la clef dans la poche de sa veste.

– Ça se gâte, m'a chuchoté Agustín Taberner, *alias* le Gaucho, dans le creux de l'oreille. Maintenant ils sont trois, et plus dangereux l'un que l'autre.

– Ne vous découragez pas, ai-je répondu, il est probable qu'ils vont discuter et qu'ils ne feront pas attention au reste.

Nous sommes demeurés un moment sans bouger ni parler. De la chambre éclairée nous parvenait le murmure inintelligible d'une conversation coupée de longs silences. Avec d'infinies précautions, nous sommes sortis de sous la couverture et nous avons repris notre descente en suivant la méthode déjà décrite. Nous arrivions au pied de l'escalier quand la lumière venant de la chambre éclairée a projeté une ombre. Quelqu'un sortait. J'ai juste eu le temps de traîner la couverture et l'invalide dans un coin, de me jeter contre lui et de nous abriter de nouveau tous les deux dessous. En soulevant un coin de la couverture, nous avons vu maître Miscosillas sortir de la chambre éclairée, entrer dans la cuisine et allumer. Il y a eu des bruits divers et, au bout d'un moment, maître Miscosillas est revenu dans la chambre éclairée en portant sur un plateau une bouteille de whisky, quatre verres et un pot contenant de la glace.

— La porte de la cuisine était ouverte, a-t-il annoncé, comme celle de l'entrée.

— Pourtant je jurerais bien avoir mis l'espagnolette, a dit la voix.

— Bah, a dit maître Miscosillas, ça n'a pas d'importance. De toute manière, je l'ai fermée à clef et j'ai mis la clef dans ma poche, avec l'autre. Maintenant, j'ai les deux clefs dans ma poche.

— Apparemment, ils attendent encore quelqu'un, ai-je murmuré.

Des coups frappés à la porte d'entrée ont confirmé cette supposition. Maître Miscosillas est allé ouvrir en ronchonnant parce qu'il devait tout faire comme s'il était la boniche de la maison. Ce sont ses mots exacts. A peine avait-il ouvert la porte (avec la clef correspondant à ladite porte) qu'un homme s'est glissé à la vitesse d'un courant d'air.

— Ferme, Horacio, a-t-il dit. Personne ne m'a suivi, mais on ne prend jamais assez de précautions.

Maître Miscosillas a refermé la porte à clef pendant que le nouveau venu était accueilli dans la chambre éclairée par la fausse voix de l'encapuchonné :

— Tu es en retard.

— Oui, c'est vrai, mais vous savez comment ça se passe à la télévision : ils vous disent dix minutes et au bout du compte ça fait trois heures. Il y a le maquillage, la pub, et patati et patata. Et pour tout arranger, il a fallu refaire plusieurs séquences parce que le présentateur a été pris de fou rire. Dès que j'aurai gagné les élections, il entendra parler de moi. Mais dans l'ensemble je m'en suis bien tiré. C'est ce que m'ont dit mes conseillers en communication qui suivaient le programme avec beaucoup d'intérêt, de la cafétéria.

— Tu n'es pas venu en voiture officielle et avec une escorte, au moins ?

— Non, non, j'ai pris la camionnette du mégaphone. On a des nouvelles de la fille ?

— Elle n'est pas venue au rendez-vous, a dit maître Miscosillas.

— Et cet idiot, en voyant qu'elle lui posait chaque fois un lapin, n'a rien trouvé de mieux que de venir ici, a dit la voix.

— Moi ça me semble une bonne idée, a dit Monsieur le Maire. Quelqu'un veut un scotch *on the rock* ?

Tandis qu'on entendait le tintement des glaçons dans les verres, j'ai examiné la situation. Elle n'était pas brillante. Les deux portes d'entrée (et de sortie) étaient maintenant fermées à clef, et une serrure n'est pas la même chose qu'une espagnolette : forcer les serrures avec la petite cuiller aurait nécessité au moins une demi-heure, avec le risque inhérent d'être pris en flagrant délit. Mais de tous les plans possibles, celui-ci était le seul viable, car il n'était pas question d'utiliser les fenêtres ni le conduit de la cheminée avec un infirme sur une chaise roulante. Entre les deux portes, celle de la cuisine semblait le choix le plus logique, bien que sortir par là implique une nouvelle rencontre avec le mastiff, et cette fois je n'avais pas de quoi me ménager sa bienveillance, sauf s'il aimait les cacahuètes grillées et le jus de tomate. Mais, auparavant, je devais remonter à l'étage et descendre la chaise roulante, comme nous en avions convenu au début de notre fuite.

J'ai été arraché tout à coup à ces spéculations mentales minutieuses mais nécessaires par une inquiétante odeur de laine brûlée. L'infirme et moi, chacun de notre côté mais en chœur, nous avons émis des jurons bien sentis. Nous avions malencontreusement oublié d'éteindre la bougie, et la couverture brûlait.

Comme mon altruisme a des limites, j'ai dit à l'infirme de se débrouiller tout seul et me suis dégagé en toute hâte. Et avec tant de malchance que la couverture s'est enroulée autour de mes vêtements et qu'elle est venue avec moi. Ce remue-ménage n'est pas passé inaperçu et, immédiatement, des voix se sont exclamées dans la chambre éclairée :

— Qu'est-ce que c'est que ce boucan ?

Monsieur le Maire a passé la tête et dit :

— Je ne sais pas. Il y a une couverture en flammes qui court dans la maison.

— Santi, bon sang, fais quelque chose, s'est écrié maître Miscosillas. Je te paye pour ça.

— Je suis en arrêt maladie, a répliqué l'ex-vigile.

— Alors donne-moi le pistolet, tire-au-flanc, a dit maître Miscosillas.

Il est sorti en tenant à la main un Beretta 89 Gold Standard calibre 22 au moment où je parvenais à me défaire de la couverture. A tout hasard, je me suis aussi défait de ma veste et de mon pantalon et j'ai levé les bras en criant :

— Je me rends !

— Baissez les bras et éteignez ce brasier avant que toute la maison ne brûle, crétin, m'a ordonné maître Miscosillas.

Ayant autant que lui intérêt à éviter le désastre, j'ai couru à la cuisine et suis revenu avec deux verres pleins d'eau. Cette intervention et quelques violents coups de pied ont réduit la couverture à un petit tas de cendres fumantes. Miscosillas m'a fait entrer dans la chambre éclairée où je me suis retrouvé face à ceux qui y étaient réunis. Monsieur le Maire a été le premier à réagir :

— Bon sang, c'est vous, a-t-il dit. Je croyais que nous avions terminé le tournage du spot.

*

Ils m'avaient fait remettre mes vêtements, légèrement roussis, et m'avaient assis sur un vieux pouf en cuir repoussé qui me maltraitait les fesses. Entre-temps Santi, le pistolero estropié, avait récupéré le Beretta 89 Gold Standard calibre 22 et le pointait en permanence sur moi ; Monsieur le Maire et maître Miscosillas se tenaient d'un air guindé sur le large canapé, et l'individu encapuchonné déambulait dans la chambre à grandes enjambées, comme un lion en cage et en cagoule. Un bon moment s'est écoulé de la sorte et, voyant qu'il ne se passait rien, considérant aussi qu'en de telles circonstances le temps ne jouait pas en ma faveur, j'ai décidé de prendre l'initiative et la parole en m'adressant à eux en ces termes :

— Messieurs, de votre attitude inquiète et des regards furtifs que je vous vois échanger entre vous, je déduis que cette situation vous semble fâcheuse et, comme c'est également mon sentiment, je vous propose de la débloquer par l'unique moyen valable en de tels cas, c'est-à-dire en abattant notre jeu ou en jouant cartes sur table, les deux expressions étant également correctes.

J'ai fait une pause pour juger de l'impression produite par ma proposition et, ne percevant aucune réaction pour ou contre celle-ci, j'ai estimé qu'il convenait de renforcer l'effet de mon propos initial en frappant un coup direct et me suis adressé à l'encapuchonné :

– L'heure est venue de mettre fin à la farce de la cagoule et de la sourdine. La première fois vous m'avez blousé, mademoiselle Ivette, mais ensuite, non. Inutile de continuer à feindre. Et puis garder aussi longtemps la tête enfermée déshydrate la peau, stimule les sécrétions sébacées et rend les cheveux gras et collants.

Avec un haussement d'épaules, l'intéressée s'est débarrassée du capuchon qui portait, fixé à la hauteur de l'orifice buccal, un variateur électronique de son et l'a jeté par terre. Puis elle a enlevé la veste, le pantalon et les coussins qui, placés sous les vêtements, cachaient ses formes féminines et lui donnaient l'apparence et le mauvais genre d'un homme rondouillard. Sous cet habillement, elle portait un pantalon ajusté en lycra gris clair et un simple tee-shirt blanc sans manches. L'ensemble, pratique, moderne et sans prétentions, la rajeunissait et lui seyait franchement bien. Sur ce, Monsieur le Maire s'est levé de son canapé et s'est précipité vers elle la main tendue en disant :

– Enchanté. Je suis le maire de Barcelone et je me présente à la réélection.

Elle lui a lancé un coup d'œil chargé de colère et de mépris, a croisé les bras sur son tee-shirt et lui a craché :

– Je suis Ivette Pardalot, crétin, et tu me connais depuis ma naissance.

– Ah, oui, c'est vrai. Je ne m'en étais pas rendu compte. Et c'est dans mes bras que tu as reçu les eaux baptismales… ou phréatiques, je ne me souviens plus, a reconnu Monsieur le Maire en retournant s'asseoir, un peu confus. Comment soupçonner… Et toi, Horacio, cette métamorphose ne te laisse pas comme deux ronds de flan ?

– Non, Monsieur le Maire, ai-je dit avant que l'interpellé ait pu répondre à la question de Monsieur le Maire, maître Miscosillas a été dès le début dans le secret de la double personnalité de Mlle Ivette. Ou plutôt il a été dans une partie du secret, car il y a des choses qu'il ne sait pas et qu'il lui déplaira fortement de savoir quand on les lui dira.

— Ça suffit, a dit Ivette Pardalot en me coupant la parole. Nous n'avons nul besoin d'écouter ce professionnel de la pommade et du boniment. Il est là en intrus, c'est à nous de nous occuper de lui et pas à lui de s'occuper de nous. Et nous allons le faire sans plus de circonlocutions. La présence de cette mouche à merde complique un peu nos plans, mais pour peu que nous sachions en tirer parti, elle peut aussi les simplifier. Parce que cette mouche à merde, non contente d'être le principal suspect de l'assassinat de mon père, est entrée dans cette maison à la faveur de la nuit et d'une effraction. Compte tenu de ce qui précède, il n'y aurait donc rien d'étonnant à ce qu'elle en soit payée comme elle le mérite. Par exemple par une balle bien ajustée. Ainsi, la police pourra dire que l'assassin de Pardalot a été tué en légitime défense au moment où il se préparait à perpétrer un nouveau crime, et conclure au classement d'une enquête qui ne peut que nous causer des désagréments à tous. Quelqu'un a-t-il autre chose à ajouter à ma proposition ?

Maître Miscosillas s'est levé de son canapé comme s'il était propulsé par un ressort (du canapé) et a demandé d'une voix tremblante :

— La proposition consiste-t-elle à assassiner de sang-froid cette mouche à merde ?

— Bon sang, Horacio, s'est exclamé Monsieur le Maire, surveille ton vocabulaire. Ce sont là des choses que je ne dois pas entendre.

— Il s'agit seulement d'un coiffeur sans état civil qui en sait trop long, a répondu Ivette Pardalot. Sa disparition ne porte préjudice à personne. Vivant, en revanche, c'est un empoisonnement constant. L'autre nuit, dans ma propre maison, il a essayé de coucher avec moi.

Maître Miscosillas a rougi jusqu'à la racine de ses cheveux gris et baissé la tête.

— On ne pourrait pas proposer à cette mouche à merde un petit arrangement financier pour prix de son silence ? a suggéré Monsieur le Maire. Ou un emploi à la Municipalité ? L'Hôtel de Ville est un nid de satyres.

— Non, a dit Ivette Pardalot. Nous sommes allés trop loin pour adopter des mesures dilatoires. Santi, emmène cette mouche à merde dans un lieu discret, fais ce que tu as à faire, et enterre sa dépouille dans le jardin de la maison voisine.

— Santi, mon ami, me suis-je hâté de dire, ne te laisse pas entortiller par cette embobineuse. Si tu me liquides, ils te liquideront ensuite. Et à juste raison, parce que tu sauras sur eux des choses encore plus lourdes et plus compromettantes.

— Oui, mais je suis de leur côté, a répliqué Santi.

— Ne crois pas ça, Santi, ai-je répondu. Dans ce club, comme dans tous les clubs, seuls comptent les membres fondateurs. Toi, tu es un pion, une simple petite crotte sur l'échiquier. Écoute-moi : la balle que tu as reçue dans mon appartement, tu ne l'as pas reçue par erreur. Quelqu'un savait que tu viendrais me voir et a engagé un tireur professionnel pour te liquider depuis l'immeuble d'en face. Cette idée de me faire signer une confession écrite, tu n'as pas pu l'avoir tout seul. Quelqu'un t'a donné l'idée, et aussi le stylo. Un vigile ne possède pas un Montblanc. Qui était-ce, Santi ?

Santi est resté un moment à réfléchir. Puis il a dit :

— Cela ne prouve rien. Pourquoi...

— Pourquoi avaient-ils intérêt à te tuer ? ai-je dit. C'est très simple : pour apporter à la police la solution de l'affaire. Moi, ils n'arrivaient pas à m'inculper de façon concluante. En revanche, avec toi, c'était facile.

La nuit du crime, Pardalot et toi vous étiez seuls dans les locaux du Filou Espagnol.

— C'est vrai, a concédé Santi, mais je ne l'ai pas tué.

— Peut-être pas, ai-je dit. Mais s'ils me liquident pour s'assurer de mon silence, pourquoi ne devraient-ils pas te tuer aussi ?

— Un moment, a dit Monsieur le Maire en nous regardant les uns et les autres d'un air soucieux. Si Santi n'a pas tué Pardalot, ni vous non plus, qui a tué Pardalot ? Ne me dites pas que c'est moi. J'admets que je me suis rendu, cette nuit-là, dans les locaux du Filou Espagnol. J'admets que je suis entré subrepticement par le garage pour ne pas être vu. Mais quand je suis arrivé dans son bureau, Pardalot était déjà mort. Du moins, c'est le souvenir que j'en garde. Le problème, voyez-vous, c'est que je n'ai pas la tête très solide. Pour remplir ma charge, cela suffit. Mais ceux de l'opposition le savent et ils profitent de ma faiblesse. Jour après jour, ils me balancent des motions et un tas de balivernes pour me rendre cinglé. Tout tourne autour de moi, particulièrement la salle du Conseil. Mais je ne suis pas fou.

Il s'est levé du canapé, a sorti de sa poche un tract électoral sur lequel figurait son effigie souriante sur fond bleu, agrémentée d'un slogan incisif en catalan, *Com a cal sogre !* (ce qui peut plus ou moins se traduire par : Les doigts dans le nez !), et a parcouru notre petite assemblée en montrant la photo à chacun et en demandant :

— Est-ce que c'est la tête d'un dément ? Dites-moi, est-ce que ce sont les caractéristiques faciales d'un déséquilibré ?

Nous nous sommes charitablement abstenus de répondre, je l'ai rassuré quant à la question de l'auteur du crime et nous avons réussi, à force de supplications et de cajoleries, à lui faire reprendre sa place sur le canapé. Puis, cette émouvante parenthèse refermée, Ivette Pardalot a récupéré les rênes de la situation et la parole, et elle a pressé Santi d'exécuter l'ordre cruel qu'elle lui avait donné, chose qu'il a refusée en alléguant qu'il avait besoin de ses deux mains pour tenir ses béquilles et que, dans ces conditions, il ne pouvait pas me forcer à l'accompagner dehors pour m'y faire subir une triste fin. En entendant ce grossier prétexte, Ivette Pardalot a eu un rire sarcastique.

— J'ai compris, a-t-elle dit, tu as prêté l'oreille aux élucubrations de ce sycophante. C'est sans importance. Horacio, prends le pistolet de Santi, emmène ce type dans le jardin et occupe-toi de lui. Monsieur le Maire t'aidera à creuser la fosse.

— Ma chérie, a répondu maître Miscosillas, je ne suis qu'un pauvre avocat. Et d'affaires, c'est-à-dire de l'espèce la plus pacifique.

— Et moi, ce n'est pas que le travail me fasse peur, a dit Monsieur le Maire, mais je préférerais également m'abstenir.

Ivette a lancé un coup de pied furieux dans le pick-up.

— Bien sûr, a-t-elle crié, avec les chansons que vous écoutiez, qu'est-ce que vous pouviez devenir d'autre ? Vous les hommes, vous êtes devenus des poules et, en conséquence, nous les femmes, nous devons faire à la fois les poules et les coqs. Au bout du compte, nous en sortons tous perdants, sauf les curés. Très bien. Ne discutons plus. C'est moi qui le ferai.

Et, sur ces mots, elle a ouvert un tiroir de la commode et en a sorti un vieux revolver Remington calibre 44 avec lequel elle nous a tous successivement menacés en fermant tantôt un œil tantôt l'autre pour mieux viser.

— J'ai l'impression, a commenté Monsieur le Maire, que je ne suis pas le seul à avoir une araignée dans le plafond.

Maître Miscosillas a fait un pas vers Ivette Pardalot, mais celle-ci a agité le revolver d'une façon si expressive que maître Miscosillas a fait un autre pas dans la direction opposée et est revenu là où il se tenait avant de faire le premier pas. Ses traits exprimaient la consternation.

– Ivette, mon biquet, a-t-il murmuré, que vont penser ces gens ? Remets le revolver à sa place. Il peut être chargé. Jouer avec des armes est cause de nombreux accidents. Pas autant que circuler à moto, mais plus qu'on ne l'imagine. D'où le sors-tu ?

– En fouillant la maison, a-t-elle dit, j'ai trouvé les disques, une pile de *Playboy* d'avant le Déluge et ce vieux revolver Remington calibre 44 rouillé et poussiéreux. Le revolver, a-t-elle ajouté en s'adressant à moi, appartenait à mon grand-père. Le grand-père Pardalot, au sortir de cette insipide guerre civile espagnole dont on ne finit pas de nous rebattre les oreilles, a fait fortune par les méthodes habituelles en cette sinistre période historique. Devenu riche, il s'est acheté une maison à S'Agaró et une autre à Camprodón pour passer l'été en famille, et il s'est fait construire cette villa à Castelldefels pour y amener des femmes légères. Quand mon grand-père s'est lassé de ramasser et d'amener des femmes légères, son fils, c'est-à-dire mon défunt père, a commencé à se servir de la villa avec ou sans le consentement du grand-père pour y venir avec ses vieux copains et de pauvres filles à qui ils avaient fait gober la blague de la libération sexuelle. Avec ces bobards et ces disques, ils en ont laissé plus d'une mal en point, et après, je ne t'ai jamais vue et bonsoir. C'est bien ça, Monsieur le Maire ? Ou je me trompe ?

– A vrai dire, a soupiré Monsieur le Maire, pour les autres je ne sais pas, mais moi je ne faisais que me masturber.

– Mon grand-père avait été fétichiste, a poursuivi Ivette Pardalot, et c'est pour ça qu'il avait un pistolet.

272

– Phalangiste, mon biquet, pas fétichiste, l'a corrigée maître Miscosillas. Dans l'après-guerre, certains avaient des pistolets, et d'autres des femmes légères. Mais les pistolets et les femmes légères à la fois, c'étaient seulement les phalangistes. J'ai essayé mille fois de te l'expliquer, mais tu ne fais pas attention, mon biquet.

– Le groupe de mon père, a continué Ivette Pardalot sans faire cas des rectifications de l'autre, était formé de trois amis, à savoir mon père, Monsieur le Maire ici présent et un troisième homme appelé Agustín Taberner, *alias* le Gaucho. Il y en avait d'autres, naturellement, mais ces trois-là étaient le noyau.

– La moelle, mon biquet, l'a corrigée maître Miscosillas.

Et s'adressant aux autres :

– Je n'ai jamais appartenu à ce groupe. J'étais un peu plus jeune et je ne venais pas d'une bonne famille. J'ai fait mes études grâce à des bourses. Ma seule distraction était d'aller le dimanche au cinéma du quartier. J'ai vu onze fois *Sept fiancées pour sept frères*. Ce film représentait et représente, aujourd'hui encore, dans mon imagination, l'idéal dont j'ai toujours rêvé pour la Catalogne.

– Moi, en revanche, j'ai vu trois fois *Le Septième Sceau*, et je n'ai rien tiré au clair : ni qui était le garçon, ni rien de rien, a dit Monsieur le Maire. Ah, temps heureux qui ne reviendront jamais ! Nous étions jeunes, inquiets, avides de savoir, insatiables, trois imbéciles toujours ensemble : ton père et moi, et ce joyeux drille qui dansait si bien la milonga. Dieu sait où il se promène, aujourd'hui !

– Nulle part, lui a répondu maître Miscosillas. Il est infirme, et nous le séquestrons au premier étage.

– Vous le séquestrez ? Pouah, ce sont là des choses que je ne dois pas entendre.

– Il se cachait depuis des années dans une résidence pour infirmes de Vilassar, a poursuivi maître Miscosillas. J'eus ce coup de veine de découvrir où il vivait en subornant un chauffeur noir et stupide qui conduisait de temps en temps l'autre Ivette à la résidence de Vilassar. En détenant en otage Agustín Taberner, *alias* le Gaucho, nous pensions que l'autre Ivette livrerait les documents que ce crétin ici présent a volés au siège du Filou Espagnol. Cette Ivette-ci, c'est-à-dire Ivette Pardalot, se mit en contact avec elle, avec l'autre Ivette, et toutes deux convinrent d'un rendez-vous avec moi au José Luis. L'autre Ivette devait y apporter les documents, et moi, en échange, je lui rendais son père.

– Oh, Horacio, comme tu expliques mal, a dit Monsieur le Maire. Quel bar ? Quel rendez-vous ? Quel père ?

– Le sien, a répondu maître Miscosillas. Agustín Taberner, *alias* le Gaucho, est le père d'Ivette. Pas de cette Ivette-ci, mais de l'autre Ivette. Le père de cette Ivette-ci était Pardalot.

– Je comprends, maintenant, a dit Monsieur le Maire. Et je comprends aussi pourquoi l'autre Ivette n'est pas venue au rendez-vous pour rapporter les documents. Qui lui garantissait que, une fois ceux-ci livrés, tu lui rendrais son père ?

– La simple logique, a répondu maître Miscosillas. L'échange effectué, pourquoi aurions-nous voulu retenir encore l'infirme ? Les documents remis contre le père, tout le monde était satisfait et les choses revenaient à la normale.

– C'est là, monsieur Miscosillas, ai-je dit, que vous vous trompez. En réalité les documents n'intéressent personne et le vol effectué par moi n'a été qu'un écran masquant les véritables motivations de la personne qui a manigancé et dirigé depuis le début l'intrigue embrouillée de ce récit dans lequel vous n'avez été rien d'autre, comme moi et tous les autres participants, qu'un comparse crédule.

– Ça alors ! ont dit en chœur Monsieur le Maire et Ivette Pardalot. Quelqu'un peut-il éclaircir cette devinette ?

– Oui, moi, ai-je répondu, mais pas maintenant, car si mes oreilles ne me trompent pas, quelqu'un est en train de frapper violemment à la porte et de pousser des cris épouvantables.

*

C'était exact : accompagnant mes dernières paroles et les noyant presque dans son vacarme, l'appel retentissant réveillait tous les échos de la maison. Sans en paraître surprise, comme si elle s'attendait à cette interruption, Ivette Pardalot a fait signe à maître Miscosillas d'aller y répondre, et il s'est exécuté à contrecœur. Moi, à sa place, j'aurais profité de l'occasion (et des clefs) pour filer de cette maison où tant de pistolets se promenaient entre les mains de déséquilibrés et pour regagner Barcelone, en taxi s'il en trouvait un et sinon à pied. Mais lui (maître Miscosillas), soit qu'il veuille savoir comment tout cela allait se terminer, soit pour d'autres raisons qu'il ne manquerait pas de nous révéler incessamment, a choisi de revenir dans la chambre éclairée (à partir de maintenant : « le salon ») en compagnie de la personne responsable de tout ce charivari, qui s'est révélée n'être autre qu'Ivette, également appelée sans raison la fausse Ivette, pour moi *mon* Ivette, laquelle a lancé un porte-documents sur la table et s'est écriée :

– Où est mon papa ?

A cette supplique émouvante, l'autre Ivette a répondu sur un ton sarcastique :

– Ne te précipite pas, Ivette. Nous ne sommes pas pressés. Et quand on entre dans une maison, on dit d'abord bonjour. Tu ne te souviens pas de ce que les sœurs nous ont appris au pensionnat ?

Stupéfaite, Ivette a regardé Ivette attentivement et, reconnaissant son ancienne condisciple, elle n'a pu éviter, malgré le caractère angoissant de sa situation, qu'un sourire éclaire son visage au souvenir de quelque innocente espièglerie enfantine.

– Ivette ! s'est-elle exclamée joyeusement, une fois remise de sa surprise. Cela fait si longtemps que je ne t'ai vue et que je suis sans nouvelles de toi ! Tu n'as pas changé. Pour toi, le temps ne passe pas. Ou, au moins, tu es bien la seule personne à qui le temps fasse des cadeaux.

Elle a fait mine de se jeter dans ses bras, mais Ivette Pardalot l'a arrêtée d'un geste comminatoire.

– Gardons les effusions pour une meilleure occasion, a-t-elle dit.

– J'ai été sincèrement désolée pour ton père, a dit Ivette. Je serais venue à l'enterrement, mais j'avais justement beaucoup de travail ce jour-là.

– Aucune importance, a répondu Ivette Pardalot. Moi aussi je suis sincèrement désolée pour ton père.

– Pour mon père ? Qu'est-ce que tu as à voir avec mon père ? Tu sais peut-être où il est ? Se peut-il qu'il soit ici, dans cette affreuse villa ?

– Ça se peut, a répondu sèchement Ivette Pardalot. Nous en parlerons tout à l'heure, quand nous aurons réglé certaines affaires pendantes. Cela ne nous prendra pas beaucoup de temps, je suis d'une grande efficacité. *Time is money*, comme on me l'a enseigné à Amherst, Massachusetts. Tu connais déjà ces messieurs : Monsieur le Maire et maître Miscosillas. Le beau jeune homme blessé qui tient un Beretta 89 Gold Standard calibre 22, ou, si tu préfères, un pistolet, est Santi, ex-vigile au Filou Espagnol, actuellement à mon service, bien que je ne sois guère contente des résultats. Et celui-là, enfin, c'est ton coiffeur.

– Il n'est pas mon coiffeur ! a protesté Ivette.

– Je me présente à la réélection, a dit Monsieur le Maire. Puis-je vous demander, mademoiselle, si vous êtes la fille de feu Pardalot ? Dans ce cas, je vous assure que votre défunt père et moi étions de grands amis. Mes plus sincères condoléances. Vous ai-je dit que je me présente à la réélection ?

– Oui, Monsieur le Maire, a répondu Ivette. Et je ne suis pas la fille de feu Pardalot. Mais je me prénomme bien Ivette, comme la fille de feu Pardalot. En réalité, mon père est Agustín Taberner, *alias* le Gaucho. Il était aussi votre ami et si je suis là, c'est pour l'échanger contre ces documents, comme j'en ai convenu cette après-midi avec le monsieur encapuchonné. Je l'appelle ainsi parce que dans le cours de la conversation il s'est défini lui-même comme encapuchonné mais, vu que nous parlions au téléphone, je ne peux vous dire avec certitude s'il portait vraiment un capuchon, ou s'il n'en portait pas, ou s'il était carrément à poil. Quoi qu'il en soit, nous avons convenu d'un rendez-vous à neuf heures au José Luis. Si j'apportais les documents, m'a-t-il dit, mon père serait libéré, sain et sauf. Et, bien entendu, pas un mot de tout cela à la police.

– Mais elle n'est pas venue au rendez-vous, est intervenu maître Miscosillas. Moi, par contre, oui. Conformément aux instructions de mon mandant, je me suis présenté ponctuellement au lieu convenu, je me suis placé en un lieu stratégique du comptoir d'où je pouvais surveiller la porte dudit lieu et j'ai patienté en consommant un whisky. A neuf heures vingt, un garçon m'a demandé si j'attendais une dénommée Ivette pour une affaire d'enlèvement, et lui ayant répondu par l'affirmative, il m'a dit que la dénommée Ivette venait d'appeler téléphoniquement en disant qu'il lui avait été impossible d'arriver à temps et qu'elle se trouvait en ce moment à l'autre bout de la ville, et vous savez comment est la circulation à cette heure-là et à toutes les heures et vous verrez il viendra bien un jour où la ville va exploser, etc., etc. Je n'ai pas su si cela faisait partie du message ou si le garçon exprimait son opinion personnelle. La seule chose certaine est qu'Ivette me proposait de reporter notre rencontre à dix heures moins cinq et de la déplacer en un lieu dénommé Dry Martini. Comme ce n'était pas loin, je me suis rendu à pied dans cet établissement où j'ai de nouveau trompé mon attente avec quelques cocktails délicieux. A dix heures dix, la scène du garçon et du message s'est répétée. Cette fois le rendez-vous était dans un bar de la rue Santaló. Trois cocktails plus tard, il m'est parvenu un nouveau rendez-vous dans un quatrième bar du quartier de la Ribera, non loin de Santa María del Mar. Là, j'ai attendu jusqu'à onze heures et demie sans que personne appelle. Ou peut-être y a-t-il eu un appel, mais la salle était comble, le volume de la musique élevé, et j'avais bu plus que de raison. J'ai payé, je suis sorti, j'ai vomi et je suis venu. Ou peut-être ai-je vomi avant de sortir, je ne me souviens plus.

— Tu vois comme tu es bête ? a dit Ivette Pardalot quand l'homme de loi eut terminé son exposé. Une sainte-nitouche comme la pauvre Ivette, sûrement conseillée par ce crack de la coiffure, t'a baladé dans tout Barcelone pour gagner du temps et permettre à son complice de tenter sans succès de récupérer Agustín Taberner, *alias* le Gaucho.

— Oui, et avec une excuse invraisemblable, a dit Monsieur le Maire, parce que dans Barcelone la circulation est très fluide à toute heure et sur tout le réseau de la voirie.

— Et pendant que tu te soûlais, a continué Ivette Pardalot en pointant un doigt méprisant vers maître Miscosillas, Ivette suivait tes déplacements en se moquant de toi.

Ivette a reconnu avoir agi de la manière décrite, moquerie comprise, et être arrivée ainsi, sur les talons de maître Miscosillas, à Castelldefels. Mais maintenant qu'elle était là (à Castelldefels), elle comprenait son erreur, puisqu'il n'y avait dans cette villa que de braves et honnêtes gens, amis de son père.

A ce moment-là, Santi est intervenu pour dire :

— Je suis au regret de devoir vous détromper, mademoiselle Ivette, mais pour ce que j'en sais, les personnes ici présentes ne sont pas toutes des amis de votre père ni de vous-même. Certaines, oui, le sont. D'autres, en revanche, sont vos ennemis jurés. La question est de savoir qui appartient à un groupe et qui appartient à l'autre, et qui, quand il proclame sa loyauté, dit la vérité ou ment. Si ça peut vous servir de consolation, je me trouve dans une situation très semblable. Évidemment, moi, j'ai un Beretta 89 Gold Standard calibre 22.

— Je peux tout t'expliquer, ou presque tout, ai-je dit, si ces personnes m'y autorisent et si tu m'accordes un peu de crédit. Je le ferai du mieux que je pourrai, mais je ne réponds pas de la clarté ni de la brièveté.

Elle a acquiescé, personne n'a manifesté son opposition et j'ai fait un bref résumé de ce qui a déjà été relaté jusqu'ici. Arrivé à ce point, j'ai poursuivi en ces termes :

— Les trois amis, objets du présent récit, constituèrent une société. L'un d'eux ambitionnait une carrière politique et jugea prudent que son nom ne figure pas sur les papiers. Un jeune licencié en droit lui servit de prête-nom. Les choses marchèrent bien. Tous prospérèrent. Mais au début, il avait fallu risquer certains coups hasardeux, et le nom de celui qui ne devait pas apparaître avait dû apparaître dans une opération pas très claire. Le fait n'aurait guère d'importance aujourd'hui, si l'individu en question n'avait pas prospéré, lui aussi, sur le terrain de la politique.

– Comment ! s'est exclamé Monsieur le Maire. Un politicien prévaricateur ? Splendide. Je m'en servirai dans ma campagne. Qui est-ce ?

– Vous-même, Monsieur le Maire.

– Oh ! a dit Monsieur le Maire. Ce sont là des choses que je ne dois pas entendre.

– Alors n'écoutez pas, parce qu'il va en venir d'autres, ai-je dit en reprenant mon exposé. Mais avant, permettez-moi d'introduire dans mon récit un nouveau personnage et d'insérer un bref interlude sentimental.

J'ai essayé de m'éclaircir la voix sans recourir à des expectorations excessives et j'ai poursuivi :

– Il était une fois une femme jeune, belle, intelligente, possessive, bref dotée de toutes les grâces. Ce genre de femmes appartient ordinairement à des familles tombées dans la mouise ou pauvres depuis toujours. Pardalot la rencontra et en tomba amoureux. Ils se fiancèrent. Ils étaient sur le point de se marier quand elle rompit leur engagement et disparut. Pardalot ne se remit jamais de cette désertion. Il se maria avec une autre, eut une fille. Il divorça, se remaria plusieurs fois. Il aurait sûrement continué à se marier s'il n'avait pas été assassiné. Mais ce n'est pas pour cette raison qu'on l'a tué.

» La femme qui lui avait brisé le cœur, ai-je poursuivi, revint à Barcelone au bout de quelques années et contracta mariage avec Arderiu, individu riche et un peu vide. Pardalot et elle furent bien obligés de se rencontrer de nouveau dans le tourbillon de la vie mondaine et culturelle de notre ville, aussi intense que variée. Le temps avait apaisé leurs esprits et, entre eux, leur ancienne relation se renoua, sans reproches ni rancœurs.

Maître Miscosillas m'a interrompu pour demander :

– Et pourquoi n'ont-ils pas divorcé de leurs conjoints respectifs pour se remarier tous les deux ? Je leur aurais arrangé ça divinement, avec scandale ou sans scandale, en fonction des honoraires.

— Ne fantasme pas, a dit Ivette Pardalot. Dans cette seconde étape de leur relation, il n'y a pas eu entre eux ce que tu penses. Et pas davantage avant, d'ailleurs. Reinona a toujours été une femme froide, calculatrice, habituée à utiliser ses charmes, si elle en a, pour soumettre la volonté des hommes sans rien donner en échange. Dans la mentalité tordue de sa génération, ces choses-là étaient possibles parce que les hommes se faisaient une idée si basse des femmes qu'ils les payaient toujours pour les emballer, et elles, de leur côté, considéraient qu'elles étaient si peu de chose qu'elles prenaient l'argent avec ravissement et le donnaient ensuite à un gigolo. La vie était une partie permanente de poker menteur, toujours intéressée. Aujourd'hui, heureusement, la situation a changé. Moi-même, les rares fois où j'ai tenté de me servir de mes attraits physiques, j'ai fait des prodiges et pas un homme ne m'a dit merci. Et puis, quel besoin avait Reinona de se marier avec mon père ? Elle ne l'a jamais aimé, ni quand ils étaient officiellement fiancés, ni après. Reinona n'a jamais aimé personne.

— Cela n'est pas sûr, a dit de la porte du salon une voix rauque qui nous a tous fait sursauter, et je suis là pour vous le prouver.

8

Avec la promptitude et l'autorité d'un vieux routier de la politique, Monsieur le Maire a été le premier à réagir devant cette apparition inattendue.

— Il faudra aller chercher davantage de chaises, a-t-il dit.

Maître Miscosillas a fait savoir qu'il n'irait pas. Les autres aussi avaient des jambes, a-t-il ajouté, même si certains, comme Santi, pouvaient avoir du mal à s'en servir et si l'on ne pouvait faire confiance à Ivette et à moi, compte tenu de notre condition de prisonniers. Après quoi il a fini par se convaincre lui-même de la nature irrationnelle de son attitude et il est sorti de la chambre d'un pas décidé pour revenir avec une chaise passablement sale, dont il a ôté la poussière avec son mouchoir avant de l'offrir à Reinona qui (j'avais oublié de le consigner) était la personne dont l'arrivée avait interrompu notre délicat débat à propos, justement, de son caractère, de son histoire, de sa conduite et de ses intentions. Elle était, comme toujours, parfaitement coiffée et maquillée, et portait une jupe plissée, un chemisier rayé à manches longues et un foulard de soie noué autour du cou. Un sac en cuir grenat, assorti à ses chaussures, et un visage de folle qui faisait oublier tout ce qui vient d'être décrit complétaient cet ensemble harmonieux.

— Ton mari n'est pas avec toi ? lui a demandé Monsieur le Maire pour dire quelque chose, car elle n'émettait aucun son malgré ses efforts pour ouvrir et fermer la bouche comme si elle voulait parler.

— Son mari ne sait rien de tout cela, ai-je dit en son nom, et nous ferons bien de ne rien lui raconter. Cette affaire ne concerne pas M. Arderiu, du moins directement.

— Je vous sers un whisky avec de la glace, madame Arderiu ? lui a demandé maître Miscosillas. Madame Arderiu… Madame Arderiu, je vous demandais si je vous sers un whisky avec de la glace. Peut-être que dans l'état de choc où vous vous trouvez…

Reinona s'était assise sur la chaise apportée par le galant homme de loi et nous regardait l'un après l'autre, d'abord Santi, ensuite maître Miscosillas et Monsieur le Maire serrés sur le canapé, et enfin Ivette et moi, qui bouclions le cercle en suivant le sens des aiguilles d'une montre. Sans attendre de réponse, maître Miscosillas est allé à la cuisine, en a rapporté un verre propre, a servi un whisky avec de la glace et l'a tendu à Reinona. Celle-ci a bu une longue gorgée, a fait claquer sa langue contre son palais et, tout de suite après, un peu remise du malaise où l'avait plongée le tourbillon de ses émotions, elle s'est éclairci la voix et a dit :

— Je l'ai aimé d'une passion aveugle, mais il était écrit que cette passion ne devait nous attirer qu'affliction.

— Il me semble qu'elle ne parle pas de son mari, hein, Horacio ? a demandé Monsieur le Maire à son compagnon de canapé.

— Non, Monsieur le Maire, a-t-elle dit en devançant la réponse de l'autre. Mon mari est un brave homme que je respecte comme il le mérite, et c'est inutile de faire des clins d'œil derrière mon dos, je vous vois très bien. Je le respecte, même si je ne me suis pas mariée avec lui par amour, mais pour l'argent. Cela ne me gêne pas de l'avouer. D'ailleurs l'argent n'était pas pour moi. Je ne suis pas cupide. J'en avais besoin et il le possédait. C'est tout.

— Vous en aviez besoin pour l'enfant, n'est-ce pas ? lui ai-je demandé dans l'intention de l'aider à avancer dans le récit de ses malheurs.

— Oui, a-t-elle dit.

— Quel enfant ? a demandé Monsieur le Maire.

— La petite fille de la photo qu'elle garde dans le tiroir d'une coiffeuse, ai-je dit.

— Celle qu'elle a eue avec l'homme qu'elle aimait, Monsieur le Maire, a expliqué maître Miscosillas. Vous devriez recevoir moins de visites officielles et aller un peu plus au cinéma. Reinona a eu un enfant naturel à la suite d'un faux pas.

— Avec feu Pardalot ? a demandé Monsieur le Maire.

— Mais non, avec l'autre. L'homme qu'elle aimait en secret.

— Et c'est ça que tu appelles un faux pas, Horacio ?

— Je disais ça pour que vous compreniez, Monsieur le Maire.

— Moi aussi, j'aimerais bien qu'on m'explique, a dit Santi. Parce que je n'y pige que dalle.

J'ai repris la parole et le fil du récit :

— Alors qu'elle était la fiancée de Pardalot, Reinona tomba amoureuse d'Agustín Taberner, *alias* le Gaucho, et entretint avec lui une relation sentimentale dans le dos de celui qui était encore son fiancé, aujourd'hui feu Pardalot, tandis que le défunt se livrait aux derniers préparatifs de leur mariage.

— Quelle hypocrite ! s'est exclamé Santi.

— Je suis de l'avis de Santi, a dit Monsieur le Maire. Pourquoi n'as-tu rien dit à Pardalot ? Ce sont des choses qui arrivent, il aurait compris. Moi-même, par exemple, je comprendrais, si ma femme tombait amoureuse de l'adjoint au maire.

– C'est Agustín Taberner, *alias* le Gaucho, qui lui demanda de ne rien dire, est intervenue Ivette Pardalot. Agustín Taberner, *alias* le Gaucho, grugeait et volait ses associés depuis le début, et il craignait qu'ils ne découvrent le pot aux roses, si, à cause de Reinona, Pardalot cessait de lui faire confiance. Son arnaque, ce n'était pas de la roupie de sansonnet. Si Pardalot voulait se venger de la double trahison du Gaucho, il pouvait le faire coffrer pour un sacré bail.

– Il avait des preuves formelles ? a demandé Santi.

– Un tas, mon joli, a répondu Ivette Pardalot.

– Agustín me promit de régler les problèmes internes de la société en cachette de ses associés, a dit Reinona. Ensuite, quand il aurait les mains propres, nous avouerions nos relations à Pardalot et nous nous marierions. Je le crus et je dissimulai.

– Et tu aurais pu te marier avec Pardalot pour couvrir un détournement ? a demandé Ivette.

– Je ne sais pas. Aujourd'hui je préfère penser que je ne l'aurais pas fait, mais alors, en pleine confusion, j'ignore ce dont j'aurais été capable, par amour ou par égarement. Quoi qu'il en soit, le hasard a décidé pour moi, car je découvris que j'étais enceinte d'Agustín Taberner, *alias* le Gaucho. Naturellement, je décidai d'avorter. Ces années-là, il fallait encore faire ça à Londres, c'est pourquoi je m'inventai une excuse pour ne pas éveiller les soupçons de Pardalot ni ceux de nos familles respectives et partis toute seule pour Londres. Je débarquai par un mardi pluvieux et froid de novembre. Les réverbères étaient allumés jour et nuit. Cette lugubre climatologie s'accordait avec mon état d'esprit. Incapable de demeurer enfermée dans ma chambre d'hôtel, j'allai me promener. Je m'achetai un imperméable chez Selfridges et errai sans but dans la brume. Sans savoir comment, je me retrouvai accoudée au parapet du pont de Waterloo. Très loin sous mes pieds coulait l'eau noire. Je ne sais si j'aurais fini par sauter, mais durant quelques minutes qui me semblèrent une éternité j'envisageai cette possibilité. C'est alors que s'approchèrent deux jeunes énergumènes vêtus de répugnantes peaux de bique afghane qui me dirent que la guerre du Vietnam était terminée. On venait de l'annoncer à la radio. Sur place, nous fumâmes un joint à nous trois, et ils repartirent en me laissant de nouveau seule sur le pont. Je compris que cet événement capital marquait la fin de ma jeunesse, que ce joint avait été le dernier et qu'à partir de ce moment j'allais devoir affronter la vie sans idéalisme ni chimères. Grâce à Hô Chi Minh, j'avais mûri d'un coup. Le lendemain matin, au lieu de me rendre à la clinique, je cherchai un logement bon marché. Après l'avoir trouvé, j'écrivis une lettre à Pardalot dans laquelle je lui demandais pardon sans lui expliquer la raison de ma désertion, et une autre à Agustín Taberner, *alias* le Gaucho, pour lui dire que nous ne nous reverrions plus. Une de mes connaissances affranchit et posta les lettres à Paris pour brouiller les pistes. Grâce à l'aide d'autres Espagnols installés à Londres, je réussis à survivre avec des emplois sporadiques. J'eus une fille et lui donnai le nom d'Ivette. Quand elle eut un peu grandi, je me dis que ma fille méritait une vie et une éducation meilleures que celles que je pouvais lui procurer avec mes maigres revenus. J'étais heureuse là-bas, mais je considérais que mon devoir était de retourner à Barcelone. Une fois à Barcelone, je mis Ivette dans un pensionnat de bonnes sœurs et me mariai avec Arderiu pour faire face aux frais d'entretien de l'enfant. Je calculais vaguement qu'après quelques années, quand Ivette n'aurait plus besoin de moi, je pourrais récupérer mon indépendance. Une grave erreur. Toutes mes décisions ont débouché sur autant d'erreurs.

– Je ne t'ai jamais rien reproché, maman, a dit Ivette. A ta place, j'aurais fait pareil.

– C'est ça, bien sûr, deux saintes, a dit Ivette Pardalot. Et pendant ce temps, mon père, on s'était bien foutu de lui.

– Et de moi aussi, a grogné Monsieur le Maire. Victime d'un escroc par personne interposée. Tu étais au courant, Horacio ?

– Oui, Monsieur le Maire, a répondu maître Miscosillas, mais quand nous le découvrîmes, vous occupiez déjà la mairie et nous eûmes peur qu'une déception de cette taille ne porte atteinte à la réputation universelle et au solide équilibre mental dont vous jouissez. D'ailleurs, vous le dire n'aurait servi à rien : Agustín Taberner, *alias* le Gaucho, était ruiné et gravement malade. Nous, nous nous bornâmes à lui faire briser les jambes pour lui donner une leçon dont il se souviendrait et à lui notifier que nous possédions des documents hautement pernicieux pour lui. Nous lui dîmes que nous pouvions l'envoyer en prison à perpétuité quand ça nous plairait, et il dut comprendre, car il se volatilisa sans laisser de traces.

– Menacé, malade et tabassé, Agustín Taberner, *alias* le Gaucho, suivit un processus inexorable de déchéance, a expliqué Reinona. En d'autres temps, et en possession de ses moyens physiques, Agustín Taberner, *alias* le Gaucho, aurait pu émigrer, s'installer dans un nouveau pays, se lancer dans de nouvelles aventures. Je serais partie avec lui. Mais son infirmité le lui interdisait. A la suite des coups qu'il avait reçus, il était resté paralysé de la taille aux pieds, lui qui avait si bien su tirer parti de cette moitié de son corps ! C'était triste à voir. A cette époque Ivette avait terminé ses études et était partie à New York pour perfectionner son anglais, élargir ses horizons culturels et obtenir un emploi à la hauteur de ses mérites. Avec son intelligence et son minois, elle ne tarda pas à recevoir des propositions très intéressantes. Quelques mois après son arrivée, elle triomphait déjà comme modèle pour lingerie fine. Les principales agences se la disputaient. Moi, cela me fendait le cœur de voir qu'elle était en train de briser dans l'œuf une carrière qui s'annonçait brillante, mais les circonstances ne me laissaient pas le choix. Je lui écrivis une longue lettre en lui disant qui était son véritable père, chose que je lui avais cachée jusque-là, et en lui demandant de revenir pour le soigner. Et comme elle a un cœur d'or, elle fit ses valises et s'installa à Barcelone sans une plainte, sans un reproche.

– Bravo : une fille modèle et, comme si ça ne suffisait pas, modèle pour lingerie féminine, s'est exclamée Ivette Pardalot sur un ton sarcastique. Admirable fable ! Dommage qu'elle ne contienne pas une syllabe de vérité. Écoutez. Quand j'étais à Amherst, Massachusetts, un horrible catalogue de vente par correspondance me tomba entre les mains. Quelqu'un l'avait laissé sur le banc du parc. Sur une publicité décolorée de culottes en flanelle pour troisième âge, je reconnus Ivette. Intriguée, je fis mon enquête. A New York, Ivette avait tenté sa chance dans le monde de la publicité. En vain : c'est une chose d'être gironde à Llavaneras et une autre de faire la couverture de *Vanity Fair*. Pour une qui y parvient, dix mille échouent. Cent mille, peut-être. Ivette n'est qu'un cas de plus, un simple élément statistique. Découragée, sans caractère et sans ressources, elle était tombée dans les mauvaises fréquentations, la drogue, la boulimie, la prostitution déguisée. J'aurais dû m'apitoyer, mais la nouvelle me fit plutôt plaisir. Au collège, j'avais rêvé d'être modèle, ma banalité m'avait libérée de la tentation de mordre à l'hameçon, et maintenant, toute moche que j'étais, je me trouvais à Amherst, Massachusetts, préparant un doctorat en Business Administration. En revanche,

Ivette, toute jolie qu'elle était, s'enfonçait dans la boue. Devais-je avoir de la peine pour elle ? Tu parles. Je n'avais pas cherché la vengeance, mais puisque la fatalité me la livrait à domicile, pourquoi résister ? J'ai mal fait ? J'aurais dû voler au secours de ma pauvre condisciple ? Au nom de quoi ? Je ne lui devais rien et je n'avais pas envie de me mettre une junkie sur les bras. Je me bornai à observer à distance sa trajectoire pathétique. Un jour, on me dit qu'elle était retournée à Barcelone. Au bout d'un an, ayant passé mon doctorat, je rentrai aussi, pour intégrer la direction de l'entreprise de mon père. C'est l'histoire de la cigale et de la fourmi.

— Tu n'avais peut-être pas besoin d'être aussi explicite sur certains détails, mon chou, a dit maître Miscosillas. Tu as mis la pauvre Ivette en charpie.

C'était vrai : à mesure que l'autre avançait dans sa brève biographie, Ivette avait baissé la tête jusqu'à ce que celle-ci tombe sur ses genoux. Des sanglots syncopés secouaient son organisme et sa chaise. Le silence revenu, elle a relevé la tête et, dans cette posture un peu forcée, elle nous a regardés avec des yeux opaques.

— Je suis en charpie, c'est vrai, a-t-elle dit d'une voix rauque.

Elle s'est redressée, a essuyé ses larmes du dos de la main avant de poursuivre :

— L'appel de ma mère me fournit l'occasion de laisser tout cela et de rentrer à Barcelone sans rendre patent aux yeux du monde l'échec de mes ambitions. Je revins disposée à me régénérer et à commencer une nouvelle vie, mais je ne parvins pas à décrocher. J'y arrivais, et puis je rechutais. Aujourd'hui, je suis dans une phase de rechute. Quand quelque chose m'angoisse, je me retrouve dans un état de manque atroce. C'est pour cette raison que je n'obtins pas d'emploi stable et ne pus prendre en charge mon père, qu'il nous fallut placer dans une résidence pour infirmes. Nous en choisîmes une dans la banlieue parce que là-bas, loin du théâtre de ses anciennes filouteries, il était à l'abri des représailles possibles de Pardalot. Et puis en banlieue les résidences sont meilleur marché. Même ainsi, cela nous coûtait beaucoup d'argent, que Reinona devait verser tous les mois, sans compter celui que je lui demandais tout le temps pour vivre et pour alimenter mon vice. Ma présence à Barcelone, loin d'améliorer sa situation, l'avait aggravée à un point insoutenable.

— Ne dis pas ça, Ivette, a dit Reinona. Le seul fait de t'avoir ici est un motif continuel de joie pour moi et pour ton pauvre père. Quant à l'argent, je me suis arrangée. Au début sans trop de difficultés. Puis les choses se compliquèrent. Même un benêt comme mon mari devait finir par se rendre compte d'un certain nombre de dépenses injustifiées aussi exorbitantes que celles que m'obligeaient à faire un ex-amant infirme et une fille droguée. Je dus me débrouiller pour trouver de l'argent supplémentaire par d'autres moyens. Un jour, j'eus l'idée de vendre un de mes bijoux. Je croyais que sa disparition passerait inaperçue, mais il n'en fut pas ainsi. Le bijou était assuré, le vol fut déclaré, il y eut une enquête et les soupçons retombèrent sur la pauvre cuisinière, dont l'honnêteté exemplaire finit par éclater. Par la suite, pour éviter que se répète cet incident désagréable…

— Vous avez fait faire des faux de vos propres bijoux… ai-je dit.

Elle a fait oui de la tête et j'ai continué en m'adressant aux autres :

— Chaque fois que Mme Reinona devait faire face à une dépense élevée ou à un imprévu, elle recourait à un orfèvre peu scrupuleux et celui-ci faisait une copie du bijou que Mme Reinona se proposait de vendre. Il est possible que ce soit le faussaire lui-même qui achetât la pièce authentique. En ce moment, le coffre-fort de

Mme Reinona contient une remarquable collection de bijoux de pacotille, parmi lesquels, pour être précis, figure une bague sertie de brillants qu'elle m'avait confiée pour que je la lui garde. Elle craignait certainement de nouvelles investigations à la suite de l'assassinat de Pardalot, et elle ne voulait pas que quelqu'un découvre parmi ses trésors deux bagues identiques, l'une authentique et l'autre en verroterie. Quelqu'un dut s'apercevoir de la manœuvre car, la nuit même, la police vint m'arrêter pour le vol de la bague. Cette fois-là il s'en fallut d'un cheveu, mais ce ne fut pas le cas la fois suivante. J'avais rendu la bague à sa propriétaire et je me retrouvai en taule. J'y serais encore si maître Miscosillas n'avait pas exercé ses bons offices. Pas par altruisme, mais parce que Ivette Pardalot le lui avait demandé. Elle voulait gagner ma confiance par n'importe quel moyen et probablement m'utiliser pour l'exécution de ses plans tortueux. Quels étaient ces plans et pourquoi je les qualifie de tortueux, vous le saurez si l'un de vous va voir qui frappe à la porte, car, de toute évidence, quelqu'un a l'intention de se joindre à notre conciliabule.

*

Tous les présents, sauf lui, se sont efforcés de contenir leur rire quand maître Miscosillas a dû se lever de nouveau du canapé pour aller ouvrir la porte. J'ai profité de cette diversion pour me rapprocher de Reinona, dont la chaise était à côté de la mienne, et lui demander si elle disposait d'une clef de la porte d'entrée (de la villa ; de cette villa) et, dans le cas contraire, comment elle était entrée sans que personne lui ouvre, ou alors par où elle était entrée, ce à quoi elle a répondu dans un murmure et en exerçant une pression sur mon genou :

— Je conserve une clef de la cuisine. Agustín Taberner, *alias* le Gaucho, et moi, nous nous rencontrions en tapinois dans cette villa. Ne le dis à personne, et encore moins à mon mari qui fait en cet instant même son entrée dans le salon.

Effectivement, c'était bien Arderiu, le mari de Reinona, qui entrait. Après avoir distribué des sourires à droite et à gauche, il a ouvert son parapluie et dit :

– Bonsoir à tous. Je suis venu voir ce que faisait Reinona. Reinona est ma femme. Je suis Arderiu, le mari de Reinona, laquelle, après avoir dîné ce soir à la maison en ma compagnie comme nous avons l'habitude de le faire quand nous ne faisons pas autre chose, s'est adressée à moi pour m'annoncer, avec le plus grand naturel et sans détours, qu'elle allait avec une amie ou plusieurs amies, j'ai oublié ce détail, à un concert de Renato Carosone. J'ai trouvé cela très bien et le lui ai fait comprendre sans détours : je n'ai jamais fait obstruction aux goûts de ma femme. Ensuite, cependant, j'ai réfléchi, et je me suis rendu compte que ça faisait un certain nombre d'années que Renato Carosone ne se produisait plus à Barcelone. Quarante, ou quelque chose comme ça. Ce détail n'aurait pas retenu mon attention, si je n'avais remarqué depuis quelques jours que Reinona était dans un état de grande excitation. D'excitation nerveuse, je veux dire. Elle passait des heures assise dans un fauteuil, maussade, muette, tantôt le front labouré de rides, tantôt des larmes roulant sur ses joues, et même parfois des larmes roulant sur son front à force de contorsions. Bref, un cas clair de paroxysme. Je me suis demandé alors si ce concert n'était pas un prétexte et si elle n'était pas, en réalité, en train de tramer quelque chose de funeste, par exemple une fête surprise pour mon anniversaire ou Dieu sait quoi. Bon, j'aime parler sans détours, aussi ai-je décidé de demander sans détours à la domesticité où était allée ma femme. La domesticité sait toujours ces choses-là. Bon, Raimundita m'a dit que l'après-midi même son petit ami lui avait parlé de je ne sais quel enlèvement d'un paralytique et d'une villa à Castelldefels. Bon, après ce récit succinct, j'ai commencé à relier les fils entre eux. Bon, bon, bon. Au cas où vous ne seriez pas au courant, Reinona eut jadis une idylle avec un ex-associé de feu Pardalot. Puis il resta paralysé des jambes et condamné au paroxysme. Et en rattachant ces fils à d'autres fils, j'en ai déduit que ce paralytique et le paralytique enlevé devaient être le même paralytique. Et par le même procédé déductif j'ai déduit que la villa de Castelldefels était cette villa-ci. Au cas où vous ne seriez pas au courant, cette villa a appartenu au père de feu Pardalot, et feu Pardalot et certains de ses amis l'utilisaient dans leurs années de jeunesse pour y venir avec leurs conquêtes, et faire la noce et la bringue. Moi-même, je suis venu quelquefois ici et j'y ai rencontré feu Pardalot et Monsieur le Maire, avant qu'il soit Monsieur le Maire, en pleine noce ou en pleine bringue, selon les jours, mais toujours en état d'authentique paroxysme. On voyait aussi souvent à la villa un type très sympathique, nommé Agustín Taberner, *alias* le Branleur argentin, ou quelque chose comme ça, un bon danseur. J'ai su par la suite que Reinona avait eu une idylle avec cet Agustín Taberner ou quel que soit son nom, et qu'elle ou lui, je ne me souviens plus de ce détail, était resté(e) paralytique. Voilà pourquoi je suis ici.

Ayant prononcé ces mots, il a fermé le parapluie et m'a adressé son plus beau sourire avant de me dire :

– Bonsoir, je suis Arderiu, le mari de Reinona, et votre visage me semble familier, mais je ne sais si j'ai le plaisir de vous connaître.

Je lui ai rappelé nos rencontres antérieures, la première chez lui, à l'occasion de la réception destinée à recueillir des fonds pour la campagne électorale de

Monsieur le Maire, et la seconde dans mon modeste appartement où il s'était rendu et avait fini par dormir derrière un rideau.

— Ah, oui, excusez-moi, a-t-il dit, j'ai une très mauvaise mémoire. Sur trois choses que je fais, je me souviens d'une et j'en oublie deux, et je ne sais pas à laquelle des trois correspond celle dont je me souviens. Et ces deux charmantes demoiselles ? a-t-il ajouté en s'adressant en même temps à Ivette et à Ivette Pardalot. Qu'elles sont jolies et bien conservées ! On ne dirait jamais qu'elles sont mère et fille.

— Nous ne sommes pas mère et fille, pauvre cruche, a dit Ivette Pardalot. Celle-là, tu ne l'as jamais vue, et moi, tu me connais depuis ma naissance. Je suis Ivette Pardalot et, pour comble de grotesque, nous avons passé un week-end ensemble dans un relais-château de Saint-Paul-de-Vence.

— Ah, oui, je me rappelle, bien sûr, bien sûr, s'est exclamé Arderiu en se frappant le front avec la poignée de son parapluie. Un week-end délicieux et véritablement inoubliable. Là-bas aussi, j'ai dormi derrière un rideau ?

— Laissons de côté les frivolités, ai-je proposé, et revenons à nos moutons. Qui a tué feu Pardalot ?

— Pas moi, mesdames et messieurs, s'est empressé de dire Arderiu.

— Comment pouvez-vous en être si sûr ? ai-je répliqué. Avec votre mauvaise mémoire, vous pourriez l'avoir tué et avoir oublié ensuite l'incident.

— Oh, c'est absurde, a dit Arderiu en s'adressant à toute l'assistance et plus spécialement à son parapluie. Feu Pardalot et moi étions amis. Mieux encore, nous avions travaillé dernièrement au financement illégal de la campagne de Monsieur le Maire.

— Pouah, ce sont là des choses que je ne dois pas entendre, a marmotté Monsieur le Maire.

— N'omettons cependant pas le fait, ai-je ajouté, que

feu Pardalot maintenait également une étroite relation d'amitié avec votre épouse, monsieur Arderiu, comme vous avez bien voulu vous-même me le dire quand vous avez honoré de votre visite ma maison et mon rideau. Et même si vous réaffirmez maintenant le libéralisme dont vous faites preuve dans vos relations conjugales et si vous manifestez une totale absence d'intérêt pour les activités de votre épouse, il reste vrai que chaque fois qu'elle fait un pas, vous apparaissez cinq minutes plus tard, particulièrement quand elle n'a pas dit où elle allait ou quand elle a essayé de vous monter un bateau. Et il est tout aussi vrai que vous connaissez beaucoup de détails de la vie de votre épouse qu'elle m'a dit elle-même ne vous avoir jamais révélés. Et il se peut même que vous sachiez aussi qui est cette demoiselle que vous feignez de ne connaître ni de vue ni de nom.

— Ivette ? a dit Arderiu. C'est pourtant vrai que je ne la connais pas, que je ne l'ai jamais vue et que je n'avais jamais entendu son nom jusqu'au moment où je l'ai moi-même prononcé.

— Je ne voudrais pas paraître discourtois, monsieur Arderiu, ai-je dit, vous êtes certainement aussi bête qu'on le dit, mais peut-être pas aussi innocent que ça. Par exemple, vous êtes au courant depuis longtemps des micmacs de Mme Arderiu avec les bijoux. Mieux, c'est vous qui avez dénoncé la disparition de la bague sertie de brillants le soir de la réception à votre domicile et qui avez mis la police sur ma piste, et pas une mais deux fois.

— C'est vrai, a admis Arderiu, cela fait des années que je suis au courant de la vente subreptice des bijoux de Reinona par Reinona. Comme c'est moi qui lui avais donné les bijoux en les payant de ma poche, je me souvenais bien d'eux. Un jour, un jeune bijoutier vint me voir au Club de Polo et me proposa un collier que, d'après ce qu'il me dit, une personne lui avait vendu dans le plus strict anonymat. Je reconnus tout de suite le collier et l'achetai dans l'intention de le remettre dans le coffret à bijoux de Reinona avant qu'elle ne s'aperçoive de sa disparition, car, peu de temps auparavant, des pendants d'oreilles avaient disparu du même coffret et l'affaire l'avait grandement perturbée, surtout quand les soupçons étaient retombés sur la cuisinière, brave femme et excellente cuisinière. Bon, je remis donc le collier dans le coffret à bijoux et, à ma grande surprise, je découvris que le collier y était encore, ce qui ne l'empêchait pas de se trouver également, comme je l'ai dit, entre mes mains. Étonné qu'il puisse y avoir dans Barcelone deux colliers identiques et que les deux soient en ma possession, je montrai les deux colliers à un autre bijoutier, et c'est ainsi que je sus que l'un était vrai et l'autre une copie conforme. Comme je ne comprenais pas ce qui s'était passé, je ne dis rien à personne, et encore moins à Reinona. Je replaçai le vrai collier à sa place et rangeai le faux dans mon propre coffre. Un peu plus tard la chose se répéta avec un autre bijou, cette fois un pendentif moderniste de ma grand-mère, hideux à faire peur. Je le rachetai sans détours. A l'heure où je vous parle, j'ai racheté comme ça tout le coffret à bijoux de Reinona.

— Mais tu ne m'en as jamais rien dit, pendant toutes ces années, a dit Reinona.

— Je ne voulais pas te causer une contrariété qui aurait pu te mener au paroxysme, a répondu Arderiu. Pour moi, la seule chose importante était que rien ne trouble ton bien-être psychosomatique et que tu puisses circuler au grand jour sans opprobre ni vexations.

Attendrie par cette noble déclaration du mari aussi stoïque que stupide, Reinona n'a pu éviter de verser un véritable et tendre torrent de larmes.

— Et tout ça par amour ? a-t-elle demandé.

— Je ne sais pas, a répondu Arderiu. Quand j'analyse mes motivations, je reste toujours dans l'incertitude. Une fois, quand j'étais très jeune, j'ai fait un rêve étrange. Je me rappelle seulement que ça se passait à Torralba de Calatrava, province de Ciudad Real. Je suis allé consulter un traumatologue et il n'a rien su m'expliquer. Depuis, je m'en tiens à quelques principes simples que je me suis donnés moi-même. Par exemple, que si nous ne pouvons pas rendre heureuses les personnes dont le destin nous a confié le sort, nous pouvons au moins leur éviter d'être assassinées.

Exaspérée, Ivette Pardalot a donné un coup de poing sur le buffet en pitchpin et s'est exclamée :

— Assez d'immondices romantiques. Si, pour votre malheur, vous lisiez une scène semblable dans un roman de quatre sous, vous le jetteriez immédiatement à la poubelle après avoir craché sur le nom de l'auteur. Gardez pour l'intimité vos sentiments répugnants, et centrez vos récits et déclarations sur l'assassinat de Pardalot et ses circonstances. Le premier qui donne libre cours à ses émotions, je lui balance un pruneau.

— Bon, a dit Arderiu, je croyais que tout cela gardait une étroite relation avec le reste. Je regrette. Voici les faits. Je savais que ma femme et Pardalot se voyaient en catimini. Cela, s'ajoutant à la vente continue des bijoux, me mit la puce à l'oreille. Ne m'interprétez pas mal : je ne m'oppose pas à ce que ma femme se réalise pleinement comme être humain, tant que les photos n'apparaissent pas dans *Interviu*. Mais, en cette occasion, je subodorai un problème, pour ne pas user d'un mot plus fort : une crise existentielle. De sorte que je décidai de faire des investigations par l'intermédiaire d'une agence de renseignements. Comme je n'en connaissais aucune, je demandai conseil à Monsieur le Maire qui m'envoya consulter un conseil en management d'une efficacité éprouvée auquel il confiait lui-même des sondages d'intentions en période électorale. Il lui achetait aussi des programmes d'ordinateur piratés. Je m'adressai sans détours à cette société, on m'y reçut très bien et on me recommanda les services d'un jeune homme plein de mérites dont la ressemblance avec ce garçon qui a le Beretta et les béquilles est extraordinaire.

— Santi travaillait pour toi ? a demandé Reinona.

— Si c'est le même garçon et s'il s'appelle aussi Santi, oui, a reconnu Arderiu. Bon, conformément à mon plan, Santi se fit engager au siège du Filou Espagnol comme vigile de nuit afin de pouvoir surveiller Pardalot de près. C'est ainsi que je pus apprendre que Reinona était triplement en danger : premièrement, parce que toutes les femmes sont en danger, avec toute cette violence contre les femmes ; deuxièmement, pour des motifs spécifiques à Reinona elle-même ; et troisièmement pour les raisons que j'ai déjà dites je ne sais plus combien de pages plus haut.

— A quels dangers se référait Santi ? a demandé Ivette.

— Je ne sais pas, a dit Arderiu. Si ma mémoire ne me trompe pas, il parlait d'indices. Il avait vu Reinona entrer dans les bureaux, il l'avait suivie dans les couloirs, il avait écouté aux portes et il avait perçu des paroles prononcées très fort, des expressions franchement antithétiques et des cris.

— Des cris ? a demandé Monsieur le Maire. Quel genre de cris ?

— De ceux qu'on fait avec la bouche, a répondu Arderiu. Ah, ah... Oh, oh... Encore, encore... et cetera.

— Ça suffit, changeons de sujet, ai-je proposé en voyant Reinona rougir. Un soir, il y a quelques jours de ça, vous reçûtes chez vous la visite de maître Miscosillas, lequel, dans le cours de l'entretien que vous eûtes tous les deux seul à seul, vous parla de la nécessité de localiser Agustín Taberner, *alias* le Gaucho, dans les plus brefs délais. Cette conversation fut entendue par Raimundita, rapportée par celle-ci à son petit ami, un chauffeur noir du nom de Magnolio, et par ce dernier à moi, non sans que Magnolio eût révélé auparavant à maître Miscosillas l'endroit où se trouvait Agustín Taberner, *alias* le Gaucho, en contrepartie d'une rétribution en espèces.

— Excusez-moi, a dit Arderiu, je ne vous ai pas suivi jusqu'à la fin, mais vous dites vrai en ce qui concerne la visite de maître Miscosillas et l'endroit où se trouvait Agustín Taberner, *alias* le Gaucho. Je ne connaissais pas son existence, mais maître Miscosillas croyait le contraire pour des raisons qui lui étaient propres, à lui ou à sa profession.

— Je croyais que Reinona vous en avait dit quelque chose, est intervenu maître Miscosillas, ou que Pardalot vous en avait parlé, ou Santi. Santi travaillait aussi pour moi. J'avais intérêt à surveiller Pardalot de près et, sur les indications de Monsieur le Maire, je recourus à une agence de renseignements où Santi était employé. J'y exposai mon cas et ils me dirent qu'ils avaient justement placé l'un de leurs meilleurs hommes au siège du Filou Espagnol pour le compte de M. Arderiu et que, grâce à cette heureuse coïncidence et moyennant une rémunération supplémentaire, ils pourraient me communiquer des renseignements sur Pardalot et sur Arderiu. Arderiu ne m'intéressait pas particulièrement, vu qu'il est bête comme ses pieds, mais j'acceptai la proposition.

— Pourquoi vouliez-vous surveiller Pardalot ? lui ai-je demandé. Pardalot et vous étiez intimes, il avait en vous une confiance absolue, il vous aurait tout de suite dit sans ambages ce que vous vouliez savoir. Ou non ?

Maître Miscosillas a hésité quelques instants, et finalement il a dit :

— Je regrette, je ne suis pas autorisé à répondre à cette question.

9

Ceux d'entre vous qui n'ont pas eu comme moi le privilège de passer une bonne partie de leur vie dans un asile de fous ignorent peut-être une grande vérité : à savoir que tous ceux qui y sont enfermés perçoivent clairement la folie des autres, mais qu'aucun ne perçoit la sienne. Fort de ce savoir et profitant du silence gêné qui a suivi le refus de maître Miscosillas de révéler le fondement rationnel de ses actes (d'espionnage), j'ai passé en revue les événements qui avaient précédé et suivi le crime, ainsi que l'intervention de chaque personnage dans ceux-ci, et mes idées une fois éclaircies par cette méthode, j'ai décidé de porter mes déductions à la connaissance des autres afin qu'éclate enfin la vérité et que nous puissions rentrer chez nous.

Néanmoins, avant de parler, j'ai récapitulé la situation présente (à ce moment-là) et les conséquences possibles de mes paroles, car une chose est de révéler la vérité à quelqu'un qui peut se sentir atteint par elle, et une autre de la révéler à quelqu'un qui, en plus, tient un pistolet. Pour le moment, il n'y avait que deux pistolets visibles, à savoir le Beretta 89 de Santi et le vieux revolver Remington calibre 44 d'Ivette Pardalot, mais j'estimais qu'ici même, entre les quatre murs du salon, il devait y en avoir au moins deux de plus. Pour cette raison et pour apaiser les esprits, j'ai commencé par dire combien il m'était agréable de me trouver en compagnie de toutes les personnes présentes et par les remercier à l'avance de leur patience et de leur objectivité. Rien de tout ce que j'allais dire, ai-je dit, ne devait leur causer de contrariété, car, même si à la fin de mon allocution quelqu'un pouvait se retrouver avec une irréfutable accusation d'assassinat sur le dos, mes raisonnements et mes conclusions n'avaient de finalité que purement explicative, didactique et en dernier ressort festive, et ne visaient en aucun cas à troubler l'atmosphère détendue et cordiale qui régnait en ce lieu. C'était dans le même esprit, ai-je ajouté, que, avant de partir ce soir pour Castelldefels où nous nous trouvions en ce moment, j'avais confié ces mêmes conclusions, déjà rédigées, à des mains sûres, avec pour instructions de les remettre à la police et à la presse en cas d'accident. Et, ayant fait cette mise au point, je suis passé à la description de la situation générale, en énumérant les événements dans leur ordre chronologique et en mettant chaque personne et chaque chose à leur place, ce qui fait que mon récit a suivi plus ou moins le fil ci-dessous :

Plusieurs sociétés successives, en réalité la même société, avaient été fondées à partir des années soixante-dix (en Espagne) par trois associés : Manuel Pardalot, aujourd'hui défunt ; Monsieur le Maire, aujourd'hui maire ; et Agustín Taberner, *alias* le Gaucho. Dès le début, Monsieur le Maire avait été représenté par maître Miscosillas. Les sociétés avaient réalisé certaines opérations (peut-être toutes) d'une légalité douteuse, dont il était resté certaines traces écrites, pas du tout inoffensives du point de vue légal et hautement nocives du point de vue politique, en particulier pour Monsieur le Maire. Comme les bons amis ne font pas forcément les bons comptes, la société ou les sociétés avaient été à leur tour l'objet d'activités frauduleuses de la part d'un de ses associés, Agustín Taberner, *alias* le Gaucho. Comme si ce n'était pas suffisant, Agustín Taberner, *alias* le Gaucho, avait eu une liaison avec la fiancée de Pardalot, Reinona, dans le dos de celui-ci. De la liaison avait résulté une grossesse (du fait de ne pas avoir pris de précautions) et Reinona était allée à Londres pour avorter. Finalement, elle n'avait pas avorté, elle était restée vivre à Londres et avait mis au monde une petite fille nommée Ivette. Dépité, mais ignorant encore la double trahison de son associé, Pardalot s'était marié avec une autre et avait engendré une petite fille qu'il avait également prénommée Ivette. Les deux enfants ressemblèrent à leurs parents : la fille de Reinona et d'Agustín Taberner, *alias* le Gaucho, jolie et écervelée ; l'autre, intelligente, travailleuse, ambitieuse et plutôt du genre chameau.

Les années passèrent. Reinona revint à Barcelone, mit Ivette dans un pensionnat et, pour assurer l'entretien de sa fille et le sien, contracta mariage avec Arderiu, à qui elle cacha l'existence de l'enfant et dit être stérile pour s'épargner de nouvelles complications. Reinona ayant choisi pour sa fille le pensionnat le plus chic de la ville, il n'était pas étonnant que la fille de Pardalot s'y trouve aussi. Le mariage de ce dernier avait été un fiasco et, pour éviter des scènes à la petite fille ou pour la soustraire à cette atmosphère, on l'avait mise en pension. Les deux enfants, qui avaient presque le même âge et ne savaient rien de leurs antécédents respectifs, se lièrent d'une étroite amitié que les aléas de la vie de chacune se chargèrent de rompre. Au sortir du pensionnat, sans s'être préalablement concertées et sans le savoir, toutes deux allèrent aux États-Unis d'Amérique, l'une à New York et l'autre dans une université au nom imprononçable. Comme nous le savons, l'une réussit et l'autre pas.

De ce côté-ci de l'océan aussi, les choses tournaient

mal pour Agustín Taberner, *alias* le Gaucho. Il avait contracté une maladie dégénérative irréversible et ses détournements avaient été découverts. Pour des raisons faciles à comprendre, ses associés s'abstinrent de porter l'affaire devant les tribunaux : ils l'expulsèrent de la société et lui brisèrent les jambes. Reinona le recueillit. Avec le produit de la vente d'un de ses bijoux, elle loua un appartement rue Bailén et l'y installa. Puis elle fit revenir Ivette d'Amérique pour qu'elle le soigne. Hélas, Ivette n'était pas en état de soigner, mais d'être soignée. Tout allait à vau-l'eau dans la maison du Gaucho.

— Tout ça, a dit Ivette Pardalot, nous le savions déjà. Nous l'avons raconté nous-mêmes tout à l'heure.

— Dans ce cas vous auriez dû en profiter pour aller faire pipi, mademoiselle Ivette, ai-je répliqué, parce que ce qui vient maintenant est nouveau et substantiel. En effet, ai-je poursuivi en m'adressant à toute l'assemblée, le retour de Mlle Ivette Pardalot des États-Unis et son entrée à la direction de la société de son père, feu Pardalot, bouleversèrent ce nouveau et précaire statu quo. Mlle Ivette Pardalot n'était pas et n'est toujours pas le genre de personne susceptible de vivre dans l'ombre de qui que ce soit. Dès qu'elle se fut acclimatée, elle mit en œuvre un plan pour s'emparer de la société. Dans ce but, elle fit réformer les statuts et s'attribua la place d'Agustín Taberner, *alias* le Gaucho. Ensuite…

— Tu m'excuseras, s'est insurgée l'intéressée, mais cette partie du récit est le fruit de ton imagination, et je dirai même totalement gratuite. Tu ne peux pas savoir quelles étaient mes intentions.

— Je les suppose, ai-je répondu, et je ne crois pas me tromper. Vous vouliez insuffler à une affaire dépassée, à un résidu d'une autre ère, le dynamisme qu'on vous avait inculqué de l'autre côté de l'océan. Sinon, pour quoi avoir été l'amante d'une bite flasque telle que maître Miscosillas ?

– Dites donc, mon vieux, je vous interdis de m'insulter, a bondi maître Miscosillas. D'abord je ne tolère pas que vous vous immisciez dans notre intimité. Et deuxièmement vous ne m'avez jamais vu à l'œuvre dans l'art de planter mon dard où il faut.

– Je n'ai pas eu cet honneur, ai-je dit. Ce que j'affirme là m'a été rapporté par Mlle Ivette Pardalot elle-même, la nuit où elle m'a emmené chez elle, après vous avoir envoyé m'extraire de ma cellule. En cette occasion, où nous étions en tête à tête, elle et moi, au lit ou pour être exact *sur* le lit, elle s'est plainte de votre insuffisance, elle a raillé votre présomption et a établi des comparaisons peu flatteuses entre vous et certaine cucurbitacée bouillie. Puis elle m'a montré une vidéo…

En entendant ces accusations, maître Miscosillas a pâli, s'est levé à demi du canapé, a ouvert la bouche de part en part et laissé un filet de bave pendre de sa lèvre inférieure en oscillant comme un battant de cloche. Puis il a pointé un doigt tremblant vers Ivette Pardalot et, s'adressant à l'assistance, il a bafouillé :

– Ne faites pas cas des racontars de cette guenon. En général, je me comporte brillamment, et s'il m'est arrivé, une fois ou deux, de ne pas m'en tirer avec les félicitations du jury, ça n'a pas été de ma faute, mais de la sienne. Elle est inepte, insipide, apathique, empotée, vulgaire, niaise, éhontée, lourde, et elle a des poils partout. S'accoupler avec elle, c'est comme se farcir Sancho Pança. Quant à la vidéo, nous l'avons enregistrée par un dimanche après-midi pluvieux comme une plaisanterie pour faire rire nos petits-enfants dans un lointain futur. J'ai dit.

Après avoir déposé ces conclusions au langage fleuri, maître Miscosillas s'est rassis et a demandé à son voisin de canapé un mouchoir, ou à défaut un autre tract électoral pour essuyer les sécrétions salivaires que son éloquence avait semées sur le revers de sa veste. Mais l'attitude sereine d'Ivette Pardalot n'en avait pas été troublée pour autant durant l'argumentation de son amant, et elle lui a rétorqué du tac au tac :

— Tu peux être fier : tu t'es laissé stupidement bluffer par un misérable coiffeur. Je n'ai jamais prononcé ton nom en sa présence, pas plus que je ne lui ai parlé de nos relations et encore moins montré la vidéo. Il a fait l'âne pour avoir du son et, par ta fatuité, tu t'es trahi. Ça ne fait rien. Je te remercie de ta sincérité, je suis heureuse de savoir ce que tu penses de mes charmes et je me réserve le droit de répondre à tes compliments galants le moment venu. Toi, continue.

L'interpellé était moi, et je ne me suis pas fait prier :

— En coïtant avec maître Miscosillas, Mlle Pardalot obtint des informations précieuses, dont elle décida de se servir quand ce serait nécessaire. Mais laissons cela un instant pour nous occuper d'un autre fil de cette histoire. Mlle Ivette Pardalot n'avait pas oublié l'autre Ivette. Elle savait qu'elle était revenue à Barcelone, même si elle ne connaissait pas le motif de son retour, et il lui fut facile de découvrir son domicile et la précarité de ses moyens d'existence. Par ailleurs, et simultanément, Mlle Ivette Pardalot avait également suivi la piste de Reinona, qu'elle accusait, non sans raison, d'être la cause de la mélancolie chronique de Pardalot, et de l'abandon et de l'amertume que, de ce fait, elle avait connus dans son enfance. Comme elle l'avait fait avec maître Miscosillas, mais de façon plus sporadique, elle séduisit Arderiu qu'elle emmena, comme nous venons de l'entendre, dans un discret refuge de week-end au-delà des Pyrénées.

— Comment aurais-je pu résister ? s'est justifié Arderiu. Elle me jura que ce n'était pas moi qui l'intéressais mais ma voiture. J'ai une Porsche Carrera

3 600 centimètres cubes. Et puis cette liaison ne fut qu'une simple crise existentielle. Folle, je l'avoue, mais rien de plus qu'une crise existentielle.

— Passade ou pas, ai-je poursuivi, Mlle Ivette Pardalot obtint par cette source des informations fraîches et cruciales sur Reinona. Ce fut, peut-être, que l'infortune de son père était due à la trahison d'Agustín Taberner, *alias* le Gaucho. Ou peut-être le secret de la paternité et de la maternité d'Ivette. Bref, entre maître Miscosillas, Arderiu, son père dont elle avait la confiance, et Santi qu'elle paya ou séduisit, ou paya et séduisit, elle parvint à rassembler suffisamment de fils épars pour tisser sa toile impitoyable. Et maintenant, je vous demande toute votre attention, car nous approchons de la nuit du crime.

Il s'est fait un silence chargé d'attente et Monsieur le Maire, prenant conscience de la gravité du moment, a sorti le doigt de son nez et a dit :

— Attendez. Si votre intention est de nous révéler l'identité de l'assassin, ce serait justice que nous soyons tous en conditions d'égalité, comme la loi le stipule. Or nous sommes tous assis et Arderiu n'a pas de chaise. Horacio, tu sais ce qu'il te reste à faire.

Encore sous l'effet de l'atteinte portée à sa virilité, maître Miscosillas a répliqué qu'il n'avait pas l'habitude qu'on le siffle, même s'agissant d'un maire sur le point de gagner les élections, et il a ajouté que si Arderiu voulait s'asseoir, il n'avait qu'à aller chercher une chaise lui-même ou s'asseoir par terre. Arderiu s'est récusé en disant que, ne connaissant pas la distribution intérieure de la villa, il lui était impossible de distinguer une chaise d'un autre objet et qu'il ne pouvait s'asseoir par terre parce qu'il souffrait de vertiges. Finalement, c'est le maire en personne qui s'est levé du canapé en disant qu'il allait chercher la chaise, mais il a précisé qu'il n'y allait pas en sa qualité de maire mais de simple citoyen, étant entendu, a-t-il dit, que les maires possèdent, en vertu de leur charge, une double personnalité, comme Clark Kent. Après son retour, j'ai repris la relation des faits en ces termes :

– Étant désormais au courant de l'existence de documents compromettants pour la brillante carrière politique de Monsieur le Maire, de l'endroit où les conservait son père et de la manière de s'en servir, Ivette Pardalot prit contact avec l'autre Ivette, en faisant semblant, par des artifices qui gisent maintenant en désordre sous nos yeux, d'être un homme rondouillard affligé de problèmes phonétiques, et lui proposa d'organiser un cambriolage au siège du Filou Espagnol. Mlle Ivette connaissait mon existence par ses agents et considérait que ma probité et mon incompétence faisaient de moi la personne idoine pour mener son plan à bien, mais elle avait besoin d'Ivette pour m'induire à commettre un délit, et, en outre, pour l'impliquer dans celui-ci. Ivette avait besoin d'argent et se montra coopérative. Le plan d'Ivette Pardalot, au cas où vous ne l'auriez pas encore compris, était simple : je volais les documents concernant Monsieur le Maire au siège du Filou Espagnol et je les remettais à Ivette ; puis Ivette les lui remettait, et enfin la police nous cueillait, Ivette et moi. La nuit du crime, quelqu'un (Ivette Pardalot elle-même, maître Miscosillas ou Santi, peu importe) débrancha l'alarme et laissa les portes ouvertes, y compris la porte automatique du garage. Mais il laissa en marche le circuit fermé de télévision qui enregistra mon exploit pas à pas et sans que je le sache. De la sorte, Ivette, ou Pardalot lui-même, pouvait démontrer ma culpabilité. Et une fois aux mains de la justice, je n'aurais eu d'autre issue que de dénoncer Ivette, laquelle aurait seulement pu dire qu'elle avait agi pour le compte d'un monsieur rondouillard et cagoulé. Ce plan ne cassait pas trois pattes à un canard mais, sur le papier, il n'était pas mauvais, sauf que, comme toujours, le hasard introduisit un élément que personne n'avait prévu. Car, cette nuit-là, Pardalot vint au siège du Filou Espagnol. Une telle chose ne lui était pas inhabituelle : dans son existence désenchantée, le travail était sa seule consolation. A minuit passé, il entra dans son bureau et s'aperçut tout de suite que quelqu'un y était venu avant lui. Il constata la disparition des documents sans imaginer que le vol avait été commis à l'instigation de sa propre fille, avisa Monsieur le Maire de ce qui venait d'arriver, lequel se trouvait encore dans son bureau de la Mairie. Monsieur le Maire se rendit au siège du Filou Espagnol, en suivant exactement, selon sa version, les instructions de Pardalot. Mais quand il arriva, toujours, j'insiste, selon ses propres paroles, Pardalot était déjà mort. Et maintenant je pose la question : cet appel téléphonique a-t-il réellement existé ?

*

Habitué à entendre de plus dures accusations dans l'hémicycle, Monsieur le Maire n'a rien perdu de son calme ni de sa dignité.

— L'appel doit être noté sur le registre des appels de la mairie, a-t-il dit. N'importe quel citoyen peut le consulter. C'est un service gratuit.

— Pas besoin de consulter de registre, quel qu'il soit, ai-je répliqué. Il y a sans doute eu un appel, mais il ne venait pas de Pardalot, il venait de Santi. Santi travaillait pour vous, en plus de travailler pour tous les autres. Vous ne pouviez tolérer que Pardalot dispose de documents qui pouvaient ruiner votre carrière. Et donc, pour cette raison, vous aviez placé Santi dans les locaux du Filou Espagnol. Ainsi, vous teniez Pardalot sous surveillance et, du même coup, les autres personnages de ce drame. Quand Pardalot découvrit que les documents avaient été subtilisés, sa réaction immédiate fut d'appeler Santi, sur qui reposait cette nuit-là la responsabilité de veiller sur l'immeuble. Et Santi vous en avisa immédiatement. Alors vous lui avez donné l'ordre de tuer Pardalot.

– C'est absurde, a dit Monsieur le Maire, quel intérêt aurais-je eu à tuer Pardalot juste au moment où les documents n'étaient plus en sa possession ? Et si j'avais réellement ordonné à Santi de tuer Pardalot, pourquoi aurais-je couru le risque inutile de me rendre en personne au siège du Filou Espagnol la nuit même du crime ? Il est probable que les choses se sont passées comme vous le dites, mais d'une autre manière. A savoir : Pardalot a découvert que les documents avaient été subtilisés, il m'a appelé et m'a demandé de venir. Puis il a fait venir Santi pour lui passer un savon et Santi, devant la perspective de se retrouver sans emploi, l'a tué. Ça ne semble pas très logique, mais les assassins agissent souvent en dépit du bon sens. Ils se sont peut-être disputés. Et, en fin de compte, Santi est le seul qui disposait d'une arme.

– Dites donc, Monsieur le Maire, a dit Santi, avec tout le respect que je vous dois, ne me refilez pas le bébé. C'est vrai que j'avais l'arme et l'occasion, mais où est le mobile ? Et même si j'avais eu une raison quelconque d'éliminer Pardalot, pourquoi aurais-je choisi précisément une nuit d'affluence record pour le faire ? N'oubliez pas que, postérieurement aux faits, quelqu'un m'a tiré dessus pendant que j'étais dans la maison de ce monsieur, dans l'intention peu douteuse de me réduire au silence. Est-ce que ce fait n'est pas incompatible avec celui d'être l'auteur du crime ? Non, Monsieur le Maire, non, Votre Excellence, non, mesdames et messieurs : ce n'est pas moi. En revanche, si vous me permettez une suggestion, ne vous semblerait-il pas logique qu'Ivette elle-même, qui avait gardé le dossier bleu pour extorquer de l'argent supplémentaire à l'encapuchonné, voyant qu'il contenait des documents compromettants pour Agustín Taberner, *alias* le Gaucho, son propre père, et surexcitée et camée comme toutes les nuits, soit revenue au siège du Filou Espagnol, y ait pénétré par le chemin que nous connaissons et ait tiré sur Pardalot ?

Ivette allait protester contre ces insinuations, mais Reinona l'en a empêchée en se levant et en réclamant la parole avec une expression aussi résolue que bouleversée. Nous lui avons prêté l'attention qu'elle demandait et elle se disposait à parler quand Arderiu l'a devancée et, montant sur la chaise dont Monsieur le Maire venait de le gratifier, a dit :

— Inutile de continuer d'accuser tout le monde à tour de rôle. Maintenant que nous voici tous réunis, je veux vous faire une confession. C'est pour cette raison que je suis monté sur la chaise, en défiant à la fois le vertige et les lois de la gravité. Bon, comme je viens de le dire, je vais vous faire une confession, et je la ferai sans détours. J'ai tué Pardalot. Comment, quand et pourquoi ? Je vais vous l'expliquer sur l'heure et sans détours. Cette nuit-là, j'étais sorti faire un tour avec ma voiture. J'ai une Porsche Carrera 3 600 centimètres cubes. En pleine Vía Augusta, je tombai en panne d'essence. Et aussi de batterie et de liquide de freins. Ce sont des choses qui arrivent. Par chance, je me trouvais près du siège du Filou Espagnol. Je vis de la lumière à la fenêtre du bureau de Pardalot. Je ne me rappelle pas par où j'entrai, mais enfin j'entrai, j'allai au bureau de Pardalot et lui demandai de me laisser téléphoner au garage. Il refusa et je le tuai. Voilà. Nous pouvons considérer que l'affaire est résolue.

Il est descendu de sa chaise et, assumant dignement sa condition d'inculpé, il a ôté sa cravate, sa ceinture et ses lacets de souliers. Puis, comme il ne savait que faire de ces accessoires, il les a fourrés dans la poche de sa veste. Reinona, qui était toujours debout, est allée vers lui, lui a posé la main sur l'épaule, a eu un sourire attendri et a dit :

— Mon chéri, remonte ton pantalon et remets ta ceinture. Ce que tu viens de faire est d'une grande noblesse. Je ne mérite pas tant de générosité. J'ai tué Pardalot.

Arderiu a fait ce que sa femme lui disait sans cesser de ronchonner et de nous assurer qu'à la maison c'était lui qui commandait et qu'il n'avait pas l'habitude qu'on lui dise ce qu'il avait à faire. Bref, que s'il affirmait qu'il était un assassin, c'était qu'il était un assassin, point final. Pour une fois, cependant, il cédait à la prière de sa femme afin de ne pas la contrarier, car il la voyait fort affectée par la crise existentielle, a-t-il conclu. Finalement, voyant que personne ne prêtait attention à ses propos, il s'est rassis et a cédé la parole à Reinona.

— Cette nuit-là, a commencé Reinona, Ivette me téléphona et me raconta le vol des documents. Elle les avait feuilletés et était dans tous ses états de voir ce que son père avait fait. Elle s'était aussi shootée. Je lui dis de se calmer, que j'allais m'en occuper et que j'arrangerais tout. J'appelai Pardalot. Il n'était pas chez lui. Je supposai qu'il était à son bureau du Filou Espagnol où il avait l'habitude de meubler le vide de ses nuits, tantôt seul en jouant avec son ordinateur, tantôt avec moi. C'est Santi qui m'ouvrit la porte, comme il l'avait déjà fait en de nombreuses autres occasions. J'entretenais un lien étroit avec Pardalot. Il était encore amoureux de moi et je me laissais aimer pour mieux le contrôler. De la sorte, pensais-je, je protégeais Agustín Taberner, *alias* le Gaucho, d'éventuelles représailles de la part de Pardalot ou de ses associés. En réalité, tout ce que j'ai fait dans ma vie, je l'ai fait pour Agustín

Taberner, *alias* le Gaucho. Une femme est comme ça. Mais ne parlons pas de moi. Vous devez être impatients de savoir comment j'ai œuvré. Je vais vous le raconter sur l'heure.

Après ce préambule, elle a observé une pause, dont Ivette Pardalot a profité pour intervenir :

– Madame, votre mari est idiot, mais vous, vous n'êtes pas seulement idiote, vous êtes grotesque. Voilà maintenant que vous prétendez vous accuser pour protéger Ivette, comme si, à part vous, quelqu'un pouvait prendre un instant au sérieux ce paradigme de la bêtise qu'est votre fille. Croyez-vous sincèrement qu'Ivette aurait été capable de pénétrer dans le siège du Filou Espagnol, de trouver le bureau de mon père, de tirer sept coups de pistolet sur lui et de le toucher au moins une fois, elle qui ne sait même pas faire fonctionner la commande à distance du téléviseur ? Ivette passe sa vie en orbite, il serait temps de vous en apercevoir. Quant à vous, ma chère Reinona, princesse des faux bijoux et des faux sentiments, n'imaginez pas que vous avez accompli un acte d'héroïsme en essayant de couvrir votre fille. Vos aveux ne sont absolument pas crédibles. Pourquoi devraient-ils l'être ? Il y a des années, vous avez été sur le point d'avouer votre trahison à mon père, mais vous ne l'avez pas avouée ; vous êtes allée à Londres pour avorter, mais vous n'avez pas avorté ; vous avez voulu vous suicider, mais vous ne vous êtes pas suicidée. Et maintenant vous prétendez nous faire croire que vous avez tué quelqu'un ? Non, non, vous êtes comme toutes les femmes de votre génération, vous êtes toujours sur le point de faire quelque chose de décisif, mais au bout du compte vous restez les bras croisés et vous attendez qu'apparaisse un jobard qui paiera les pots cassés. Et vous appelez ça se laisser mener par les sentiments ? Eh bien, non, madame, ça s'appelle se raconter des histoires. Et laissez-moi vous dire encore une chose : il aurait été plus honorable de votre part de laisser le pauvre Arderiu prendre l'assassinat à son compte. S'il a cédé pendant tant d'années à vos caprices, laissez-le aujourd'hui aller aussi en prison pour vous. Assumez votre rôle, madame, et n'essayez pas de tout régler par une générosité de dernière minute. Vous convaincrez peut-être les ringards de votre génération, mais pour les gens d'aujourd'hui, pour les gens normaux, vous êtes un épouvantail, bon à remiser au magasin des farces et attrapes. Je ne parle pas en l'air : votre mari m'a raconté beaucoup de choses sur vous. Les gens racontent toujours beaucoup de choses quand ils croient que quelqu'un les écoute. Et j'écoute. J'ai laissé parler Arderiu et il a fini par me chanter l'air de Parsifal. Par lui, j'ai su la vieille histoire de Reinona et d'Agustín Taberner, *alias* le Gaucho. J'ai su qu'il était toujours ici, qu'il était infirme. Mais Arderiu ne put me dire où il s'était réfugié. Alors je décidai de le retrouver et de leur régler leur compte à tous deux, Reinona et Agustín Taberner, *alias* le Gaucho. Ils avaient détruit la vie de mon père et indirectement aussi la mienne. Je détruirais la leur. Mais pour cela, il fallait le débusquer de son terrier. Je me liai avec Miscosillas. Avec lui, ce fut plus facile encore qu'avec Arderiu. Il n'était même pas nécessaire de l'écouter. Dans son infinie suffisance, il croyait que je l'aimais et l'admirais, et il n'arrêtait pas de parler. Le pauvre homme ! Quels sentiments peut inspirer un débile qui s'habille chez Armani, porte une Rolex et est tellement rétrograde qu'il apprécie encore Mafalda ? Vous vous demanderez comment, moche comme je suis, j'ai pu avoir autant de succès avec les hommes. Je n'ai pas grand mérite. Les hommes sont très exigeants tant qu'il s'agit pour eux d'émettre des jugements esthétiques sur les femmes, mais à l'heure de la vérité, ils se content de n'importe quoi. Le jour où j'ai découvert ça, ma vie est devenue beaucoup plus intéressante. Ça m'est bien égal d'admettre que j'ai utilisé les hommes. Ça fait partie de ma profession. Quand on dirige une affaire, on utilise tout : hommes, femmes, minéraux, cartes de crédit, on transforme tout, on prend tout et on tire un rendement de tout. Sauf dans une affaire comme celle de mon père. Dès que j'ai vu les livres de comptes, j'ai compris que ça ne pouvait pas continuer. Il fallait dissoudre la société avant qu'elle ne parte définitivement à la dérive. Mais pour ça, il fallait se débarrasser des pithécanthropes qui prétendaient encore vivre de leurs privilèges et de leur jactance. Je veux parler de mon père, du maire, de Miscosillas et compagnie. Je n'avais pas l'intention de leur faire du mal. Si on m'avait laissé les mains libres, leurs intérêts économiques n'en auraient même pas été lésés. Ils auraient touché de grasses rémunérations pour assister une fois par trimestre à un conseil d'administration où ils auraient parlé gastronomie et se seraient raconté des histoires cochonnes. Et pendant ce temps, j'aurais tenu la barre. Je fis part discrètement de mon projet à mon père et il refusa de le comprendre. Depuis sa jeunesse, il avait vécu à l'abri d'un système artificiel, et il ne voulait pas admettre que les temps avaient changé. Mon père se croyait un homme d'affaires. Un homme d'affaires catalan. Je tentai de lui expliquer que c'était là un oxymoron, mais il ne savait pas non plus ce qu'était un oxymoron. Je compris qu'il était inutile de continuer à raisonner et décidai de passer outre. Miscosillas m'avait parlé des documents concernant Monsieur le Maire. C'était une broutille. Qui peut se soucier du passé frauduleux d'un homme politique, quand le présent suffit largement ? Néanmoins, je décidai de me servir d'eux pour provoquer un clash. Vous connaissez la suite. Le plan ⸮ bien été exécuté, mais les choses ont mal tourné. J'ai voulu tendre un piège et c'est moi qui ai été piégée. Cela ne m'arrivera plus.

Ainsi s'est achevé le discours d'Ivette Pardalot et nous sommes tous restés silencieux, à méditer ses paroles. Arderiu s'est servi un whisky, l'a vidé d'un trait et s'est fait finalement l'écho du sentiment général en disant :

— Tout cela est fort bien, mais quelqu'un peut-il me dire qui a tué Pardalot ? L'intrigue se complique chaque fois un peu plus et, si vous voulez mon avis, elle est devenue d'un ennui mortel. Ou on nous dit qui a tué Pardalot, ou je profite de ce que nous sommes près de Prat pour aller faire quelques trous au golf.

— Et moi je vais à mon cabinet, a dit maître Miscosillas.

— Et moi prendre mon petit déjeuner, a dit Santi.

— Et moi à un meeting, a dit Monsieur le Maire.

— Et moi dans un centre d'accueil pour filles en détresse, a dit Ivette.

— Et moi à la maison pour mitonner un fricandeau à mon petit mari, a dit Reinona.

— Très bien, ai-je dit à mon tour, c'est donc avec le plus grand plaisir que je vais vous satisfaire. A vrai dire, moi aussi j'aimerais en finir avec cet imbroglio et rentrer chez moi me reposer un peu avant d'ouvrir mon salon de coiffure. Mais pour cela, il est nécessaire de faire comparaître le personnage central de cette intrigue. Je vous prie donc, messieurs, d'aller chercher Agustín Taberner, *alias* le Gaucho, et de l'amener au salon, de gré ou de force.

*

Je leur ai indiqué qu'ils pouvaient trouver la chaise roulante dans la chambre de l'étage et Agustín Taberner, *alias* le Gaucho, dans un recoin obscur au pied de l'escalier. Comme l'opération re‹ érait plusieurs bras et pas mal d'efforts, ils ont confié la garde des trois femmes et de ma personne à Santi, puis Monsieur le Maire, Arderiu et maître Miscosillas sont partis remplir la condition mise par moi pour leur donner une solution satisfaisante du problème en général et de certaines de ses composantes en particulier.

Profitant du répit, j'ai suggéré à Santi de ranger son arme ou, au moins, de cesser de la pointer sur moi en permanence, ce qu'il a refusé en alléguant qu'il n'avait pas l'intention de lâcher son arme tant qu'Ivette Pardalot continuerait à tenir la sienne, et moins encore de la ranger sans recevoir la garantie qu'un ou plusieurs autres pistolets ne feraient pas leur apparition ici même et dans un proche avenir ; que, jusqu'à maintenant, j'avais démontré l'innocence de toutes les personnes présentes, mais pas la mienne ; et enfin qu'il se bornait à obéir aux ordres. J'ai donc proposé à Ivette Pardalot de remettre le revolver là où elle l'avait trouvé, mais elle m'a répondu, d'une façon plus concise et très claire, par une moue méprisante et une monosyllabe.

Entre-temps maître Miscosillas était revenu avec la chaise roulante de l'infirme. Pendant que nous attendions les deux autres, j'ai relaté, à son intention, les péripéties de notre fuite manquée, et la fin de mon récit a coïncidé avec le retour de Monsieur le Maire et d'Arderiu, lesquels, en proie à une grande agitation, ont annoncé en chœur qu'Agustín Taberner, *alias* le Gaucho, n'était pas là où je disais l'avoir laissé, ni ailleurs dans la maison.

– Si je n'avais pas constaté son absence de mes propres yeux, a conclu Arderiu, je n'en aurais pas cru mes yeux.

– Sortons dans le jardin, a dit maître Miscosillas. Sans sa chaise roulante, qui est ici, un infirme ne saurait aller loin.

– Un infirme, peut-être, ai-je dit, mais pas Agustín Taberner, *alias* le Gaucho. La correction que vous lui avez administrée l'a laissé estropié, certes, mais il s'en est relevé. Il a continué à feindre d'être infirme parce que ça l'arrangeait. Reinona et Ivette s'occupaient de lui, le soignaient, et, le croyant sans défense, gardaient jalousement le secret de sa cachette. Lui, pendant ce temps, vivant comme un coq en pâte et à l'abri de tout soupçon, renoua avec ses activités frauduleuses. Connaissant parfaitement le fonctionnement interne de la société qu'il avait contribué à fonder, il se mit en rapport avec la concurrence et conduisit Le Filou Espagnol à la situation de banqueroute qu'Ivette Pardalot a pu constater à son retour des États-Unis. Mais, pas plus qu'un autre, elle n'eut l'idée d'établir une relation entre cette déconfiture et les activités souterraines d'un individu qu'on croyait infirme et retiré à jamais de la circulation. Une situation aussi aberrante, cependant, ne pouvait durer éternellement. Les coffres de la société étaient vides et n'importe quel événement imprévu pouvait mettre la manœuvre au jour et révéler l'identité de son auteur, y compris la parfaite santé de ses jambes. Cet événement imprévu fut le vol que je fis des documents compromettants au siège du Filou Espagnol. Il est probable qu'Ivette, à l'occasion d'une de ses visites à la résidence de Vilassar, avait raconté le plan à son père. La perspective alarma fortement le Gaucho. La nuit du crime, il quitta la résidence de Vilassar et, soit en train, soit par quelque autre moyen de transport, il se rendit à Barcelone, puis, une fois là, au siège du Filou Espagnol dans l'intention d'éliminer tout vestige de ses malversations ininterrompues. Mais il arriva trop tard, car j'étais déjà passé par là et j'avais soustrait le dossier bleu. Dans le bureau de Pardalot, Pardalot surprit le Gaucho, ils se disputèrent, se battirent, et finalement Agustín Taberner, *alias* le Gaucho, tua Pardalot, après quoi il regagna la résidence de Vilassar où il se sentait en sécurité. Peu après, Reinona arriva au siège du Filou Espagnol, sur les instances de sa fille Ivette, comme elle nous l'a raconté elle-même il y a quelques instants. Ce qu'elle nous a dit tout à l'heure est peut-être vrai : peut-être avait-elle l'intention de tuer Pardalot. Elle avait certainement sur elle le Walter PPK calibre 7,65 que j'ai vu dans un tiroir de sa coiffeuse et que, si je ne me trompe pas, elle doit avoir en ce moment dans son sac à toutes fins utiles. Cette fois-là, il ne lui servit à rien : en arrivant, elle trouva Pardalot criblé de balles. Comme elle ne pouvait évidemment pas imaginer ce qui s'était réellement passé, puisque l'infirme faisait l'infirme, elle eut peur que la main criminelle ne soit celle d'Ivette. Avec un soin maniaque, elle fit disparaître les empreintes digitales partout où il pouvait y en avoir, puis elle effaça la bande vidéo du circuit interne de télévision sur laquelle était resté enregistré mon habile cambriolage. Elle connaissait le mécanisme du circuit interne de télévision car, lors de ses fréquentes rencontres avec Pardalot dans ce même bureau, ils avaient l'habitude de débrancher ledit circuit au cas où, dans le cours de la conversation, la nostalgie des temps passés ou toute autre cause similaire les inciteraient à faire quelques galipettes sur la table de conférences. C'est pour cette raison, c'est-à-dire parce que la bande vidéo avait été effacée, que la police ne vint pas me cueillir comme il était prévu dans le plan d'origine, et pour cette même raison que mon exploit ne fut pas évoqué lors de mon arrestation pour le vol de la bague. Dites-moi si je n'ai pas vu juste.

– Si, a dit Reinona à qui s'adressait cette dernière demande, cela s'est passé ainsi point par point. Je suis allée voir Pardalot, je l'ai trouvé mort et j'ai effacé l'enregistrement. Et il est également exact que j'ai dans mon sac un Walter PPK calibre 7,65, une arme excellente, légère et précise, que j'ai reçue en cadeau de mariage et avec laquelle je te tuerai si tu t'obstines à diffamer un pauvre infirme comme Agustín Taberner, *alias* le Gaucho.

– Madame, ai-je dit en voyant que, confirmant mes pressentiments, elle sortait de son sac le Walter PPK calibre 7,65, ôtait le cran de sécurité et le pointait sur moi, Agustín Taberner, *alias* le Gaucho, vous a menée en bateau depuis le début. Et je ne parle pas seulement de la période de son infirmité, mais de bien avant, quand vous étiez encore jeunes tous les deux. A l'époque il pouvait vous épouser et il ne l'a pas fait. Il vous a laissée vous débrouiller avec votre fille à Londres. Je suis sûr qu'il ne devait même pas vous envoyer des mauvais marrons glacés à Noël. Et ensuite, voyez vous-même : il vous a laissée vendre vos bijoux sans le moindre scrupule et, d'une manière plus générale, il vous en a fait voir de toutes les couleurs pour un amour qu'il ne partageait pas. Quant à Ivette, parlons-en. Elle a eu un drôle de père, la pauvre fille. Et voyez ce que ça a donné. Il vous a sacrifiées toutes les deux à ses intérêts mesquins. Cet homme ne mérite ni votre affection ni votre pitié. C'est un être malfaisant, une canaille. Si cela vous est égal, si, l'une et l'autre, vous trouvez que tout est pour le mieux, grand bien vous fasse, mais au moins faites-moi la faveur de ne pas braquer ce pistolet sur moi. Santi me vise d'un côté et vous de l'autre. Madame, ce n'est pas vivable. Je ne vous ai fait aucun mal, ni à vous ni à lui. J'essayais seulement de vous faire un compte rendu véridique de ce qui s'est passé la nuit du crime.

Ce raisonnement plein de bon sens n'a pas ébranlé le moins du monde ses destinataires. Ils ont continué à me viser avec une résolution renouvelée et je suis resté pris, comme qui dirait, entre deux feux potentiels. Les choses en étant là, Ivette a dit, en s'adressant à sa mère et au reste de l'assistance :

320

– Maintenant que nous savons ce qui s'est passé, qu'allons-nous faire ? Si nous racontons tout à la police, le compte de mon petit papa est bon.

– Mais d'un autre côté, a objecté Monsieur le Maire, nous ne pouvons permettre qu'un crime aussi monstrueux reste impuni. La sécurité des citoyens, dans leur foyer et au-dehors, est un thème central de ma campagne.

– N'oubliez pas, Monsieur le Maire, lui a rappelé maître Miscosillas, que si l'on traduit en justice Agustín Taberner, *alias* le Gaucho, certaines bricoles peuvent être révélées qui ne favoriseront ni vous ni votre parti.

– Bon sang ! a dit Monsieur le Maire.

– Messieurs, a dit Ivette Pardalot en tapant du poing sur la table, cette discussion n'a pas de sens. Nous avons trouvé qui a tué mon père et vous comprendrez que je ne vais pas passer ce détail sous silence. En ce qui concerne le sort de la société, vous n'avez pas de souci à vous faire : je contrôle tout. D'ailleurs, la société, en tant que telle, a cessé d'exister depuis plusieurs mois. Je ne vous l'ai pas annoncé avant pour ne pas faire de peine à mon père, mais vous, je me fiche bien que vous fassiez un infarctus. Toutes les actions du Filou Espagnol ont été données gratuitement à une fondation qui finance une ONG dont le siège est à Singapour. Bien entendu, les bénéfices de cette transaction très simple sont sur un compte à mon nom. J'ai également le plaisir de vous informer qu'à ce jour le capital des associés restants se monte à zéro virgule zéro peseta. Et si quelqu'un proteste, il peut aller piquer une tête à Can Brians.

– Horacio, a dit Monsieur le Maire, il me semble qu'à eux tous ils nous ont pris jusqu'à notre chemise. Enfin, faisons comme dit Ivette Pardalot et livrons le coupable à la justice. Mais j'exige que l'arrestation ait lieu dans ma circonscription.

– L'arrestation, a dit une voix sinistre, n'aura lieu nulle part.

Nous nous sommes tous retournés comme un seul homme vers la porte du salon, d'où venait la voix, et nous avons vu Agustín Taberner, *alias* le Gaucho, ferme sur ses deux jambes, comme je l'avais diagnostiqué, et une mitraillette de marque inconnue dans les mains, ce qui n'entrait dans le diagnostic ou les prévisions de personne.

Donnant une fois de plus l'exemple de l'intrépidité, Monsieur le Maire a devancé tout le monde en disant :

– Sacré Agustín, je suis ravi de te voir si bien rétabli !

Il s'est levé du canapé et s'est dirigé vers le nouveau venu, les bras ouverts comme s'il s'apprêtait à l'embrasser fraternellement, mais l'attitude du Gaucho et un léger mouvement de la mitraillette l'ont forcé à réfréner ses velléités d'effusions. Cela ne l'a pas empêché pour autant de poursuivre sur un ton de joyeuse camaraderie :

– Entre donc et assieds-toi, vieux frère, on est entre amis. Et n'accorde pas d'importance à ce que tu viens d'entendre. C'était un débat scolastique. Romains contre Carthaginois, comme au bahut. D'ailleurs moi, en tant que maire, cette histoire d'assassinat ne me concerne pas. *Ich bin ein Berliner.* Si ça te chante, arrange-toi avec cet oiseau-là qui n'en finit pas d'essayer de te tailler une mauvaise réputation.

– Retourne sur le canapé, tiens-toi tranquille et boucle-la, lui a répondu le Gaucho.

Puis, en me désignant du court canon de sa mitraillette, comme si les deux pistolets ne me suffisaient pas, et en tordant les commissures des lèvres dans un rictus antipathique, il a ajouté :

– Quant à toi, vermine, tu l'auras cherché. Sans ton intervention, personne n'aurait découvert mon secret.

J'aurais dû t'éliminer plus tôt. Mais tu es sorti indemne de la bombe que j'ai posée dans ta boutique et je n'avais plus d'argent pour recommencer. Depuis quelque temps les explosifs sont devenus hors de prix, dans ce pays. Ça ne fait rien, ce que je n'ai pas pu faire cette fois-là, je le ferai maintenant. Cependant, ne tuer que toi ne sera pas suffisant. Tu as tellement jacassé que tout le monde sait maintenant que j'ai tué Pardalot. Tes bavardages m'obligent à zigouiller tous ceux qui sont ici, y compris ma propre parentèle. Grâce à Dieu, j'ai une mitraillette et je liquiderai l'affaire le temps de dire un *Pater*. Vous vous demandez sans doute d'où je sors la mitraillette. Et le vocabulaire. Ce n'est pas compliqué. Comme je ne suis pas infirme, j'ai trafiqué la chaise roulante et j'ai caché la mitraillette et les chargeurs là où on met le bassin. J'ai tout fabriqué moi-même, de mes propres mains : cette arme de mort et les balles, une à une, avec les seules choses que j'ai eues à gogo pendant toutes ces années : du temps et de la patience. Seul dans la résidence, pendant que les vrais infirmes se la coulaient douce, je planifiais ma vengeance et je fabriquais l'instrument qui me permettrait de l'accomplir. D'abord je vous ai ruinés, et maintenant je vais vous tuer, comme j'ai tué Pardalot.

— Agustín, lui a reproché Reinona, après tout ce que la gosse et moi avons fait pour toi, tu ne seras pas capable…

— Tu parles ! a répliqué le Gaucho. Je suis capable de ça et de bien plus. Je te tuerai comme les autres, parce que j'en ai ma claque de toi et parce que tu ne me sers plus à rien. Ivette m'a dit qu'il ne te restait plus de bijoux à vendre.

— Ce n'est pas vrai, a dit Reinona, mon mari les a tous rachetés. Si tu le veux, et si mon mari nous donne son autorisation, nous pourrons tout reprendre à zéro.

– Laisse-le, maman, a dit Ivette, il a perdu la boule. Il a dû attraper un virus hospitalier à la résidence.

– Santi, a dit maître Miscosillas, fais quelque chose, tu reçois trois salaires pour ça.

– Non, monsieur, a répliqué Santi, quatre. M. Agustín Taberner, dit le Gaucho, me paye aussi.

– Alors il t'a roulé dans la farine comme les autres, lui ai-je dit, car c'est lui qui t'a tiré dessus de la terrasse de la maison qui fait face à mon appartement. Il voulait sans doute se débarrasser d'un complice gênant qui ne lui était plus utile pour ses plans diaboliques.

– C'est vrai, a dit le Gaucho en éclatant d'un rire odieux et exécrable. Je me suis servi de tout le monde. J'ai tout mis au service de mes bas instincts. Je suis plus mauvais que la vérole. Et maintenant, basta. Il va bientôt faire jour et j'ai encore beaucoup de gens à tuer.

Et en prononçant ces mots, il a pointé la mitraillette sur moi et appuyé sur la détente.

10

Vous souvenant qu'à la fin du chapitre précédent j'étais sur le point de recevoir une rafale de mitraillette, vous vous demanderez sans doute au début de celui-ci quels étaient, dans cette situation délicate, mon état d'esprit, mes réflexions et l'ultime bilan que je faisais de mon existence hasardeuse. A quoi je répondrai en disant que, m'étant déjà trouvé dans des circonstances similaires (pour avoir toujours été une mauvaise tête), j'ai pu constater que lesdites circonstances ne sont pas les plus propices pour penser à des billevesées ni pour se perdre en atermoiements. Évidemment, dans tous les cas dont je parle et en ce qui me concerne, le résultat final n'a jamais été celui qui semblait prévisible (casser ma pipe), l'esprit demeurant ainsi partagé entre la peur et la philosophie. Je précise ce point afin de ne pas passer pour sceptique en la matière, car nous savons tous comment un instant peut se diviser en d'autres instants plus petits, dans chacun desquels se bousculent mille idées, souvenirs et émotions. La seule chose que je peux assurer est qu'en aucune occasion, pas même dans les situations les plus critiques, je n'ai vu, comme on le raconte, défiler devant moi ma vie entière comme si c'était un film, ce qui est toujours un soulagement, car il est déjà en soi suffisamment pénible de mourir, pour ne pas avoir, en prime, à mourir en visionnant un film espagnol. Là-dessus, en espérant n'avoir déçu personne avec cette digression, je reviens au récit véridique des événements en le reprenant au point exact où je l'avais laissé.

Le diabolique Gaucho ayant, comme je l'ai dit, appuyé sur la détente de sa mitraillette, celle-ci a craché une rafale de projectiles dont la plupart m'auraient atteint, non sans conséquences funestes, si au même moment n'avaient retenti dans la villa un hurlement effroyable et un grand bruit de bois et d'assiettes brisés, suivis de l'apparition d'une gigantesque forme humaine qui s'est jetée sur le Gaucho, modifiant la trajectoire des balles et, en conséquence, de mon destin.

Sans m'attarder à chercher la cause de ce salut inespéré, je me suis aplati au sol. Réaction pleine de sagesse car, simultanément, Santi a fait feu avec le Beretta. Avait-il l'intention de coopérer ainsi à mon extermination (et d'en retirer une prime) ou de se porter au-devant d'Agustín Taberner, *alias* le Gaucho, dont les plans incluaient, d'après ce qu'il venait lui-même de proclamer, la mort de ce même Santi ? Nous ne le saurons jamais, car Reinona, devinant les intentions de Santi et le danger que courait Agustín Taberner, *alias* le Gaucho, et s'obstinant comme toujours (et comme une vraie mule) à se mettre du côté de cet infâme, a déchargé son Walter sur Santi. On peut aussi envisager l'hypothèse qu'après tant d'années d'aveuglement Reinona ait enfin compris l'absurdité de son attitude et que, mue par une subite volonté de vengeance ou un désir bien compréhensible de justice, elle ait réellement voulu tuer Agustín Taberner, *alias* le Gaucho, et non Santi à qui elle n'avait rien à reprocher. Quoi qu'il en soit, son tir a été fortement dévié, car juste au moment où elle l'effectuait, Ivette Pardalot a tiré avec le Remington, soit sur le Gaucho, soit sur Santi, soit sur moi, en visant si mal qu'elle a touché Reinona (que peut-être, en fin de compte, elle visait), ce qui a fait que le tir de celle-ci a atteint maître Miscosillas qui s'est écroulé, d'abord sur Monsieur le Maire, puis, celui-ci s'en étant débarrassé d'un coup de pied, sur moi, au moment où je tentais de me relever et de sortir en rampant de ce maudit salon qui avait tourné au champ de bataille d'Agramante et en eau de boudin.

Écrasé par le poids de l'homme de loi, je suis encore parvenu à voir Arderiu se précipiter sur le corps exsangue de Reinona, saisir (des yeux) la gravité de son état et, après avoir ramassé le Walter qu'elle avait laissé tomber, après avoir regardé dans le canon puis appuyé sur la détente pour déterminer s'il restait des munitions dans le chargeur et s'être, par ce procédé, amputé de la moitié d'une oreille, tirer sur Ivette Pardalot avec tant d'adresse que la balle a touché d'abord celle-ci et atteint ensuite Monsieur le Maire qui essayait en vain d'ouvrir la fenêtre pour s'échapper. Simultanément, Santi a tiré sur Arderiu, et la mitraillette du Gaucho a de nouveau crépité. Arderiu a répondu à l'agression et, durant un moment, chacun a tiré à volonté. Puis les détonations ont cessé et la villa est restée plongée dans un silence terrifiant.

La précipitation, la maladresse et l'épouvantable malchance des protagonistes avaient également causé des dégâts dans le mobilier. Le buffet était inutilisable, de même que la tapisserie du canapé. Les quatre murs présentaient d'innombrables impacts, mais c'était moins grave, car depuis des années la villa réclamait à grands cris une couche de peinture. La lampe du plafond était intacte, mais l'interrupteur avait été pulvérisé et il n'y avait pas de lumière. Un nuage de poudre âcre et épais rendait l'air irrespirable. J'ai essayé de me lever et n'y suis pas arrivé ; j'ai tenté de me débarrasser de maître Miscosillas, mais en vain. Dans ses dernières convulsions, le pauvre homme avait emberlificoté ses jambes autour des miennes et mes bras autour des siens, et, plus surprenant encore, il avait boutonné plusieurs boutons de sa veste dans les boutonnières de la mienne. C'était un homme de loi corpulent : il ne me laissait pas bouger et m'asphyxiait. De toute la force qui restait dans mes poumons, j'ai crié tout bas :

— Reste-t-il quelqu'un de vivant ?

— Oui, moi, a répondu doucement une voix toute proche.

Et elle a ajouté immédiatement :

— Mais à demi.

— Magnolio, me suis-je exclamé en reconnaissant la voix. Que diable êtes-vous venu faire ici ? Je vous croyais reparti pour Barcelone depuis plusieurs heures.

— Non, monsieur, a-t-il balbutié, j'ai fait comme si je partais, mais je ne suis pas parti. Je voulais m'assurer qu'il ne vous arriverait rien. Je suis resté tout ce temps dans le jardin, sous la fenêtre, en écoutant derrière le store à lames orientables. Ces stores à lames orientables ne s'ajustent jamais parfaitement. Quand j'ai entendu monsieur le Gaucho exposer ses projets, je me suis rendu compte du sérieux risque que vous couriez et j'ai décidé de passer à l'action. Je suis entré en défonçant la porte de derrière, celle de la cuisine Le bois de cette porte est pourri et les gonds, également de cette porte, sont rouillés, ce qui fait qu'elle a cédé à la première poussée. C'est une chance, car si j'étais arrivé une demi-seconde plus tard, les carottes étaient cuites.

Il s'est arrêté pour reprendre sa respiration, a exhalé un gémissement et a ajouté :

— Seulement, maintenant, c'est moi qui suis cuit.

— Vous êtes blessé ? lui ai-je demandé.

— Blessé est un terme optimiste, a répondu Magnolio. Je suis sur le point de chanter le requiem dans ma langue vernaculaire.

— Ne dites pas de bêtises, ai-je répliqué, dès que

j'aurai réussi à me démêler de maître Miscosillas, je vous sortirai d'ici, j'appellerai une ambulance, on vous fera deux points de suture et après-demain vous serez comme neuf.

— Non, a répondu Magnolio, laissez tomber. Je n'ai pas de mutuelle, et puis il est trop tard. Je n'aurais jamais dû quitter le village. Je voulais me bâtir un avenir, et vous voyez où ça m'a conduit : à me vider de mon sang dans une villa à des milliers de kilomètres de chez moi.

— Pourquoi avez-vous fait ça ? lui ai-je demandé. Je veux dire : pourquoi avez-vous risqué votre vie pour sauver la mienne ?

— Vous comprendrez quand vous verrez ce que j'ai fait, a murmuré Magnolio, avec lassitude. Ne me remerciez pas. Dites seulement à Raimundita qu'entre nous c'était sérieux. Il y a beaucoup de vauriens lâchés dans ce vaste monde. J'en étais. Mais pas avec Raimundita. Dites-le-lui tel quel.

Après m'avoir confié cet émouvant message, il n'a plus rien dit, pas même pour répondre à mes exhortations pressantes. Finalement, j'ai dû me rendre à l'évidence. J'étais seul et immobilisé par le poids d'un avocat mort dans le salon d'une villa abandonnée. Je ne pouvais espérer le secours de personne avant que ne débute la saison des bains de mer et que l'odeur provenant de la villa n'attire l'attention d'un passant. Il était évident qu'à ce moment-là je serais mort d'inanition, ajoutant ma pestilence à celle de mes voisins. La perspective n'était pas réjouissante, mais la nuit avait été la plus agitée de toute une série de nuits agitées, si bien que j'ai fermé les yeux et me suis endormi illico.

Je me suis réveillé en sentant qu'on me palpait et j'ai entendu près de moi une voix de basse qui disait :

— Il y en a encore un autre qui respire.

Quelqu'un a approché une torche. La lumière m'a

permis de voir deux faces noires comme la poix qui se penchaient sur moi et échangeaient des regards interrogateurs. J'ai reconnu l'une de ces faces, c'était celle de M. Mandanga, le gérant de l'Auberge Mandanga. Lui aussi m'a identifié et a dit :

— Peut-on savoir à quoi diable vous avez joué ? C'est une hécatombe.

— Ils sont tous morts ?

— Non, vous êtes vivant et, semble-t-il, indemne, a répondu M. Mandanga. Monsieur le Maire a également sauvé sa peau. La balle lui est entrée par le cul et ressortie par la bouche. Apparemment on l'a pris en enfilade. Mais ses organes vitaux ne semblent pas atteints. Les autres sont partis pour une vie meilleure, bien qu'aucun d'eux, à vrai dire, n'ait jamais eu à se plaindre de celle-là, sauf le pauvre Magnolio.

Tandis qu'il parlait, je me suis aperçu que non seulement le salon était plein de Noirs, mais que d'autres Noirs entraient et sortaient et s'égaillaient dans la villa. Certains s'éclairaient avec des torches. D'autres tenaient des machettes, des pioches et des fourches. Des pas résonnaient à l'étage. Comme s'il pouvait lire dans mes pensées, M. Mandanga m'a expliqué ce qui s'était passé.

Les habitués de l'Auberge Mandanga, voyant ou ayant vu que les heures passaient et que Magnolio ne revenait pas, et ayant pour principe inébranlable de se secourir les uns les autres dans l'adversité, avaient décidé de partir à la recherche et, si nécessaire, à l'aide de leur camarade, raison pour laquelle ils s'étaient munis des instruments aratoires qu'ils brandissaient maintenant. En quittant le bar, Magnolio ne leur avait pas dit où il allait, mais M. Mandanga ou son épouse se souvenaient de l'avoir entendu mentionner dans le cours de sa conversation avec moi le nom de Castelldefels, une agglomération limitrophe encore que restée inexplorée par eux jusqu'à cette heure, de sorte qu'ils étaient partis dans cette direction avec le camion de livraison de légumes appartenant à l'un d'eux, lequel, en sa qualité de transporteur, connaissait le chemin de Mercabarna comme la paume de sa main, qui était blanche, comme l'est toujours la paume de la main des Noirs, y compris des plus charbonneux, sans que personne jusqu'à ce jour ait pu donner la raison de cette bizarrerie, vu que depuis des temps immémoriaux (dix millions d'années ou plus) les Noirs ont gardé cette partie de leur corps exposée au soleil et pas d'autres que, probablement, ils conservaient pudiquement cachées, ce qui n'empêche pas ces dernières d'être noires et bien noires. En ces circonstances, cependant, cette intéressante énigme n'a pas été amenée sur le tapis, car d'autres affaires plus pressantes requéraient notre attention, la première étant de permettre à M. Mandanga de terminer son récit, chose qu'il a faite en disant qu'une fois arrivés à Castelldefels ils étaient tous descendus du camion et, s'éclairant avec des torches et brandissant leurs outils, ils s'étaient efforcés de ratisser la zone rue par rue et maison par maison.

– Par chance, a commenté M. Mandanga avec finesse, nous n'avons rencontré personne, car il suffit que quelqu'un nous voie pour qu'il chie tout de suite dans son froc.

Cela faisait un bon bout de temps qu'ils étaient à la recherche de Magnolio et ils étaient sur le point de l'abandonner en jugeant qu'elle était infructueuse, quand ils avaient entendu au loin des coups de feu persistants. Ils avaient redoublé d'efforts et, guidés par le Pygmée Facundo, un homme que sa petite taille n'empêchait pas d'avoir l'odorat très fin et d'être un excellent poète, ils n'avaient pas tardé à se retrouver devant notre villa et, là, devant la scène précédemment décrite.

e récit terminé, j'ai fait le mien. Pendant ce temps, ils m'avaient libéré du poids de maître (désormais ex-maître) Miscosillas, et j'avais pu me lever pour passer en revue les tristes victimes de la folie humaine, la leur et celle des autres. Cela réglé, j'ai demandé à M. Mandanga ce qu'il comptait faire, en croyant que sa réponse serait qu'il allait avertir la police de cette macabre tragédie, mais il m'a rétorqué en haussant ses larges épaules jusqu'à la hauteur de ses grosses joues :

— Vous ferez ce qui vous semblera le mieux. Quant à nous, nous agirons selon nos honnêtes et sages principes.

Là-dessus, il a tiré de sa poche une tige d'environ trente centimètres de long, percée aux deux extrémités ainsi que dans la partie supérieure, l'a portée à ses lèvres en obturant plusieurs orifices latéraux, s'est servi de cet instrument comme d'une flûte et, par ce moyen, a convoqué ses troupes dans le salon.

— Tout est prêt ? a-t-il questionné.

— Oui chef, a répondu un homme. J'emporte un sommier, un matelas, un oreiller et une paire de draps.

— Et moi, a dit un autre, un service complet composé de six assiettes plates, six assiettes creuses, six bols, douze verres à pied en cristal et une corbeille à pain.

— Et moi, a enchaîné un troisième, le lave-vaisselle, vu que j'en avais drôlement besoin.

— Et moi la chaise roulante, a conclu un quatrième, pour ma belle-mère.

M. Mandanga a tout noté sur un bloc qu'il a rangé ensuite dans sa poche et a dit :

— Bien, et maintenant, en avant les torches.

— Dites donc, chef, s'est enquis respectueusement l'un des membres de la bande, et si on gardait la villa ? Après tout, puisque son légitime propriétaire est mort sans descendance, elle n'appartient plus à personne et nous, nous pourrions en faire un centre civique.

– Ou installer ici une maternelle pour nos bambins, a proposé un autre.

– Non, non, a répliqué M. Mandanga sur un ton définitif. Ce serait une source de problèmes et de frais, et après tout, pourquoi voudrions-nous d'une villa pillée ? Chargez le camion et apportez l'essence.

Ils ont fait ce que disait M. Mandanga et, quand le camion s'est trouvé rempli à ras bord de meubles et d'ustensiles usagés, ils m'ont invité à monter à l'arrière et à m'installer du mieux que je pouvais au milieu du produit de la réquisition. A côté de moi, ils ont placé Monsieur le Maire. Entre-temps, M. Mandanga parcourait les deux étages de la villa en arrosant le sol et les murs d'essence. Puis ils ont lancé les torches par les portes et les fenêtres, ils sont tous montés dans le camion et celui-ci est parti aussi vite que le lui permettait son lourd chargement. En arrivant sur l'autoroute de Castelldefels, je me suis retourné et j'ai vu une vive lumière et une épaisse colonne de fumée s'élever au-dessus des contours des pins et des maisons. M. Mandanga, qui était accroupi près de moi, m'a donné une tape dans le dos en murmurant :

– Croyez-moi, c'était la meilleure solution, ou, à défaut, la plus simple.

*

A l'heure habituelle, j'ai ouvert la boutique au public avec plus de ponctualité que de plaisir, car les événements des heures précédentes m'avaient laissé un sentiment de trouble et de malaise physique que je ne pouvais attribuer uniquement aux séquelles d'une nuit blanche. Ni le sens de la responsabilité, ni la fierté d'être un bon citoyen, ni l'ardeur et l'impatience que je ressentais toujours au début d'une journée de travail en enfilant la blouse blanche et en me préparant à satisfaire une nombreuse clientèle ne m'ont remonté le moral, comme cela s'était produit en d'autres occasions.

A midi, et après un long affrontement avec le garçon du café d'en face pour le convaincre de me servir à crédit un sandwich aux calamars et aux oignons, je suis allé (sans avoir mangé) feuilleter la presse au kiosque de M. Mariano. Un entrefilet concis rendait compte de l'incendie qui, ce matin-là à l'aube, avait totalement détruit une vieille villa inhabitée de la zone résidentielle de Castelldefels. Détail curieux, disait l'entrefilet, les pompiers avaient trouvé dans les décombres de la villa les cadavres calcinés de six personnes dont l'identification s'avérait absolument impossible. Il s'agissait probablement, concluait l'entrefilet, d'immigrés clandestins de race noire qu'un voisin disait avoir vu rôder dans les parages de la villa peu de temps avant l'incendie, munis de torches et d'armes redoutables, et donnant des signes de sauvagerie.

Dans l'après-midi, je me suis occupé de deux petits vieux qui partageaient une perruque depuis trente ans et qui, tout d'un coup et sans cause apparente, avaient décidé de la partager en deux parties égales et de ne plus s'adresser la parole. Ce travail, qui en d'autres circonstances m'aurait passionné, m'a plongé dans une inexplicable mélancolie.

Peu avant la fermeture, une fourgonnette de livraison s'est arrêtée devant la boutique et un individu en est descendu pour extraire de la partie postérieure du véhicule une énorme boîte en carton qu'il a traînée à l'intérieur de l'établissement. Une fois là, sans prêter attention à mes salutations empressées et à mes questions polies, il a ouvert la boîte et en a extirpé un magnifique séchoir électrique avec pied et casque amovible, d'un ravissant rouge métallisé. Il se disposait à le monter et à m'expliquer l'a b c de son fonctionnement quand je l'ai interrompu pour le remercier de sa présence et de ses intentions, et le détromper quant à mes possibilités car, bien qu'ayant désespérément besoin d'un séchoir neuf, je n'étais pas en condition de payer ce magnifique appareil, ni, pour être sincère, de l'acquérir à tempérament, même en tablant sur les projections les plus optimistes. Mais l'individu m'a coupé la parole en disant qu'il ne venait pas me proposer ce séchoir mais le laisser là, vu que le séchoir avait été acheté et intégralement réglé, transport, installation, assurance obligatoire, entretien et TVA compris. Voyant ma mine perplexe et cédant à mes instances, il a consenti à m'expliquer qu'un monsieur à la stature peu commune et à la peau sombre s'était présenté dans son magasin la veille dans l'après-midi, et qu'après s'être longuement informé il avait choisi ce modèle, donné les coordonnées du salon de coiffure où devait être effectuée la livraison et réglé la facture comptant, en espèces, et sans marchander. Le vendeur, a poursuivi l'individu (qui se trouvait par hasard être aussi le vendeur), s'était enquis discrètement des raisons et des buts de cet achat, non parce qu'il se méfiait d'un nègre habillé en chauffeur, mais parce qu'il se méfiait de tout le monde et en particulier des représentants d'autres races, et donc, a poursuivi le vendeur, l'acheteur lui avait exposé qu'après plusieurs années perdues à gâcher sa vie il avait décidé d'y mettre de l'ordre, de se marier avec une jeune fille qu'il venait de rencontrer et d'entrer en qualité d'associé chez un coiffeur qu'il venait également de rencontrer. D'après ce qu'avait compris le vendeur, les aïeux de l'acheteur, là-bas en Afrique équatoriale, avaient tous été coiffeurs et, en me rencontrant, il avait ressenti au plus profond de son être l'appel ancestral de cette noble profession. Et c'était précisément afin d'être accepté comme associé, avait continué d'expliquer l'acheteur au vendeur, qu'il achetait ce séchoir, en se proposant d'en faire le premier apport de sa participation au capital de l'entreprise. Il n'aurait pu faire cet apport, avait tout de suite précisé l'acheteur, si le hasard n'avait permis à l'acheteur d'obtenir d'un seul coup une somme importante, même s'il avait été obligé pour cela de participer à l'enlèvement d'un individu dans une résidence de Vilassar.

Après m'avoir donné ces explications et fait signer le récépissé correspondant, l'individu est parti en laissant le séchoir installé dans la boutique pour ma confusion et mon émerveillement.

Le lendemain, au milieu de la matinée, une voiture officielle s'est arrêtée devant la boutique, et Monsieur le Maire en est descendu et m'a salué avec sa cordialité habituelle.

– J'ai profité de ce jour libre, a-t-il dit, pour vous rendre une visite de politesse. Je l'aurais fait dès hier, mais j'ai dû intervenir dans le meeting de clôture de la campagne. J'ai été colossal, mon ami, réellement colossal. Dommage que vous ne soyez pas venu m'entendre. Enfin, tant pis. Demain, ce sont les élections ; et aujourd'hui, la journée de réflexion. Comme je ne réfléchis jamais, pour moi c'est jour de congé. Cette après-midi, on m'emmène au cirque. Mais avant, j'ai voulu passer vous voir. Vous vous demandez pourquoi ? Je vais vous le dire. Je ne sais si vous vous souvenez que l'autre nuit, dans une villa de Castelldefels, il s'est produit une légère altercation. Rien de bien grave : quelques coups de feu sont un échange d'impressions par d'autres moyens, comme a dit Platon. Il se trouve que, par suite d'un malentendu, j'étais également présent. Pas dans les dialogues de Platon, mais dans la villa de Castelldefels. Mais j'ai oublié ce qui s'est passé. Et vous ?

– Moi aussi, Monsieur le Maire, me suis-je empressé de répondre.

– S'il vous plaît, ne m'appelez pas ainsi. Tout

dépend des résultats de demain. Le peuple a la parole. Jusque-là, je ne suis qu'un humble candidat, un simple, modeste, ridicule et abject citoyen comme les autres. Quant à vous, si ma mémoire n'est pas défaillante, je ne vous avais jamais vu avant maintenant. Et vous ne m'avez jamais vu. Vous avez un très joli salon de coiffure. Très joli, *indeed*. Naturellement, tout est susceptible d'améliorations. Peut-être qu'un nouveau séchoir électrique ne serait pas de trop. Celui-là semble bien vieux.

– Il sort de l'usine, Monsieur le Maire. Et je n'ai besoin de rien d'autre.

– Bien, bien, s'est exclamé Monsieur le Maire, voilà qui me plaît. Les Catalans peuvent tirer du pain des pierres, et dur comme la pierre, pas vrai ? Bon, bon. Je suppose que vous êtes à jour en matière de taxes ou de contributions. Mais si on vient vous embêter pour des histoires de retards dans vos versements ou des choses comme ça, donnez-moi un coup de téléphone. La Mairie est sur la place Sant Jaume vingt-quatre heures sur vingt-quatre.

*

Le soir, j'ai trouvé devant la porte de mon immeuble deux individus que je connaissais bien. Je les ai invités à monter dans mon appartement et ils m'ont dit qu'ils n'avaient pas de mandat pour procéder à la violation de domicile, mais que si moi, exerçant mes droits constitutionnels, je décidais de me conduire comme un imbécile, c'était mon affaire. Une fois dans mon appartement l'un d'eux m'a dit que le motif de leur présence était de m'interroger.

– Voyons, Baldiri, sois pas grossier, a rectifié l'autre, on est juste venus tailler une p'tite bavette avec notre ami.

– C'est bon, a concédé Baldiri, mais si cette andouille se conduit comme un imbécile, on se le saute.

Ces conditions acceptées par moi, ils m'ont montré une photographie d'Ivette en petite culotte et soutien-gorge. En réalité il s'agissait d'une page de publicité arrachée dans une revue féminine. Comme le texte qui accompagnait la photo était en anglais, j'en ai déduit qu'elle correspondait à l'époque où Ivette avait travaillé comme modèle à New York. Ils m'ont demandé si je connaissais la fille de la photo et j'ai répondu que oui. Ils m'ont demandé si je connaissais son domicile actuel. Je leur ai demandé à mon tour pourquoi ils voulaient connaître le domicile d'Ivette et ils m'ont raconté que la nuit précédente, profitant de l'absence de M. et Mme Arderiu, partis pour un long voyage, quelqu'un était entré dans l'hôtel particulier desdits Arderiu (M. et Mme) et avait emporté tous les bijoux de Mme Arderiu, très connue dans les milieux mondains sous le nom de Reinona.

– Je ne parviens pas à comprendre, ai-je dit, quelle relation il peut y avoir entre le vol que vous venez de me raconter et la fille de la photo.

– Ça, c'est monsieur le juge qui décidera quand nous lui remettrons la fille, a répliqué Baldiri.

– Ligotée, menottée et passée par les armes, a ajouté son camarade.

– Je crains, messieurs, qu'une telle chose ne soit impossible, ai-je dit. Vos soupçons sont infondés. La demoiselle en question a péri l'autre nuit dans un incendie qui s'est produit à Castelldefels. J'ai été moi-même témoin oculaire du fait, et je suis prêt non seulement à déposer devant monsieur le juge mais à demander la comparution de Monsieur le Maire qui, dans la nuit du drame, se trouvait…

D'une seule voix, les deux agents m'ont affirmé que ma collaboration leur avait été très utile, qu'ils me croyaient sur parole et qu'ils ne voulaient pas m'importuner davantage. D'ailleurs, ont-ils ajouté, ils étaient très pressés. Je leur ai demandé la photo, ils me l'ont donnée en prétendant en avoir des copies et ont filé sans insister.

*

Après cette rencontre, plusieurs jours se sont écoulés sans incidents susceptibles de troubler la dynamique monotonie de mon paisible métier. Puis, un jeudi après-midi, alors que j'étais immergé dans l'étude du manuel d'instructions du séchoir électrique, une fille dont je n'ai pu qu'entrevoir la gracieuse silhouette du fait de la pénombre est entrée dans la boutique. J'ai fermé le manuel d'instructions, je l'ai rangé dans un tiroir et me suis mis en devoir d'enlever la housse en plastique qui protégeait le séchoir de la poussière, de l'humidité, des acariens et de tout autre élément susceptible de l'abîmer avant son inauguration, mais elle m'a arrêté en me disant :

– Je suis seulement venue bavarder avec vous. Je suis Raimundita, vous vous souvenez de moi ?

– Oh, Raimundita, pardonne-moi, ai-je dit, je ne t'avais pas reconnue tout de suite. Quel bon vent t'amène ?

La question était inutile, car je savais trop bien ce qu'elle venait me demander. Je l'ai quand même laissée poser la question, après quoi je lui ai répondu que moi non plus, je n'avais pas vu Magnolio récemment et que je n'espérais pas le voir, car des amis communs m'avaient informé qu'il était reparti dans son pays avec l'argent qu'il avait soutiré à maître Miscosillas. Avec cet argent, m'avaient-ils dit, il avait l'intention de s'installer dans son village et d'épouser la fiancée de son enfance. En entendant cela, une agitation subite a troublé le gracieux visage de Raimundita et ses yeux se sont embués. Prévoyant une scène, je me suis hâté d'ajouter :

– Ça ne doit pas te surprendre qu'il ait filé, comme on dit, *à la françoise*. Ces types-là, c'est bien connu, sont comme ça. Ils viennent gagner de l'argent et prendre du bon temps, mais ils ne s'intègrent pas, ils ne s'adaptent pas, ils ne lisent pas Josep Pla, ni rien de rien. Ingratitude, inculture, et bonsoir je ne faisais que passer.

Raimundita s'est essuyé les yeux avec le dos de la main, a haussé les épaules et dit qu'au fond elle était contente de voir s'achever ainsi une histoire trop compliquée dans laquelle elle s'était embarquée sans le moindre intérêt, juste pour passer le temps et en réalité pour rendre jaloux le majordome, le seul qui lui plaisait vraiment et avec qui elle finirait bien, tôt ou tard, par se marier. Je l'ai félicitée de sa décision et nous nous sommes séparés dans la plus grande allégresse, non sans nous être promis auparavant de nous appeler pour sortir prendre quelques verres en nous moquant du reste.

Bien entendu je n'ai pas revu Raimundita, ni aucune autre personne liée à cette intéressante et étonnante histoire dont nous avons atteint le dénouement. Une fois, seulement, à la mi-décembre, un soir que je revenais chez moi après avoir fermé la boutique, j'ai trouvé une enveloppe accrochée à la porte avec Dieu sait quoi. C'était une lettre qui m'était adressée et que le facteur n'avait pas osé mettre à la poubelle comme il le fait de toute ma correspondance (avec une malveillance arbitraire), sans doute à cause de la proximité des fêtes de Noël et de l'expectative (illusoire) d'étrennes. Je suis entré dans mon appartement, j'ai allumé la lampe et examiné le timbre et le cachet. L'enveloppe ne portait pas de nom d'expéditeur, mais le tampon indiquait qu'elle avait été postée à New York, également appelée la ville des gratte-ciel pour la hauteur de ses édifices. Je l'ai ouverte avec des doigts tremblants et j'ai lu ce qui suit :

> J'aurais dû t'écrire depuis longtemps pour te remercier de ton obligeance et particulièrement d'avoir dit à la police que je suis morte cette nuit-là dans la villa de Castelldefels alors que tu savais la vérité puisque tu m'as vue sortir à quatre pattes du salon quand ils ont commencé à tirer. J'espère que ça ne t'aura pas valu des ennuis, ni avec la police, ni avec personne.
>
> Mais je ne t'écris pas seulement pour te remercier. Je voulais aussi te dire autre chose. Cette nuit-là, dans la villa, j'ai pu paraître accepter les accusations que mon ancienne condisciple Ivette Pardalot a eu le culot de verser ou de déverser sur ma personne, ma conduite et mon passé. Si je ne lui ai pas répondu comme elle le méritait, c'est en partie parce que ainsi, sur le coup, on n'est jamais sûr d'être tout à fait innocent des saloperies dont on vous accuse, et en partie parce qu'il n'était pas question de porter la contradiction à cette limace quand la vie de mon père et de ma mère, la mienne et celle d'autres personnes étaient en jeu. Mais je veux que tu le saches, ce qu'elle a dit de moi n'est pas vrai. Ou tout n'est pas vrai, si nous nous en tenons seulement aux faits. A New York, les choses ne se sont pas mal passées pour moi. Pas bien non plus. Comme modèle de lingerie féminine, j'ai pu survivre, avec des hauts et des bas mais suffisamment pour me payer quelques caprices, comme une robe coûteuse, un voyage aux Caraïbes ou des stupéfiants. Je ne me suis jamais livrée à la prostitution, en ce sens que je n'ai jamais touché de l'argent d'aucune personne physique ou juridique en échange de mes faveurs, même si j'ai toujours fait en sorte que leur bénéficiaire ne s'en tire

pas gratuitement. Quant à savoir si j'ai été ou si je suis droguée, c'est mon affaire, celle de mes proches, et, si l'on veut aller plus loin, celle de la société en général, mais cela ne concerne en rien une limace comme Ivette Pardalot qui ne sait rien de moi et voulait uniquement justifier sa stupide existence de limace en peignant la mienne à son goût et à sa convenance. Je regrette, ma jolie : je n'ai peut-être pas réussi comme d'autres, mais je ne suis pas une métaphore de rien, et que chacun se débrouille avec ses problèmes. Je te dis tout ça parce que je ne veux pas que tu te fasses de moi une idée fausse, ni en bien ni en mal. Naturellement, tu es tout à fait libre de te faire l'idée que tu veux. Mais pour moi il était important de t'expliquer ce que je viens de t'expliquer. Je sais que tu t'es toujours méfié de moi, et les motifs ne te manquent pas. Il est certain que, consciemment et pour de l'argent, je t'ai mis dans de sales draps avec ce vol. Mais ensuite j'ai changé d'attitude. Tu n'as pas su le voir. La nuit où je suis venue dans ton appartement avec l'excuse qu'un homme me suivait, je t'ai menti : personne ne m'avait suivi. En réalité j'étais venue passer la nuit avec toi. Quelque chose aurait peut-être pu commencer entre nous, si tu ne t'étais pas obstiné à vouloir résoudre l'affaire. Tu as sûrement bien fait. Tu as ta vie organisée, moi je suis une propre à rien.

Comme tu vois, je suis revenue à New York, que je n'aurais jamais dû quitter et où j'espère cette fois trouver rapidement un emploi stable, ou en tout cas avant d'avoir épuisé les bijoux de ma défunte mère, grâce auxquels j'ai pu vivre jusqu'à maintenant sans être dans la gêne. Je mène une vie réglée et tranquille. Si, à l'époque, je me suis mise à la drogue, c'est parce que j'étais très seule. Aujourd'hui je le suis toujours, mais ce n'est plus pareil. Me retrouver orpheline de père et de mère en une nuit a été finalement une libération.

Pour la première fois je suis maîtresse de mes actes et pas seulement responsable de leurs conséquences. J'espère que tu auras, toi aussi, tiré profit des expériences que nous avons vécues ensemble et que tout se passe bien pour toi au salon de coiffure. New York est mieux que jamais, surtout à cette période de l'année. Les vitrines de Sacks te raviraient.

Cordialement,

Ivette.

J'ai entendu du bruit derrière moi et mon cœur s'est presque arrêté de battre. Je ne sais pas ce que j'ai cru. En fait, c'était Purines, ma voisine. Dans ma précipitation à lire la lettre, j'avais laissé la porte de mon appartement grande ouverte et Purines m'avait trouvé plongé dans ma lecture en revenant du supermarché habillée en Père Noël. Noël était proche et ses clients ne pouvaient échapper à l'influence de ces festivités. Elle, personnellement, aurait préféré s'habiller en petit berger ou en brebis et mettre en scène l'Annonciation ou tout autre épisode de notre crèche traditionnelle, mais le client était roi, et ce qui plaisait aux clients était de se déguiser en renne et de tirer un traîneau chargé de jouets, et tant pis pour leur dos, a-t-elle affirmé. Puis elle a posé ses sacs sur le parquet du palier, a ôté son bonnet et a dit :

— En sortant, j'ai vu une enveloppe sur ta porte. Une lettre des USA. Bonnes nouvelles ?

— Oh, oui, très bonnes, ai-je répondu en pliant la lettre et en la fourrant dans ma poche.

Purines m'a regardé longuement, a repris ses sacs en plastique et a dit :

— Écoute, ces fêtes sont un fléau : la clientèle a la tête ailleurs et les rues sont impossibles. Aussi ai-je pensé aller passer quelques jours dans un petit hôtel qu'on m'a recommandé, propre, bon marché et tout. Et je me dis que si tu te secouais un peu, nous pourrions y aller ensemble. Si tu ne connais pas Benidorm, ça te plaira. Un changement d'air te fera un bien formidable… et moi je suis très silencieuse et facile à vivre.

Sans me donner le temps de trouver une réponse plausible à sa proposition, elle a ajouté :

— Elle ne reviendra pas. Et si elle revenait, elle ne te ferait pas signe.

— Je sais bien, ai-je dit, mais quand même…

— Alors, a soupiré Purines, ne sois pas idiot et va la chercher.

— A New York ? Ne dis pas n'importe quoi. Je ne sais même pas où elle habite. Et même si je le savais, qu'est-ce que je ferais là-bas ?

— Tu travaillerais. Une amie qui y a passé une semaine entière tous frais payés m'a raconté qu'en Amérique on apprécie et on récompense l'initiative privée, au contraire d'ici. Crois-moi, si tu ne le fais pas, tu vas devenir idiot. Et si tu acceptes ma proposition et viens avec moi, non seulement idiot mais gros.

Purines avait raison : certes la boutique marchait mieux (par comparaison) grâce au nouveau séchoir électrique, et les fêtes laissaient prévoir une forte ou au moins une faible augmentation (saisonnière) du travail, mais l'enthousiasme d'antan semblait m'avoir abandonné. J'ai décidé de me donner un temps de réflexion et de ne prendre aucune décision avant la fin de l'année.

*

Une après-midi, peu après la scène décrite dans les paragraphes précédents, un individu étrange est entré dans la boutique. Sa toison broussailleuse et sa barbe épaisse auraient fait de lui un magnifique client si le fait d'être en haillons, pieds nus, et de faire la manche dans la rue n'avait indiqué un pouvoir d'achat des plus faibles. C'était le jour des Saints-Innocents, et il traînait derrière lui une longue queue de *llufas**. Je lui ai dit que je ne pouvais rien lui donner et que si j'avais pu lui donner quelque chose je ne l'aurais de toute façon pas fait pour ne pas encourager la mendicité, et il m'a répondu avec beaucoup de dignité :

– Monsieur, je ne suis pas un mendiant. Si je demande l'aumône, c'est seulement par nécessité. Ma véritable profession est star de l'écran. Je suis Robert Taylor. Malheureusement, il y a un fou nommé Cañuto qui se prend pour moi et qui a fait gober ça à tous les grands producteurs d'Hollywood.

Tandis qu'il prononçait ces mots, un courant d'air a écarté les mèches qui couvraient son visage et je l'ai tout de suite reconnu.

– Cañuto, ça faisait si longtemps que je n'avais plus de nouvelles de toi ! me suis-je exclamé en jetant mes bras autour de son cou et en les retirant immédiatement. La dernière fois que nous nous sommes vus, c'était sur une autoroute, le jour où ils nous ont mis à la porte de l'asile, tu te souviens ? Je croyais que tu étais resté incrusté dans le macadam. Qu'est-ce que tu as fait depuis ?

– Tu vois, a répondu Cañuto en haussant les épaules. Comme Robert Taylor, je ne peux pas me plaindre. Mais comme Cañuto, c'est la mouise. Et toi ?

– Je suis ici et je fais le coiffeur, ai-je dit. L'entreprise est à mon beau-frère, mais c'est moi qui mène la barque.

– Peinard, a dit Cañuto. Ça au moins, c'est prospérer !

---

* Les *llufas* sont des petits bonshommes découpés dans du papier que, le jour des Saints-Innocents, les enfants catalans accrochent au dos des passants.

— Si on veut. Tu n'as pas recommencé à braquer des banques ?

— Non, mon vieux, a soupiré Cañuto. Avec les progrès de la technologie, les choses sont devenues affreusement compliquées. Et des détecteurs par-ci, et des alarmes par-là, et des vitres blindées, et des circuits de télévision… Ils sont en train de tuer le métier.

— Bah, ne te laisse pas impressionner, ai-je répondu. Moi je te dis que toute cette technologie, c'est du pipeau. Plus il y a de technologie, plus le coup doit être facile. Le tout, c'est de trouver l'astuce. Tu es pressé ?

— Pas vraiment.

Alors assieds-toi ici, lui ai-je dit, et laisse-moi faire.

Je lui ai lavé et coupé les cheveux, je lui ai fait la barbe puis une permanente (avec le séchoir neuf) et, après l'avoir métamorphosé en dandy, j'ai mis le verrou, bien qu'il restât encore deux heures avant la fermeture, et nous nous sommes dirigés bras dessus bras dessous sous les lumières flamboyantes des décorations de Noël vers la pizzeria où je me proposais de lui offrir un dîner digne d'un rajah et, en même temps, de lui parler de certains projets qui depuis quelques jours me trottaient dans la tête ou par la tête, parce que j'avais investi trop d'illusions, de temps et d'efforts dans le salon de coiffure et que, si je décidais finalement d'imprimer un tour nouveau à ma vie et peut-être même, pourquoi pas, de changer de résidence, les talents de Cañuto pouvaient m'être d'une grande utilité.

Le Mystère de la crypte ensorcelée
Seuil, 1982
et « Points », n° P459

Le Labyrinthe aux olives
Seuil, 1985
et « Points », n° P460

La Vérité sur l'affaire Savolta
Flammarion, 1987
et « Points », n° P461

La Ville des prodiges
Seuil, 1988
et « Points », n° P46

L'Ile enchantée
Seuil, 1991
et « Points », n° P657

L'Année du déluge
Seuil, 1993
et « Points », n° P38

Sans nouvelles de Gurb
Seuil, « Point-Virgule », 1994

Une comédie légère
prix du Meilleur Livre étranger
Seuil, 1998
et « Points », n° P658

RÉALISATION : PAO ÉDITIONS DU SEUIL
IMPRESSION : SOCIÉTÉ NOUVELLE FIRMIN-DIDOT AU MESNIL-SUR-L'ESTRÉE
DÉPÔT LÉGAL : MARS 2003. N° 58113-3 (64720)
IMPRIMÉ EN FRANCE